BAL
ABSOLWENTÓW

RUTH NEWMAN

Przekład
RADOSŁAW JANUSZEWSKI

AMBER

Redaktor serii
Małgorzata Foniok

Redakcja stylistyczna
Dorota Kielczyk

Korekta
Elżbieta Steglińska
Renata Kuk

Projekt graficzny okładki
Małgorzata Foniok

Ilustracja na okładce
Snow Books

Druk
Drukarnia Naukowo-Techniczna
Oddział Polskiej Agencji Prasowej SA, Warszawa, ul. Mińska 65

Tytuł oryginału
Twisted Wing

Copyright © Ruth Newman 2008.
All rights reserved.

For the Polish edition
Copyright © 2008 by Wydawnictwo Amber Sp. z o.o.

ISBN 978-83-241-3205-8

Warszawa 2008. Wydanie I

Wydawnictwo AMBER Sp. z o.o.
00-060 Warszawa, ul. Królewska 27
tel. 620 40 13, 620 81 62

www.wydawnictwoamber.pl

BAL
ABSOLWENTÓW

KRYMINAŁY Z KLASĄ

To elegancka proza ubrana
w wyrafinowaną kryminalną intrygę.

To prestiż i przyjemność czytania.
To powieści uhonorowane wszystkimi najwyższymi
światowymi nagrodami gatunku.
To wyjątkowa seria książek, które łączą perfekcyjny
kryminał ze znakomitą, a często wybitną literaturą.
To seria, jakiej nie było.

Chris Ewan
DOBREGO ZŁODZIEJA PRZEWODNIK PO AMSTERDAMIE
DOBREGO ZŁODZIEJA PRZEWODNIK PO PARYŻU

Steve Hamilton
ZIMNY DZIEŃ W RAJU

Laura Lippman
TO, CO UKRYTE
WZGÓRZE RZEŹNIKA

Peter Lovesey
DETEKTYW DIAMOND I ŚMIERĆ W JEZIORZE
SAMOTNOŚĆ DETEKTYWA DIAMONDA

w przygotowaniu

Maj Sjöwall, Per Wahlöö
ROSEANNE

Tacie, Davidowi Newmanowi:
najmądrzejszemu, najzabawniejszemu,
najbardziej wielkodusznemu ojcu,
jakiego dziewczyna mogłaby sobie wymarzyć.
Nauczyłeś mnie, jak poznawać siebie
i nie przejmować się tym, co myślą inni.
Dałeś mi filmy Woody'ego Allena, książki o seryjnych zabójcach,
chleb świętojański w domach przesiąkniętych zapachem curry,
zespół niespokojnych nóg, kanapki z sałatą, kąsające wielbłądy,
ateizm, soboty w starych kościołach
i zakalcowate wielkopiątkowe gorące bułeczki.
Nie jestem w stanie wyrazić,
jak bardzo cię kocham.

Rozdział 1

Matthew Denison pomyślał, że może zrobić mu się niedobrze. Ostatni raz ofiarę morderstwa widział w kostnicy, jeszcze na medycynie, i wtedy musiał użyć całej siły woli, żeby się nie skompromitować i nie paść jak długi na posadzkę prosektorium. Już się pocił i trząsł, a jeszcze nawet nie dotarł na miejsce zbrodni. Co będzie, kiedy zobaczy ciało i dostanie torsji? Jęknął na myśl, że mógłby zwymiotować na dowody.

Inspektor Stephen Weathers spojrzał na niego z ukosa znad kierownicy.

– Dobrze się czujesz, Matt? Wiesz, że nie musisz tam jechać...

Denison uchylił okno, żeby wpuścić trochę powietrza.

– Powinniśmy wykorzystać fakt, że akurat tu jestem.

– Ta śmierć... nie wiemy, czy ma jakiś związek – rzucił Weathers. Włączył radio. Denison nie odpowiedział: obaj dobrze wiedzieli, że zabójstwo w Ariel College może oznaczać tylko jedno.

Spiker lokalnej rozgłośni radiowej z Cambridge już mówił o morderstwie, chociaż sam Weathers dostał telefon całkiem niedawno, w środku nocy. Denison nagle uświadomił sobie, że na uniwersytecie pewnie będą dziennikarze, zaczął więc poprawiać krawat i drżącą ręką przejechał po włosach.

Znajome bliźniacze wieżyczki Ariel Chapel wyłoniły się znad dachów domów i sklepów. A kiedy skręcili za róg, kaplica ukazała się w całej swej gotyckiej chwale. Denison zamrugał. Budynek jarzył się niepokojącym różem.

Już z daleka zobaczyli furgonetki, samochody i tłum ludzi z mikrofonami, kamerami i notatnikami. Niebieskie światła błyskały na dachach trzech radiowozów, ale syreny milczały.

Weathers zaparkował możliwie najbliżej wartowni Ariel College i dalej przebijali się przez hordę reporterów i błyski fleszów. Denison miał spuszczoną głowę, ale nagle niepewnym ruchem poprawił okulary i z zażenowaniem zdał sobie sprawę, dlaczego to robi. Chciał pokazać, że nie jest skuty kajdankami, na wypadek gdyby któryś z reporterów wyciągnął fałszywe wnioski z faktu, że idzie w towarzystwie policjanta z wydziału zabójstw. Kiedyś napisał pracę o zaraźliwości paranoi; teraz zastanawiał się, czy aby nie spędza zbyt wiele czasu z pacjentami.

Sierżant wprowadził ich przez drzwi wycięte w wielkiej drewnianej bramie wartowni. Po drugiej stronie zobaczyli setki studentek i studentów w wieczorowych sukniach i smokingach. Stali zbici w grupki. Niektórzy siedzieli na trawniku jak porażeni. Wiele dziewczyn narzuciło na wytworne suknie marynarki swoich chłopaków, kilka owinęło się w policyjne koce. Rozmawiali szeptem, głosami bez życia. Twarze mieli ściągnięte, skórę bladą pod opalenizną. Jakaś dziewczyna spojrzała na Denisona, jej podkrążone oczy wyglądały jak maźnięcia sadzą.

– To był ich bal na zakończenie studiów – powiedział cicho sierżant. – Dlatego kaplica jest oświetlona jak choinka, a na trawniku stoi nadmuchiwany zamek.

– Wiedzą o morderstwie? – zapytał Weathers, kiedy mijali studentów, którzy snuli się w ciemnościach jak szare duchy poległych na polu bitwy.

– Nie wiedzą, kto zginął, ale wiedzą, że było kolejne zabójstwo.

Sklepionym przejściem pod biblioteką wydziału doszli na Carriwell Court. Żwir zachrzęścił im pod stopami. Światło z chińskich lampionów sączyło się w ciemność. Tu było więcej policjantów, ale studentów tylko dwoje, chłopak i dziewczyna. Rozmawiali z policjantami po przeciwległych stronach dziedzińca.

Denison głęboko zaczerpnął ciepłego, wieczornego powietrza i dopiero wtedy wszedł za Weathersem i sierżantem w drzwi, a potem kamiennymi schodami na górę. Usłyszał głosy. Kiedy dotarli do szczytu schodów, poczuł nieprzyjemny zapach. Dziwną miedzianą woń zmieszaną z amoniakiem i smrodem wymiocin.

Zatrzymał się na schodach, kurczowo ściskał drewnianą poręcz. Pół godziny temu piliśmy piwo, pomyślał. Co ja tu, kurwa, robię.

Weathers odwrócił się.

– Matt, naprawdę nie musisz…

Denison próbował wzruszyć ramionami. Zaschło mu w ustach.

– Chcę pomóc.

Weathers kiwnął głową. Nic już nie powiedział, tylko odwrócił się i pozwolił, żeby Denison wszedł za nim do pokoju, gdzie roiło się od ludzi.

Młody człowiek w smokingu miał krew i Bóg wie co jeszcze na rękach i spodniach. Biała koszula też była tym wysmarowana.

– Chciałem je tylko włożyć z powrotem – powtarzał policjantce.

– Chciałem je tylko włożyć z powrotem.

W drugim kącie dziewczyna, skulona jak embrion. Jaskrawoczerwona od krwi. Przez moment Denison myślał, że jest naga, potem zdał sobie sprawę, że jej stanik i majtki są przesiąknięte krwią. Sanitariusz próbował zaświecić jej latarką w oczy. Denison instynktownie podszedł, żeby zobaczyć, czy może pomóc. Dziewczyna kołysała się, siedząc w miejscu, patrzyła niewidzącym wzrokiem, wielkie czarne źrenice otaczała cienka linia tęczówek. Poruszała wargami, nie wydając żadnego dźwięku.

– Jest ranna? – zapytał Denison.

Sanitariusz pokręcił głową.

– O ile się orientuję, to nie. Przynajmniej nie fizycznie. To chyba nie jej krew.

– Jezu Chryste. – Denison usłyszał słowa Weathersa. Wyprostował się, a kiedy sanitariusze, policjanci i patolodzy rozstąpili się, między nimi i za nimi zobaczył ciało. Rozprute, w kałuży krwi. Wyrwane wnętrzności rozwleczone po podłodze.

Rozdział 2

Ma objawy całkowitego wycofania – powiedział Denison przez komórkę.

W głosie detektywa Weathersa słychać było irytację.

– To znaczy? Jest w katatonii?

– Cóż, z medycznego punktu widzenia nie. Wystąpiły u niej objawy ostrej retardacji psychomotorycznej, ale laik nazwałby to katatonią. Przepisałem antydepresanty, ale minie sporo czasu, zanim zaczną działać. Wkrótce chyba będziemy musieli zastosować elektrowstrząsy, bo inaczej umrze z niedożywienia.

Denison zaglądał przez szybę do pokoju Olivii Croscadden. Dziewczyna leżała na szpitalnym łóżku szczelnie owinięta prześcieradłami. Podłączona do ramienia kroplówka chroniła ją przed odwodnieniem, ale pielęgniarki musiały ją karmić jak niemowlę, rozdrabniać jedzenie i wkładać łyżką do ust. Połowa posiłku lądowała na papierowej serwetce rozpostartej na piersi; połowę połykała automatycznie, patrząc pustym wzrokiem.

Piękna dziewczyna, pomyślał Denison, nawet z tymi podkrążonymi oczami i pękniętą wargą. Nie po raz pierwszy zastanawiał się, co wywołało tak ekstremalną reakcję. Czy była świadkiem morderstwa? Czy sama obroniła się przed mordercą?

Czy tożsamość Rzeźnika z Cambridge jest zamknięta w tym zmaltretowanym umyśle?

– To może zamiast marnować czas ze Śpiącą Królewną pomógłbyś mi w Cambridge – powiedział Weathers. – Czytałeś już dzisiejsze gazety?

– Nie, jestem tutaj od czwartej rano – odparł Denison. – Ale samochód nadal stoi w warsztacie, więc złapię pociąg i na stacji kupię coś do czytania.

– W paru piszą, że skoro znowu kieruję śledztwem, to góra przyznała teraz, że to seryjne – powiedział Weathers.

– Przypuszczam, że tak jest. Mam nadzieję, że czujesz się zrehabilitowany.

Ze słuchawki dobiegło sapnięcie.

– Nie, tylko wkurzony, że tabloidy miały rację, a moi szefowie nie. Zadzwoń, kiedy dojedziesz.

Wszystkie brukowce w kioskach na Ariel Cross opisywały morderstwo na pierwszych stronach. *Brak dowodów*, krzyczał „Sun". *Dwóch zabójców?*, spekulował „Mirror". *Dziewczyna w śpiączce świadkiem morderstwa*, głosił „Daily Star".

Denison kupił je wszystkie wraz z ulubionym „Guardianem" i złapał pociąg o dziesiątej pięćdziesiąt dwie do Cambridge.

Usiadł przy oknie i rozłożył „Guardiana". Na trzeciej stronie zamieszczono przydługi artykuł o tym, dlaczego Stephen Weathers został wyznaczony do kierowania śledztwem w tej sprawie. „Guardian" najwyraźniej miał w policji informatora, który twierdził – trafnie, o czym Denison przypadkiem wiedział – że Weathers stracił łaski zwierzchników, bo trzymał się teorii, że za ostatnie dwa zabójstwa studentek tego samego wydziału w Cambridge odpowiada jeden zabójca. Po drugim morderstwie dochodzenie powierzono innemu funkcjonariuszowi. Weathers mógł tylko z boku patrzeć, jak nowy prowadzący gubi tropy i ścieżki śledztwa, aby tylko udowodnić, że szefostwo miało rację i między tymi dwoma zabójstwami nie ma związku.

A teraz zabito trzecią studentkę i już nie wątpił, że po Ariel College grasuje seryjny zabójca.

Denison złożył gazetę i rozpostarł „Daily Star". Artykuł w tabloidzie koncentrował się na Olivii Croscadden, studentce, która leżała teraz w szpitalu Coldhill, na oddziale psychiatrycznym prowadzonym przez Denisona. Błędnie twierdzono, że zapadła w śpiączkę, prawdopodobnie w wyniku ataku zabójcy, i jest w stanie krytycznym. Drgnął, kiedy zobaczył swoje nazwisko. „Próbowaliśmy skontaktować się z doktorem Matthew Denisonem. Niestety bez skutku. Domyślił się, że jego sekretarka Janey spławiła ich, kiedy zadzwonili.

Przerzucał strony, aż dotarł do komentarza redakcyjnego.: „Czy Rzeźnik myślał, że ją też zabił? A jeśli tak, to jak zareagował na wiadomość, że przeżyła i bez wątpienia potrafi go zidentyfikować? Czy to możliwe, że życie Olivii Croscadden nadal jest zagrożone?" Denison poczuł, że ktoś mu się przygląda. Opuścił gazetę i napotkał spojrzenie aroganckiego mężczyzny w lśniących brązowych półbutach, z fryzurą jak u chłopca z prywatnej szkoły – opadające na kołnierz włosy z przedziałkiem pośrodku. Mężczyzna siedział kilka miejsc dalej i patrzył gniewnie. Bardzo powoli, znacząco opuścił wzrok na pierwszą stronę gazety i znów spojrzał ze złością na Denisona. Aluzja była jasna: nie czytaj tych świństw w pociągu pełnym mieszkańców Cambridge.

Denison nagle się zawstydził. Wiedział jednak, że nie wytłumaczy zupełnie obcemu człowiekowi, skąd się wzięła ta, pozornie rynsztokowa, fascynacja morderstwami. Wetknął brukowce pod teczkę i zatopił się w dziale informacji ze świata „Guardiana".

Kiedy dotarł na stację w Cambridge, zadzwonił do Weathersa.

– Przyjedź do Ariel College – powiedział Weathers. – Wyślę krawężnika, żeby cię wprowadził.

Denison nie był zachwycony perspektywą powrotu na miejsce zbrodni, miał świeżo w pamięci odór krwi i wnętrzności. Ariel College było pięknym, harmonijnym zespołem gotyckich budowli z początku XV stulecia, ale odkąd dokonano tam morderstw, zaczął o nim myśleć jak o odrażającej pułapce, tak jak człowiek z arachnofobią mógłby myśleć o pajęczynie.

Czy w przyszłości będzie to zwyczajny wydział uniwersytecki, czy na zawsze pozostanie złowrogim miejscem budzącym takie skojarzenia jak Rillington Place albo Cromwell Street? Domy Christiego i Westa, seryjnych morderców, zburzono po procesie. Trudno, żeby to samo zrobiono z Ariel College.

Dziennikarze rozbili obozowisko pod wydziałem. Kiedy taksówka zatrzymała się przed bramą, z wmontowanych w nią drzwi wyłaniał się student. Natychmiast otoczyli go reporterzy. Chłopak przedarł się do roweru stojącego na wybrukowanym placyku, zdjął zabezpieczenie z koła i wskoczył na siodełko. Reporterzy, nie zważając na jego milczenie, zarzucali go pytaniami.

– Z drogi, do cholery! – ryknął w końcu. Przednie koło chwiało się gwałtownie, chłopak próbował utrzymać równowagę, prawie stojąc w miejscu. Przejechał po stopie jednego z fotoreporterów i pomknął uliczką.

– Pańska kolej – powiedział taksówkarz, wydając resztę.

Denison skrzywił się i wysiadł.

Reporterzy natychmiast go rozpoznali.

– Jak się czuje Olivia, panie doktorze?

– Złożyła już zeznania? Może zidentyfikować Rzeźnika?

– Bez komentarzy – rzucił Denison. Gorączkowo wypatrywał posterunkowego, który miał go wyrwać z tego młyna.

Młody policjant, pocąc się w zapiętym na ostatni guzik mundurze, wreszcie zauważył spojrzenie Denisona.

– Dosyć, chłopaki. – Wyciągnął ramię przez tłum i złapał lekarza za łokieć. – Przepuśćcie pana doktora.

Jakaś reporterka błagalnie uniosła oczy. Denison to zauważył i uśmiechnął się z sympatią, chociaż nie miał zamiaru się zatrzymać.

– Co pan tu dzisiaj robi, panie doktorze? – zapytała, korzystając z okazji.

– Po prostu próbuję pomóc – powiedział.

Razem z posterunkowym znaleźli się za bramą, w nagłej ciszy głównego podwórca. Tu było spokojnie, tylko pośrodku lśniącego zielonego trawnika łagodnie szemrała fontanna, a ze słupów latarni ćwierkała do siebie para wróbli.

– Tędy, panie doktorze. – Wskazał posterunkowy. – Inspektor jest na Carriwell Court.

Denison poszedł za nim tą samą ścieżką, którą przemierzył w noc morderstwa. Wcześniej byli u Weathersa w domu, doprowadzali właśnie świat do porządku, kiedy zadzwonił telefon. W czasie rozmowy przyjaciel aż dostał wypieków. Czyli chodziło o kolejne morderstwo. Gdyby zwierzchnicy Weathersa przyjęli jego teorię o seryjnym zabójcy, na wydziale zaroiłoby się od policjantów, a to mogłoby odstraszyć zabójcę i nie popełniłby trzeciej zbrodni.

Teraz było za późno.

– Pan zna inspektora od dawna, prawda? – zagadnął młodszy posterunkowy.

– Tak. – powiedział Denison. – Studiowaliśmy razem.

– Jakim był studentem? – Policjant uśmiechnął się lekko. – Kujon? Nieprzespane noce przed egzaminem?

Denison był zdziwiony: kogo to Weathers udaje wobec swoich podwładnych? Pamiętał, jak Weathers, kolega z pokoju, przy głośnej muzyce rozgrywał kolejną partyjkę pokera w noc przed egzaminem końcowym. A co najbardziej denerwujące, obaj potem dostali taką samą ocenę.

– Zgadza się – zaczął pleść na użytek policjanta. – Pijał tylko w weekendy i co rano przebiegał osiem kilometrów, kiedy reszta z nas się wylegiwała. – To ostatnie akurat było prawdą.

Przeszli pod niebiesko-białą taśmą policyjną, która przegradzała arkady, i znaleźli się na Carriwell Court. Połowę dziedzińca skrywał cień, druga połowa, zalana słońcem, żarzyła się bielą. Za dnia to miejsce wyglądało zupełnie inaczej. Kamienna klatka schodowa łagodnym łukiem prowadziła do drzwi biblioteki, wokół stały wielkie donice z fiołkami i bratkami.

– A więc scenariusz numer dwa z pięciu. – Denison usłyszał przyjaciela. Weathers wyłonił się z drzwi, jednych z tych, które prowadziły z dziedzińca na wewnętrzne klatki schodowe i do pokojów studentów. – Zabójca, cały we krwi, wychodzi stąd i…? No? Jak to jest, że nikt go nie widzi?

Weathers był wysoki, barczysty, miał gęste czarne włosy, które podkreślały jego względnie młody wiek jak na funkcjonariusza tej rangi. Rękawy koszuli zawinął po łokcie, jak do ciężkiej roboty. Uśmiechnął się, kiedy zobaczył Denisona. Miał ironiczny wyraz twarzy, przez co każdy jego uśmiech wyglądał kpiarsko.

– Matt! – Uścisnął dłoń Denisona. – Dzięki, że przyjechałeś. Znasz Hallorana i Ames.

Denison skinął głową Halloranowi, typowemu mieszkańcowi Manchesteru, z twarzą jak kartofel, cofającą się linią włosów, i uśmiechnął się do Sally Ames. Nie był pewien, jak powinien się zachować. Co prawda tańczył z nią na jej weselu, ale czy w tych okolicznościach mógł pocałować Sally w policzek jak przy spotkaniu towarzyskim? Na wszelki wypadek tylko skinął głową.

– Zapoznajemy się z miejscem zbrodni – wyjaśnił Weathers. Standardowa procedura policyjna. Rozpatrywano wszystkie możliwe warianty przestępstwa, a potem na podstawie wizji lokalnej, zeznań świadków i dowodów rzeczowych wyszukiwano dziury w scenariuszach, póki nie wyłonił się ten najbardziej prawdopodobny.

– Scenariusz pierwszy: ofiara została zabita przez ludzi, których tamtej nocy zastaliśmy w jej pokoju, jedno albo oboje. Scenariusz drugi: to są niewinni świadkowie; oni tylko znaleźli ciało wkrótce po morderstwie. Ofiarę widziano po raz ostatni jakieś pół godziny, zanim odkryto zwłoki, co daje mordercy niewiele czasu. – Weathers szedł tyłem, zostawiając bruzdy na żwirze. – A więc… – W miarę jak się cofał, mówił głośniej. – Wiemy, że przez dziedziniec, w ciągu tej pół godziny, przewinęło się co najmniej czworo ludzi. Jedno z nich zwymiotowało w krzaki, o tam. – Wskazał ręką. – Dwoje było tutaj i wkładało sobie języki do gardeł tak głęboko, że pewnie nie zauważyliby premiera, gdyby wpadł z wizytą. Zostaje nam zatem pan Godfrey Parrish. Według Sinead Flynn i Lea Montegino Parrish siedział na najniższym stopniu schodów prowadzących na korytarz, gdzie mieszkała ofiara.

– Więc albo widział zabójcę… – zaczął Denison.

– …albo jest zabójcą – dokończyła Ames.

– Niekoniecznie – zaprotestował Halloran, chociaż miał w duszy specjalne miejsce zarezerwowane na nienawiść dla uprzywilejowanego członka wyższej sfery, Parrisha. – W pokojach południowej części budynku okna wychodzą na ulicę.

– Albo – powiedział Weathers – zabójca ukrył się w którymś z pokojów w połowie korytarza, poczekał, aż Flynn, Montegino i Parrish przejdą, i zszedł na dziedziniec.

– I co potem? – zapytała Ames. – Musiał być cały we krwi.

– A ta brama? – Denison wskazał na arkady po południowej stronie budynku. – Czy stamtąd nie ma wyjścia na Richmond Lane?

– Jest, ale w tamtą noc była zamknięta – zauważył Halloran. – Niech pan nie zapomina, że mieli bal. Pozamykano wszystkie wejścia poza bramą w wartowni.

– Sprawdziliśmy każdego, kto przebywał na wydziale – dodał Ames. – Zauważylibyśmy kogoś poplamionego krwią.

– Może wyrzucił ubranie? – zasugerował Weathers. – A skoro tak, skąd wziął nowe?

– Z któregoś z pokojów przy korytarzu – podpowiedział mu Denison.

Ames pokręciła głową.

– Pralnia studencka jest w piwnicy, w sąsiedniej klatce schodowej. To najbardziej prawdopodobne miejsce.

Zeszli do piwnicy pachnącej proszkiem do prania i płynem zmiękczającym. Panował tam półmrok, ale od suszarek bębnowych ustawionych w rzędzie pod ścianą buchało gorąco. Na lewo od suszarek stał regał napakowany ubraniami. Koszula, która spadła z półki, zawisła na desce do prasowania.

– O rany – warknął Halloran. – Jak im te ciuchy niepotrzebne, dlaczego nie zaniosą ich do opieki społecznej? Jakiś biedaczyna by się ucieszył.

– Widocznie nie chcieli się ich pozbywać. – Denisonowi przypomniały się własne lata spędzone w akademiku. – Pewnie zapomnieli wyjąć z suszarek. Następny opróżniał bęben i odkładał ubrania na półkę. W końcu po nie przyjdą.

– Hm, jeśli zabójca rzeczywiście tutaj zszedł, miał w czym wybierać – stwierdził zrzędliwie Halloran.

– Jasne, ale tu nie znalazłby smokingu – zauważył Weathers. – Sally, przejrzyj jeszcze raz zdjęcia studentów z balu. Szukaj kogoś nieodpowiednio ubranego na taką okazję.

– Tak, szefie. – Ames zapisała to sobie.

– I powiedz technikom, żeby sprawdzili pralki. Wiem, że nie wpadło im w ręce żadne zakrwawione ubranie, ale może ten cwany sukinsyn załadował je do maszyny.

Godfrey Parrish miał dwa pokoje przy Audley Court na klatce J. Imiona i inicjały nazwisk wszystkich studentów wymalowane były białymi literami na czarnych paskach przymocowanych do drzwi. Weathers elegancko zapukał i kilka sekund później, ku zaskoczeniu Denisona, drzwi gwałtownie otworzył młody człowiek, który z taką dezaprobatą potraktował jego lektury w pociągu z Londynu.

Parrish najwyraźniej też rozpoznał współpasażera, bo zacisnął usta. Zirytowała go również obecność Weathersa.

– I co teraz? – zapytał.

Pięć minut później Parrish siedział z nogą założoną na nogę w fotelu w biało-niebieskie paski w stylu regencji. Z okna wychodzącego na Ariel Chapel spływało na niego światło letniego słońca, a on popijał earl greya z porcelanowej filiżanki. Gościom nie zaproponował niczego do picia.

– Nie – powiedział. – Oczywiście, że nikt nie przechodził obok mnie, kiedy tam siedziałem. Nie sądzicie, że już bym o tym poinformował?

– Niekoniecznie, gdyby nie widział pan w nim potencjalnego podejrzanego – zauważył Weathers. – Może któryś z profesorów albo kolega?

– Nie – powtórzył dobitnie Parrish.

– Czy ktoś mógł się schować na klatce, w pokoju albo na korytarzu? Poczekać, aż nikogo nie będzie w drzwiach, i dopiero potem uciec?

Szczupłe ramiona uniosły się i opadły.

– To możliwe.

– Czy pod koniec wieczoru zauważył pan kogoś, kto zmienił ubranie? Przyszedł na bal w jednym stroju, a wyszedł w innym?

Parrish nawet nie mrugnął, obserwując Weathersa znad brzegu filiżanki. Upił kolejny łyk.

– Nie.

Krótkie odpowiedzi Parrisha wyraźnie irytowały Weathersa.

– To jak długo siedział pan na tych schodach? – spytał Weathers z przesadnie silnym londyńskim akcentem. – Samotnie i nikt nie może tego potwierdzić?

Parrish odstawił filiżankę na podstawkę.

– Ani chwili nie byłem sam. Moja partnerka cały czas siedziała metr ode mnie.

– To pańska wersja, której dziewczyna nie potwierdzi. Była zbyt pijana.

Denison też chciał zadać parę pytań, ale nie zaszedłby daleko, gdyby Weathers nadal drażnił Parisha.

– To Marieke, prawda? – przerwał, wstając. Wskazał oryginalną akwarelę na ścianie.

– Tak. – Parrish wyprostował się trochę.

Denison domyślił się, że zaskoczył chłopaka.

– Piękny – powiedział. – Musiał pana sporo kosztować.

– To inwestycja. – Kolejne wzruszenie ramion. – Za parę lat jej prace będą warte wiele więcej.

– A zatem, co do pańskiej dziewczyny… – powiedział Denison.

– Spotkaliście się państwo w galerii sztuki?

Obaj z Parrishem się roześmieli.

– Nie. To przyjaciółka przyjaciółki. Nie odróżniłaby van Gogha od Vermeera. – Uśmiechnął się pod nosem. – Nigdy mnie nie interesowały intelektualistki. Inteligentne owszem, ale nie takie, co chodzą po muzeach.

– Moja dziewczyna zwykła mówić, że poznaliśmy się na przeglądzie filmów Bergmanna – wyznał Denison.

– A w rzeczywistości gdzie się spotkaliście?

– Na *Egzorcyście* w Halloween.

Parrish wybuchnął śmiechem i odstawił filiżankę wraz z podstawką na antykwaryczny stoliczek.

– Nie przypuszczałem, że ludzie pańskiej profesji chadzają na takie rzeczy – powiedział. – Nie ma pan dość horroru i krwi na co dzień, w pracy?

Denison znowu usiadł, ale tym razem obok Parrisha. Nie naprzeciwko. Chciał, żeby student skupił na nim całą uwagę. Dlatego musiał go odgrodzić od Weathersa.

– To filmów Kena Loacha nie jestem w stanie oglądać – zwrócił się bezpośrednio do Parrisha. – I Shane'a Meadowsa, nawet niektórych Mike'a Leigh. Zbyt prawdziwe, przygnębiające. Potrzebuję od czasu do czasu trochę ucieczki od rzeczywistości.

Parrish skinął głową i odwrócił wzrok, patrząc na podłogę.

– Sądzę, że i pan nie może się doczekać, żeby wyjechać stąd jak najdalej – ciągnął Denison. – Co zamierza pan robić po ukończeniu studiów?

Młody człowiek wolno przejechał ręką po opadających na kołnierz włosach.

– Ojciec przygotował mi już stanowisko w banku. Stary dobry nepotyzm.

– Godfrey, przecież masz pierwszą lokatę na liście absolwentów.

– Tak... i co z tego?

– No, to już nie nepotyzm. Najlepsze notowania w Cambridge. Myślę, że każda spółka uważałaby za zaszczyt, gdybyś w niej podjął pracę.

Parrish, nieco skrępowany, zmienił pozycję w fotelu. Najwyraźniej nie cieszyły go pochlebstwa, nawet ich nie oczekiwał.

Denison spróbował z innej strony.

– Byliście przyjaciółmi, prawda? Ty i Amanda Montgomery.

Słońce skryło się za chmurę. W pokoju nagle zrobiło się szaro.

– Tak, przyjaźniliśmy się – odparł cicho Godfrey. – O ile z nią w ogóle to możliwe.

– Jak to?

– Była trochę narcystyczna. Wszystko musiało się kręcić wokół niej. Na pewno zna pan ten typ. Owijała sobie ludzi wokół palca. Mnie też. Kusiła chłopaków, ale interesowały ją wyłącznie prymitywy.

– Prymitywy?

Godfrey zachichotał.

– Rob McNorton, pedałkowaty rugbysta z Fife. Szczerze mówiąc, nie sądzę, żeby wiedział, co ona o nim myśli.

– Rzeczywiście – przyznał Denison; znał całą historię Roba McNortona.

– Niech pan powie, jak się czuje Olivia? – Godfrey zmienił temat. – Jest w pańskim szpitalu, prawda?

– Tak. Zajmujemy się nią. Więc się przyjaźniliście?

Godfrey zastanowił się, spojrzał na Denisona.

– W pewnym sensie – powiedział wreszcie i umilkł, a Denison czekał na dalszy ciąg. – Nie byliśmy blisko. Ale to ciekawa dziewczyna. Nigdy nie spotkałem kogoś takiego jak ona. Skończyłem Eton i to ją onieśmielało. Szczególnie, że June Okeweno ciągle paplała, jaki ze mnie palant. Dopiero po jakimś czasie Olivia zaczęła widzieć we mnie człowieka, a nie nadętego gościa z wyższych sfer, na którego pozowałem. Fantastyczna dziewczyna, ale po uszy zakochana w Nicku.

– Myślisz, że nie pasowali do siebie? – zapytał Denison.

– To introwertyczka – powiedział Godfrey. – Trzeba z niej wszystko wyciągać. Sądzę, że Nickowi podobało się, że ma ją tylko dla siebie. Mógł się bawić w odkrywcę nieznanych lądów.

– Zdaje się, niezbyt go lubisz.

Godfrey opuścił kąciki ust.

– Właściwie, fajny koleś. Bardziej rozgarnięty niż na to wygląda.

– Ufasz mu?

– Oczywiście, że mu ufa – rozległ się głos z tyłu. – Wszyscy mu ufamy.

Denison i Weathers odwrócili się, w drzwiach sypialni zobaczyli młodą kobietę, która najwyraźniej podsłuchiwała ich rozmowę.

– Paulo, kochanie, napijesz się herbaty? – zapytał Godfrey rozpromieniony. Denison nigdy jeszcze nie spotkał się z Paulą Abercrombie, która według wszelkich danych była najbliższą przyjaciółką Amandy Montgomery, ale rozpoznał ją natychmiast. Nosiła granatowe obcisłe dżinsy i małą białą kamizelkę odsłaniającą opaleniznę. Lśniące czarne włosy spływały jej na ramiona, oczy podkreśliła ciemnym cieniem.

– Nick jest niewinny – powiedziała gardłowym głosem. – Jeśli szukacie kogoś, kto na niego by nagadał, to trafiliście pod niewłaściwy adres.

– To twój przyjaciel? – zapytał Denison i spostrzegł, że Godfrey stłumił chichot.

– Nick jest w porządku. Godfrey po prostu go nie rozumie. Nick chodził do dobrej szkoły, ale miał biedak stypendium, a tacy czasem cierpią na kompleks niższości.

– Chłopak zbaraniał, kiedy zobaczył zdjęcia posiadłości rodowych Pauli – dodał Godfrey, unosząc brew. Najwyraźniej go to śmieszyło.

– Dlatego się rozstaliście? – zapytał Denison.

– Nie. – Paula skrzyżowała ręce. – Ukradła mi go ta krowa Olivia. Wcale nie jest taka super, jak twierdzi Godfrey.

– Ależ Paulo, daj spokój – wtrącił się Parrish. – Nawet nie wiedziała, że ty i Nick się spotykacie; dlatego tak się wściekła w czasie kolacji bożonarodzeniowej.

– Wszystko było dobrze, dopóki nie zaczęła „wpadać" na niego w barze... i w ogóle.

– Dobrze znałaś Olivię? – zapytał Denison.

Paula kaszlem ukryła śmiech.

– Nie tak dobrze jak ona mnie.

– To znaczy? – Godfrey się nachmurzył.

– Daj spokój, Godders, musiałeś zauważyć. Przychodziła do mojego pokoju, przepatrywała półki, grzebała w iPodzie, oglądała plakaty. Tydzień później wpadało się do niej, a ona słuchała takiej samej muzyki jak ty i przy łóżku trzymała identyczną książkę, którą akurat czytałeś.

– Przesadzasz – powiedział Geoffrey. – Wszyscy studenci mają te same książki, plakaty, płyty. Pamiętasz, jak na pierwszym roku dziewczyny zaczytywały się w powieściach Jackie Collins? „Panny od śmieciowej fikcji", tak was nazywaliśmy.

– Mniejsza o to – rzuciła Paula. – Niektóre ustalają modę, a inne naśladują. To wszystko.

– Przyjaźnisz się z Lee Montegino?

– Tak, porządny gość.

– Z Sinead Flynn?

– Czasami jej odbija, ale ogólnie to fajna dziewczyna.

– June Okeweno?

– Zna pan takich czarnych, którzy myślą, że są lepsi niż biali ze względu na kolor skóry? – Lekceważąco machnęła ręką. – Dała Leowi popalić. Dlatego, że on nosi dredy. Jakby były zarezerwowane dla czarnych. A on przecież nikogo nie udaje.

– Amanda Montgomery?

Paula zapatrzyła się na niego oczami koloru mokrych liści.

– Fantastyczna, wesoła dziewczyna. Fajna koleżanka. – Przełknęła łzy. – A wy od trzech lat nie potraficie złapać drania, który ją zabił. – Gniewnie mierzyła wzrokiem milczącego Weathersa, a ten spokojnie siedział i tylko na nią patrzył.

– Paulo? – odezwał się cicho Denison. – Kto twoim zdaniem zabił Amandę?

Znów odwróciła się do niego. Gęste kruczoczarne włosy śmignęły nad jej ramieniem.

– Kesselich. – Oparła ręce na biodrach. – Victor Kesselich.

Rozdział 3

TYDZIEŃ PO PRZYBYCIU DO COLDHILL Olivia Croscadden została poddana elektrowstrząsom w znieczuleniu. Zabiegi wyznaczono na poniedziałki i czwartki. Po dwóch tygodniach nastąpiła pewna poprawa; dziewczyna zaczęła powoli przeżuwać jedzenie, reagować na głośne dźwięki i nagły ruch. Odganiała muchę, jeśli usiadła na jej nagim ramieniu. Dwadzieścia dziewięć dni po tym, jak znaleziono ją zakrwawioną obok trupa, zapytała pielęgniarkę, gdzie jest.

– Nie, do cholery, nie możesz jej przesłuchać! – wrzasnął Denison do komórki, idąc z gabinetu na oddział. – Steve, ona jeszcze przez dłuższy czas nie zdoła ci pomóc. Oczywiście, będę informował na bieżąco. Tak, tak...

Stanął przed obitymi drzwiami oddziału, które personel nazywał śluzą powietrzną, i machnął w stronę kamery. Pielęgniarka dyżurna włączyła brzęczyk i przepuściła go przez pierwsze drzwi, zamknęła je, potem otworzyła kolejne. Przechodząc, skinął jej głową.

– Mówi, ale jest bardzo zdezorientowana. Powiedziano jej, gdzie jest, ale trochę potrwa, zanim to do niej dotrze. – Uniósł oczy i skrzywił się na słowa Weathersa. – Tak, masz rację, nie co dzień człowiek budzi się w wariatkowie. Zadzwonię do ciebie później.

Włożył komórkę do wewnętrznej kieszeni marynarki, żeby pacjenci jej nie zobaczyli, i stanął pod drzwiami pokoju Olivii Croscadden. Czekał, aż nadejdzie pielęgniarka z wielkim pękiem kluczy.

Olivia wpatrywała się w sufit. Dawno niemyte kręcone włosy leżały rozsypane na nakrochmalonej białej poduszce. Nadal miała podłączoną kroplówkę, ale przy łóżku stał też kubek z wodą. Drzwi zamknęły się z głośnym stukiem, Olivia bardzo powoli odwróciła głowę.

Piwne oczy o dziwnym, prawie złotym odcieniu wydały się Denisonowi tak przenikliwe, że przejrzałyby każde kłamstwo, wykryłyby najmniejszy fałsz. Miał wrażenie, że znalazł się w pokoju z sową, a nie z młodą kobietą.

– Boli mnie gardło – wychrypiała.

– Nic dziwnego. Ostatnio niewiele piłaś i mówiłaś. – Podszedł do łóżka i wskazał na kubek z wodą. – Chcesz? Pewnie najpierw będziemy musieli trochę podnieść łóżko.

Kiwnęła głową. Pokazał jej, jak uruchomić przełącznik do unoszenia wezgłowia. Dziewczynie zbielały koniuszki palców, kiedy z wysiłkiem naciskała guzik. Nic dziwnego, miesiąc leżała bez ruchu, mięśnie jej zwiotczały.

Wypiła łyk wody i skrzywiła się z bólu przy przełykaniu.

– Olivio, wiesz, gdzie jesteś?

Przytaknęła.

– Pielęgniarki mi powiedziały.

– Wiesz dlaczego?

Pokręciła głową.

– Co zapamiętałaś jako ostatnią rzecz? – zapytał łagodnie.

– Byłam na balu absolwentów z Nickiem. Tańczyliśmy. Bawiliśmy się w wesołym miasteczku.

– A potem?

Spojrzała na niego z ukosa.

– Nie pamiętam. Co się stało? Dlaczego tu jestem? – Była coraz bardziej zrozpaczona. – Czy on próbował mnie zabić?

Denison uspokajał ją i dodawał otuchy słowami. Z zasady nigdy nie wchodził w fizyczny kontakt z pacjentami, choćby bardzo potrzebowali pociechy.

– Kto miałby próbować cię zabić, Olivio? – zapytał ściszonym, uspokajającym głosem.

– Rzeźnik. – Z rzęs zaczęły jej kapać łzy.

– Tego nie wiemy. Liczyliśmy na to, że nam powiesz, co się zdarzyło.

Opadła na poduszkę, wypuściła kubek z ręki, na koc wylała się woda. Denison odstawił kubek na stolik, wytarł mokre miejsce kilkoma papierowymi ręcznikami z pojemnika na ścianie. Olivia płakała bezgłośnie, przygryzła wargę, żeby nie szlochać.

– Już dobrze. Jesteś bezpieczna. Nikt tu nie wejdzie bez pozwolenia.

– Boję się – wyszeptała, podnosząc na niego wzrok.

– Nie masz powodu – powiedział. – Zajmiemy się tobą. Będzie dobrze.

– Mogę się zobaczyć ze swoim chłopakiem? – zapytała.

– W tej chwili lepiej nie. Musisz dojść do siebie.

Odwróciła się od niego, skuliła pod kocem. Wydawała się taka mała i bezbronna. Wiktymologia rzeźnika z Cambridge była oczywista – lubił silne, niezależne kobiety. Czy to ją uratowało?

Weathers prowadził nieoznakowany samochód policyjny po wiejskiej drodze. Przejechał obok pubu Pod Trzema Bażantami i skręcił w krótki, wysadzany drzewami podjazd, który kończył się przed samotnie stojącym budynkiem.

– Ładny. – Denison patrzył z podziwem na dom Hardcastle'ów.

– Pewnie toną w długach hipotecznych – stwierdził Weathers.

– Słuchaj, tutaj musisz być ostrożny.

– Wiem, wiem. – Denison wysiadł z samochodu i wygładził ubranie. – Żadnych pytań na temat ostatniego morderstwa.

– O ile chcesz go przesłuchać w jego własnym domu. – Weathers nie zdążył powiedzieć nic więcej, bo na odgłos samochodu jadącego po żwirze podjazdu we frontowych drzwiach pojawiły się dwie postacie. Ojciec Nicka, Geoff, mężczyzna po pięćdziesiątce, w okularach, z bródką i małym brzuchem wystającym spod czerwonej bluzy. Jego żona Valerie, o kilka lat młodsza, miała polakierowane blond włosy. Obcisłe dżinsy uwydatniały jej sportową figurę. Nerwowo bawiła się złotym medalionem u naszyjnika.

– Dziękuję, że państwo zgodzili się na moją wizytę. – Denison się przedstawił. Weathers trzymał się z tyłu. Hardcastle'owie nie darzyli go sympatią.

– Sprowadzę Nicka. – Geoff ruszył po schodach na górę.

Valerie przeszła do kuchni, żeby zrobić kawę. Denison skorzystał z okazji, żeby rozejrzeć się po salonie – nieskazitelnie czystym i uporządkowanym. Książki stały na regałach w porządku alfabetycznym, grzbietami równo dosunięte do krawędzi. Nawet kłody przy kominku starannie poukładano, a na palenisku nie było ani śladu sadzy czy popiołu.

Nad kominkiem wisiał obramowany portret studyjny – Valerie siedzi na pluszowym fotelu z nogami skromnie skrzyżowanymi w kostkach, Geoff i Nick stają po obu stronach. Geoff trzyma jedną rękę na ramieniu żony, a drugą na ramieniu Nicka. Około czternastoletni Nick, w eleganckim mundurku szkolnym z emblematem i łacińskim mottem wyszywanym złotem na kieszeni bluzy, uśmiecha się do obiektywu. Na drugiej ścianie Denison zauważył znacznie mniejsze zdjęcie, fotografię zrobioną znienacka na plaży. Przedstawiała sześcioletniego Nicka z piaskiem w kręconych czarnych włosach.

Denison i Weathers usłyszeli podniesione głosy dobiegające z góry, potem kroki na schodach. Pojawił się Nick. Z buntem na twarzy. Chłopiec z fotografii był teraz młodym mężczyzną: wysokim, szczupłym, wysportowanym i bardzo przystojnym. Nic dziwnego, że Olivia się w nim zakochała.

– Czego znowu chcecie? – zwrócił się do Weathersa. – Przerabialiśmy to tysiąc razy. Ciągle powtarzam to samo, a wy i tak pytacie. Nie rozumiem. Myślicie, że coś jeszcze sobie przypomnę?

– Nie jesteśmy tutaj, żeby omawiać pańskie wcześniejsze zeznania – zapewnił go Denison i wyciągnął rękę. – Matthew Denison, psychiatra sądowy, konsultant policyjny.

Nick z wahaniem uścisnął mu dłoń.

– Pan zajmuje się Olivią?

– Zgadza się.

Z kuchni wyszła Valerie Hardcastle. Niosła tacę z zastawą do kawy. Denison pomyślał, że poczuła się lepiej w roli gospodyni, która proponuje gościom mleko, cukier, nalewa kawę. Usiedli na kanapie i fotelach. Pili w milczeniu. Nick wiercił się i co chwila spoglądał na Denisona. Psychiatra domyślił się, że chłopak chce go o coś zapytać.

Po kilku minutach Nick dopił kawę i raptownie wstał.

– Okay, chodźmy do mnie, do pokoju – powiedział. – Możecie zabrać ze sobą kawę.

Valerie i Geoff spojrzeli po sobie speszeni, że wyrzucono ich poza nawias równania, ale Nick nie zwracał na rodziców uwagi, zaprowadził gości na górę.

Typowa sypialnia studenta: plakaty piłkarskie i filmowe na ścianach, trofea sportowe na półkach i ubrania na podłodze. Nick podniósł rozrzucone T-shirty i bokserki i wrzucił je do kosza na brudną bieliznę.

– Czy on musi przy tym być? – Wskazał głową Weathersa.

– W tych okolicznościach tak. Nadal jest pan na kaucji.

– Wolałby pan zeznawać na posterunku? – zapytał Weathers i szybko uniósł dłonie, gdy Denison rzucił mu ostrzegawcze spojrzenie. „W porządku, rozegraj to po swojemu". Wycofał się do kąta, oparł o brzeg biurka, skrzyżował ręce i udawał, że całą uwagę skupia na widoku za oknem.

Nick przez chwilę przyglądał się Weathersowi, a kiedy uznał, że policjant został zneutralizowany, znów odwrócił się do Denisona.

– Jak ona się czuje? Nic się jej nie stało? Dlaczego nie pozwalacie mi z nią porozmawiać?

– Niestety, nie możemy podawać szczegółowych informacji o stanie zdrowia pacjentów – odparł ostrożnie Denison. – Powiem tylko, że stan Olivii się poprawia i mamy nadzieję, że nie pozostaną żadne trwałe skutki traumy.

– Okay. – Nick wpatrywał mu się w twarz. – To dobrze.

– Pozwolisz, że usiądziemy?

Młody człowiek się rozejrzał. Nie było wiele miejsc do siedzenia. Zaproponował Denisonowi krzesło przy biurku, a sam usiadł na łóżku. Denison wiedział, że tak się stanie. To dawało mu przewagę: siedzenie na krześle podkreśla autorytet, a co najważniejsze, z nadrzędnej pozycji zrezygnowano dobrowolnie. Gdyby Denison miał sam wybierać miejsce, ryzykowałby, że zrazi Nicka, podkreślając swoją władzę. Co więcej, prośba przypomniała Nickowi o dobrych manierach i trochę złagodziła konfrontacyjny charakter sytuacji.

– Od dawna chodzicie z Olivią?

– Mniej więcej od dwóch i pół roku.

– To długo. Szczególnie w twoim wieku. Jeśli wolno spytać, jak się poznaliście?

Nick uśmiechnął się na to wspomnienie.

– Byłem pierwszy dzień w Ariel College. Wpadłem na nią w Porters' Lodge. Śmieli się z jej imienia.

– Z imienia?

– Olivia to drugie imię. Na pierwsze ma Cleopatra. Powiedziała, że jej mama wielbiła Liz Taylor.

– Więc od razu przypadliście sobie do gustu?

Niebieskie oczy Nicka lekko się zamgliły.

– Zakochałem się, kiedy ją tylko zobaczyłem. – Spuścił wzrok. – Czerwieniła się, wstydziła. Chciałem po prostu się nią zaopiekować, bronić jej. Przede wszystkim bardzo źle się czuła na wydziale. Ciągle czekała, aż ktoś podejdzie, poklepie ją po ramieniu i powie, że jest w porządku. Zapewniłem, że wszyscy tak uważają, ale chyba mi nie uwierzyła. Sam wiem, jak to jest, kiedy człowiek czuje, że nie pasuje do otoczenia. Wcześniej miałem stypendium i zajęło mi sporo czasu, zanim stwierdziłem, że nie jestem gorszy niż inni. Po paru miesiącach nie wyobrażałem sobie, że mógłbym zmienić szkołę. Próbowałem jej wytłumaczyć, że tak samo będzie z nią, i miałem rację. Szybko nawiązała znajomości. Poczuła się na wydziale jak u siebie.

– Mogę ci zadać osobiste pytanie?

Nick się roześmiał.

– Więc to ostatnie nie było osobiste?

– Doceniam twoją uczciwość. Wiem, że niełatwo prowadzić taką rozmowę z obcym człowiekiem.

Chłopak wzruszył ramionami.

– Nich pan pyta, o co chce.

– Dziękuję. Skoro zakochałeś się w Olivii od pierwszego wejrzenia, to dziwi mnie, że najpierw chodziłeś z Paulą Abercrombie.

Nick zrobił zakłopotaną minę. Podszedł do szafy, zaczął szukać bluzy, chociaż wcale nie było chłodno. Potrzebował pretekstu, żeby na chwilę ukryć twarz.

Wyciągnął granatową bluzę z kapturem pod kolor oczu i zmusił się, żeby spojrzeć na Denisona.

– To była tylko zabawa – powiedział ściszonym głosem. – Szczerze mówiąc, z początku trochę się wystraszyłem swoją reakcją na Olivię.

27

To niepokojące, że ktoś może wywrzeć taki wpływ na innego człowieka. Miałem osiemnaście lat... pierwszy rok na uniwerku. Nie chciałem mocno się angażować w żaden związek, a wiedziałem, że z Olivią będzie na poważne. Więc trzymałem dystans, a Paula jest fantastyczna i najwyraźniej ja też się jej podobałem. Zabawiliśmy się, nic więcej. Ale ona nie pasowała do mnie. Taka primadonna, zbyt wymagająca, apodyktyczna. Jedna z tych, co to niby wyluzowane, roześmiane, a jak się z nimi jest, to nagle dają popalić, bo za późno wróciło się z popijawy albo poszło się do kina bez nich, albo coś tam. Po kilku tygodniach po prostu pomyślałem: Co ja robię? Wiem, z kim powinienem być. Więc się rozstaliśmy. Jeśli można tak powiedzieć, bo nie zerwaliśmy ze sobą oficjalnie. Byłem wolny i mogłem zająć się Olivią.

– A Olivia wiedziała o tobie i Pauli?

Nickowi pociemniała twarz.

– Nie, dopóki nie powiedziała jej Amanda Montgomery.

Denison przechylił głowę.

– Myślisz, że specjalnie chciała wam narobić problemów?

– Wiem, że nie należy mówić źle o zmarłych, ale czasami zachowywała się jak świnia. Nie chodzi tylko o sprawę z Paulą. Napuszczała też na siebie Godfreya i Roba. Miała pomóc Sinead organizować teatr, a postąpiła tak, że dziewczyna poczuła się niepotrzebna. Snobka, manipulowała ludźmi.

– Wygląda na to, że sporo osób jej nie lubiło – podsumował Denison. – Jak myślisz, kto ją zabił?

Dostrzegł zmianę w twarzy Nicka, w całej jego postawie. Ledwie zauważalną, jakby przez chłopaka przeszła fala energii. A Nick starał się to ukrywać: rysy twarzy mu stwardniały.

– Wy mi to powiedzcie – odparł.

Denison siedział za biurkiem, stukał długopisem w błyszczący blat. Miał zacząć pierwszą sesję z Olivią; należało postępować bardzo ostrożnie. Nadal była niestabilna emocjonalnie, nie mógł zaryzykować, że dziewczyna znowu zamilknie i zamknie się w sobie. Musiał znaleźć sposób, żeby wyciągnąć z niej jakieś informacje, nie powodując dalszych urazów psychicznych.

Zabrzęczał interkom, Denison błyskawicznie wstał. W poczekalni siedział sanitariusz z Olivią.

– W porządku, Mike – powiedział. – Dam ci znać, kiedy zabrać panią do skrzydła D. – Skinął głową do sekretarki i wprowadził Olivię do gabinetu.

Zmiana w jej wyglądzie trochę go zaskoczyła. Ciemnobrązowe włosy splecione miała w ładny warkocz; ktoś dał jej tusz do rzęs i róż. Wyglądała na opanowaną, nawet odprężoną.

Poprosił, żeby usiadła.

– Dziękuję. – Żakiet, który trzymała na ramieniu, przewiesiła przez poręcz fotela. Założyła nogę na nogę, skrzyżowała ręce na kolanach.

– Więc, jak się czujesz, Olivio?

Skinęła poważnie głową.

– Dobrze. A pan?

– Świetnie, dziękuję – odparł, zaskoczony. Pacjenci zazwyczaj nie interesowali się jego zdrowiem.

Zdawał sobie sprawę, że nie może od razu zapytać o wieczór, kiedy ją znaleziono zbryzganą krwią koleżanki. Nadal wydawała się zbyt obolała, rozbita. Musiał się cofnąć głębiej, wydobyć historię pobytu w Ariel College, przyzwyczaić ją do poziomu szczegółowości, który będzie niezbędny, kiedy zaczną rozmawiać o balu absolwentów. Miał nadzieję, że przy okazji dowie się więcej o grupie studentów, z której eliminowano kobiety. Jedną po drugiej. Czy prześladowca pochodził z zewnątrz? A może chodziło o zewnętrzne zagrożenie? Czy Olivia przyjaźniła się z sadystą i nie miała najmniejszego pojęcia o jego potwornych skłonnościach?

Postanowił zacząć od lekkiego tematu.

– Opowiedz mi o Cambridge, Olivio. Podoba ci się tam?

Popatrzyła na niego podejrzliwie, jakby próbował złapać ją za słowa. Wytrzymał jej wzrok, zachowując swobodny wyraz twarzy. Ot, pogawędka, zabijanie czasu.

– Jest piękny – powiedziała po chwili. – Mnóstwo ładnych budynków.

Dziecinna odpowiedź, wymijająca. Spróbował jeszcze raz.

– Dla ciebie, wychowanej w Londynie, to pewnie była duża zmiana.

Wzruszyła ramionami.

– Jaki miałaś pokój?

– Pokój? – powtórzyła.

– Niektóre studenckie pokoje, w starszej części wydziału, są kiepsko wyposażone. Inne, w nowszej, mają łazienki i wszystkie udogodnienia.

– Mieszkałam w akademiku przy Market Square.

– Sama?

– Z Sinead Flynn – odparła.

– Irlandka?

– Jak pan zgadł? – zapytała i szybko się uśmiechnęła, żeby osłodzić sarkazm.

– Lubiłyście się?

– Oczywiście.

– Z kim się zaprzyjaźniłaś w ciągu pierwszych paru tygodni, kiedy przyjechałaś do Cambridge?

– Z Sinead. Z June.

– Z June Okeweno?

Skinęła głową.

– Pochodzimy z tej samej części Londynu, wiele nas łączy.

Zauważył czas teraźniejszy.

– Nadal jesteście przyjaciółkami?

– A dlaczego nie?

– Czasami na pierwszym roku miewa się innych przyjaciół niż później, kiedy kończy się uczelnię.

Kiwnęła głową, uśmiechnęła się, ale wyglądała, jakby chciało się jej płakać.

– Chyba tak. Nie jestem teraz z June tak blisko jak na początku.

– Co się zmieniło?

Jakaś iskierka zamigotała jej w oczach, ale wyraz twarzy pozostał ten sam. Znów wzruszyła ramionami.

– Myślę, że my obie.

– Z kim jeszcze się przyjaźniłaś?

– Z Dannym... Godfreyem...

– Z Dannym?

– Więc nie spotkał się pan z nim? – W rozbawieniu uniosła brew.
– Pewnie nie. Bo trudno go nie zapamiętać. Ma dobrze ponad metr osiemdziesiąt, ręce i nogi jak u stracha na wróble i włosy koloru zupy pomidorowej.

Zachichotał, chciał jej dodać śmiałości.

– Z kim jeszcze? – zapytał.

– Z Amandą – powiedziała i przelotna lekkość zniknęła.

– Opowiedz mi o niej – poprosił cicho.

– Kiedy zobaczyłam ją po raz pierwszy, szła przez trawnik Wielkiego Dziedzińca. – Wzrok utkwiony w przestrzeń, umysł skoncentrowany na przeszłości. – Nie wolno deptać trawników, ale Amandzie uchodziło to na sucho. Wiał wiatr, płaszcz trzepotał jej wokół nóg, włosy miała rozwiane. Były jak aureola na rosyjskich ikonach. Śmiała się, że tak zawiewa. Kiedy weszła do wartowni, gdzie na nią czekaliśmy, włosy się jej ułożyły i wyglądała, jakby dopiero co wyszła od fryzjera. – Znów spojrzała normalnym wzrokiem i uśmiechnęła się do Denisona. – Kiedy później wróciliśmy do pokojów i zobaczyłam się w lustrze… miałam taką fryzurę, jakby ktoś wrzucił parę kłębków wełny do miksera.

– A Nick? – zapytał i z zainteresowaniem stwierdził, że policzki Olivii zaróżowiły się, a w oczach zabłysnęły iskierki. – Pamiętasz, kiedy zobaczyłaś go po raz pierwszy?

Uśmiechnęła się pod nosem.

– Nad rzeką. Pływał pychówką.

– W październiku? Nie za zimno?

Wzruszyła ramionami.

– Wtedy to była nowość. Chyba dwunastu wsiadło do jednej łódki, żeby zobaczyć, ilu się zmieści naraz, i łódź opadła tak nisko, że kaczka mogłaby do niej wskoczyć.

– A gdzie ty byłaś?

– Na brzegu. Stamtąd jest najlepszy widok na kaplicę. Chodziłam tam, kiedy chciałam sobie przypomnieć, że naprawdę się z tego wydostałam.

– Z czego? – zapytał. Z Londynu? Z domu? Z biedy?

– Z uzależnienia od innych ludzi – powiedziała. – I wtedy spotkałam Nicka i nagle zapragnęłam mieć kogoś bliskiego. Bardziej niż kiedykolwiek. To brzmi jak ironia. – Wyraz twarzy Olivii złagodniał; oczy, które przed chwilą wyglądały jak z połyskliwego złota, nabrały ciepłej, miodowej barwy. – To on popychał łódkę. Nie znaliśmy się, ale kiedy mnie zobaczył, podpłynął i powiedział: „Możemy się wywrócić, ale jeśli naprawdę jesteś odważna, to dołóż się do rekordu".

31

– I wsiadłaś?

– Wsiadłam. Niestety stanęłam obok Lea. Miał na sobie tylko T-shirt, chociaż było pięć stopni i nieprzyjemnie pachniał. Wymarzona oprawa do spotkania z przyszłym partnerem! – zakpiła – Ale Nick i ja ciągle na siebie zerkaliśmy; pomógł mi wysiąść z łódki, kiedy wróciliśmy do Ariel i… hm, czy zdarzało się panu kiedyś poczuć, że po prostu coś zaiskrzyło między panem a drugą osobą?

Denison pokiwał głową. Przypomniał sobie, jak dotknął palców Cass, kiedy w kinie, w bufecie, oboje sięgnęli po tę samą paczkę ciasteczek.

– I co potem?

Zmarszczyła brwi, a on zastanawiał się, czy dziewczyna myśli, dlaczego od razu nie związali się po tym oczywistym pierwszym zauroczeniu.

– Nic – powiedziała. – Odnosiliśmy się do siebie miło, ale nawet nie byliśmy przyjaciółmi. Miałam wrażenie, że on nie chce, żeby nasze relacje przerodziły się w bliższy związek. Na przykład nigdy nie zostawał ze mną sam na sam.

– I jak to sobie tłumaczyłaś? – Denison, był ciekaw, czy Nick w ogóle wyjaśnił Olivii, dlaczego tak się zachowywał.

– Myślałam, że może się pomyliłam, że wyobrażałam sobie zbyt wiele. Ale później, pewnego wieczoru, wszystko się zmieniło. Razem z Sinead poszliśmy na party w Hicks Court. I tam spotkaliśmy Nicka. Odciągnął mnie na bok i bardzo długo rozmawialiśmy. Czekałam, że jak zwykle zaraz przeprosi i odejdzie, żeby pogadać z kimś innym. Ale za każdym razem, kiedy dolewał sobie, przynosił drinka też dla mnie, a kiedy ktoś podchodził, żeby z nim porozmawiać, nie wdawał się w dyskusje. Oczywiście, wszyscy to zauważyli. Rob McNorton puszczał do niego oko. Widziałam, jak Amanda trąca łokciem swoją koleżankę Paulę. Bardzo chciałam go pocałować, ale nie tam. W końcu powiedział, że na niego już czas i idzie uderzyć w kimono. Kiedy zniknął, byłam załamana. Minął mi nastrój do zabawy, chciałam po prostu wrócić do pokoju i upić się, więc nalałam sobie dwie duże szklanki ponczu i wyszłam.

Uśmiechnęła się.

– Rozumiem, że to nie koniec tej historii? – Denison zrobił pogodną minę.

– Można tak powiedzieć – roześmiała się.

Wzięła szklanki i ruszyła do pokoju. Na korytarzu kręcił się Nick.

– Chryste, myślałem, że już za mną nie wyjdziesz. – Roześmiał się, złapał ją za rękę i pociągnął w stronę schodów.

Szli rozbawieni. Olivia starała się nie rozlać drinków, ale plamy ponczu zostawały za nimi jak ślad po rannym zwierzęciu. Na zewnątrz natychmiast zrobiło im się zimno. To biegnąc, to idąc, dotarli do miejsca nad rzeką, w którym nie można było zobaczyć ich z okien. Nick objął Olivię ramieniem. Odstawił drinki na ławkę.

– Brr – powiedział, kiedy przylgnęli do siebie, patrząc na nocne niebo.

– W Londynie nie widać tak dobrze gwiazd – stwierdziła. – Za dużo świateł. Nie znam połowy gwiazdozbiorów.

Nick obejmował ją, przyciskał do siebie. Wsunął dłonie pod jej sweter, dotknął gorącej skóry. Wetknęła kciuki za szlufki jego dżinsów.

Skinął głową w górę, ku gwiazdom.

– To Orion. Ma trzy gwiazdy w pasie. To Wielki Wóz. Wygląda jak sosjerka. To blade W, to Kasjopeja.

– A to? – Wskazała nosem.

– Wielki Kurczak. Gwiazda w dziobie jest bardzo jasna.

– Aha. A te tutaj?

– Tutaj? To dwa oddzielne gwiazdozbiory. Piętnaście gwiazd na wschodzie to Gonzo i Tańczące Serki. Te pięć, dalej na zachód, to Proteza Zębowa.

– Proteza? Sztuczne zęby?

– Po łacinie to znaczy praczka.

– Ach. Tak właśnie myślałam, że to łacina.

Spojrzał na nią; oboje się uśmiechnęli. Potem uśmiechy zgasły, głaskał ją po karku opuszkami palców, przyciągnęła go jeszcze bliżej. Kosmyki jego włosów łaskotały ją w czoło, ich języki miękko się spotkały i splotły. Wyjął rękę spod swetra, zsunął na pośladek i przycisnął biodra Olivii do swoich. Poczuła twarde wybrzuszenie w jego kroczu. Odsunął usta od jej ust, zaczął pokrywać gorącymi pocałunkami szyję. Oddech miał gorący, ciężki. Pocałowała go w odsłonięty obojczyk, łagodnie pocierając zębami rozgrzaną skórę.

– Mój pokój jest bliżej – wyszeptał.

Olivia opowiadała Denisonowi o niewinnym pocałunku w świetle księżyca. Musiał wysłuchiwać tylu gwałcicieli i przestępców seksualnych, którzy szczegółowo opisywali swoje zbrodnie, że po tym właściwie każdy dobrowolny akt płciowy wydawał mu się romantyczny. Wiedział jednak, jak zażenowani bywają pacjenci, kiedy mowa o seksie. Nie mógł od nich oczekiwać całkowitej szczerości, więc już darował ten temat Olivii. Bardziej zainteresowało go coś, co powiedziała wcześniej, a nie bardzo pasowało do innej relacji.

– O ile wiem, Olivia to twoje drugie imię. Pierwsze masz dość niepospolite.

Głowa odskoczyła jej do tyłu, to było prawie szarpnięcie. Dopiero co wspominała pierwszy pocałunek z chłopcem, którego kochała, a teraz znów zrobiła się podejrzliwa i nieufna.

– I co? – zapytała.

– Recepcjoniści dokuczali ci z tego powodu?

Założyła nogę na nogę.

– Wszyscy mi dokuczali. Dlatego wolę o tym nie mówić.

– Ale przypominasz sobie, jak ci dokuczali?

Wzruszyła ramionami.

– Niespecjalnie.

– A pamiętasz, jak spotkałaś Nicka w Porters' Lodge?

Jej oczy znów przybrały kolor połyskliwego złota.

– Tam nikt się nie spotyka – powiedziała. – Spotkaliśmy się w wartowni.

– Chodzi mi o to, czy jesteś całkowicie pewna, że nie natknęłaś się na Nicka po raz pierwszy w Porters' Lodge?

– Nie. – Teraz była prawie zła. – Nad rzeką.

– Na pewno?

– Takich rzeczy się nie zapomina – upierała się.

Denison dał spokój. Pomyślał, że może to Nick źle zapamiętał. Zmienił temat, nie chciał zrażać Olivii do siebie.

Przez następne pół godziny rozmawiali o wszystkim, tylko nie o Nicku: o tym, jak Olivii spodobała się niezależność, kiedy opuściła dom; o tym, jak zawierała nowe przyjaźnie, o radości wynikającej z ćwiczenia umysłu w środowisku, w którym za to nagradzano, a nie karano. Denison zrozumiał, że Olivia miała z tym problem w środmiejskiej szkole średniej i zanotował sobie w pamięci, że musi poszperać w szkolnym archiwum i dowiedzieć się więcej.

Wreszcie spotkanie dobiegło końca.

– Dziękuję, Olivio – powiedział. – Mam nadzieję, że następnym razem uda nam się porozmawiać o tym, co się stało pod koniec jesiennego trymestru.

– Obiad bożonarodzeniowy? – Olivia próbowała zachować obojętny wyraz twarzy, ale Denison wyczuł w jej głosie panikę.

– Spokojnie. Jakoś przez to przebrniemy.

Wstała, narzuciła żakiet. Denison też się podniósł, niezdarnie, jakby to ona przejęła kontrolę. Pogorszyła sprawę, podając mu rękę.

– Dziękuję, panie doktorze. – Szybko wyszła za drzwi.

Usiadł z ciężkim westchnieniem i przyciągnął jej akta. Teczka, poza standardowymi notatkami psychiatrycznymi, zawierała liczne kopie policyjnych raportów na temat morderstw. Ponownie je przejrzał, z nadzieją że znajdzie fragment układanki, który da mu odpowiedź na dwa pytania: Kto i dlaczego? To drugie bardziej go interesowało.

Zapukała sekretarka. Bezceremonialnie weszła do gabinetu.

– Panie doktorze, jest problem z…

Zatrzymała się tak gwałtownie, że aż zakołysała się na piętach. Podniósł wzrok i zrozumiał, że zauważyła leżące na samym wierzchu zdjęcie zamordowanej Amandy Montgomery. Jak zwykle nałożyła za dużo różu, ale mimo to zobaczył, że twarz jej pobladła.

Kobieta nie była w stanie oderwać oczu od fotografii.

– A… gdzie głowa?

Wsunął zdjęcia z powrotem do koperty.

– Nie znaleziono jej – powiedział.

Rozdział 4

STAŁ PRZY OKNIE. Na dworze, nad trawnikiem, szybował bladoróżowy płatek magnolii. Ale Denison go nie widział, myślami był w tamtym pokoju, w Ariel. Czuł instynktowny strach i przerażenie, kucał nad zmasakrowanym ciałem. Wiedział, że to tylko wspomnienie, iluzja, ale ciągle towarzyszył mu odór krwi.

Rozległo się pukanie.

– Przyszła Olivia Croscadden, panie doktorze – oznajmiła sekretarka, wyraźnie zdenerwowana.

– Dziękuję, Janey. Daj mi chwilę.

Denison podniósł z biurka teczkę Olivii, którą po raz kolejny przeglądał, i odwrócił czystą okładką do góry. Pacjenci przejawiali dziwne pragnienie przeczytania własnej dokumentacji, kiedy docierało do ich świadomości, że istnieje. Usiadł za biurkiem, nacisnął guzik interkomu i poprosił Janey, żeby wprowadziła pannę Croscadden.

Tym razem postanowił utrzymać przewagę. Weszła, teraz włosy miała związane w kucyk, nosiła ten sam klasycznie skrojony szary żakiet. Nie wstał.

– Dzień dobry, Olivio. Zechcesz usiąść?

Ręce trzymała głęboko w kieszeniach. Kilka kosmyków uciekło spod gumki i łagodnie wiło się na szyi. Nie spuszczała z niego oczu, kiedy zdejmowała żakiet i siadała.

– I jak tam?

Podrapała się po szyi.

– Niedobrze. Przepraszam, mam zachrypnięty głos. Boli mnie gardło.

Denison nieraz słyszał to od pacjentów, którym pobyt tutaj nie bardzo się podobał. Wykorzystywali to jako pretekst, żeby jak najmniej mówić.

– Chcesz, żeby sekretarka przyniosła ci szklankę wody?

Olivia pokręciła głową.

– Nie, dziękuję. Chyba jest zajęta.

– Dobrze, a więc na ostatniej sesji mówiłaś mi o pierwszym roku w Ariel College. Rozmawialiśmy o niektórych przyjaciołach: o twoim chłopaku, Nicholasie Hardcastle'u; o współlokatorce, Sinead Flynn. – Spojrzał na nią. – O tej irlandzkiej dziewczynie – dodał z uśmiechem. Miał nadzieję, że to pomoże przełamać lody, ale ledwie zareagowała. – O June Okeweno i o Dannym Armstrongu. O Leo Montegino i Amandzie Montgomery.

– Dobrze się pan przygotował – stwierdziła. – Nie przypominam sobie, żebym wymieniała ich nazwiska.

Wzruszył ramionami.

– Wszyscy są w to wplątani; byli przesłuchiwani przez policję. Olivio, ich nazwiska znam nie od wczoraj.

– Czy to pan przesłuchiwał… przepraszam, „rozmawiał" z nimi?

Zamiast odpowiedzieć, znów spojrzał w notatki.

– Z Nicholasem też się widziałem. Na przyszły tydzień mam umówione z nim następne spotkanie.

Kiedy podniósł wzrok, wstrząsnęła nim zmiana, jaka zaszła w pacjentce. Twarz miała rozjaśnioną, oczy pełne nadziei.

– Jak on się miewa? – zapytała.

Denison oparł się wygodnie.

– Hm, nie najlepiej – odparł. – Obawiam się, że nie mogę ci powiedzieć zbyt wiele. Ale niezbyt z nim dobrze. Więc, im więcej będziesz mówić, tym lepiej.

Spuściła wzrok, ale zdążył zobaczyć, że w jej oczach nagle pojawiły się łzy. Ręce trzymała na kolanach, obracała srebrną obrączkę.

– Opowiedz mi o tym, co zdarzyło się dzień wcześniej, jeśli będzie ci łatwiej – zaproponował.

Ale nie było łatwiej: właśnie wtedy Olivia dowiedziała się, że na początku pobytu w Ariel Nick poderwał wydziałową piękność, Paulę Abercrombie. Twarz jej poszarzała, kiedy opowiadała Denisonowi o ich kłótni.

– Wiem, że nie powinnam się wściekać – wyznała. – On mnie nie obmawiał, nic z tych rzeczy. Naprawdę przesadnie zareagowałam.

– Twoje zachowanie było całkowicie zrozumiałe – zapewnił ją Denison. – Zauroczył cię już przy pierwszym spotkaniu i miałaś jakieś nadzieje, tymczasem on chodził z Paulą. Gdybyś wtedy się o tym dowiedziała, może mniej byś cierpiała. Ale oni ukrywali to przed tobą, więc poczułaś się mocno urażona.

Skinęła głową, jakby słowa Denisona ją pocieszyły. Poprowadził Olivię dalej, do popołudnia przed kolacją bożonarodzeniową, kiedy razem z Amandą poszły do profesora na konsultację. To była katastrofa: Olivia, roztrzęsiona po kłótni z Nickiem, nie potrafiła się skupić i na wszystkie pytania odpowiadała Amanda. Na koniec profesor z wyraźną pogardą spojrzał w jej napuchnięte od łez oczy i wręczył chusteczkę. „Następnym razem, gdyby pani zachciało się zmarnować godzinę mojego czasu, proponuję, żeby kupiła pani pudełko chusteczek w miejscowej drogerii i została w akademiku".

Kiedy wróciła z konsulacji, Sinead była u siebie, w pokoju obok. Zmusiła Olivię do umycia twarzy i w ramach terapii wyszła z nią na miasto, na zakupy. Denison kazał sobie ze szczegółami opowiadać o wycieczce po sklepach. Nie chciał jej wybić z rytmu, prześlizgując się pobieżnie po jednej łatce patchworku, żeby potem dopytywać o kolory nitek w następnej.

Pytał, jakiego szamponu użyła tego wieczoru pod prysznicem, ile czasu zajęło jej robienie makijażu i suszenie włosów, jakimi perfumami spryskała obojczyk i nadgarstki, zanim wyszła na kolację, aż wreszcie nie zostało nic, co można by opowiedzieć poza wydarzeniami samego wieczoru.

– Musimy? – jęknęła cicho.

– Wiesz, że tak, Olivio – starał się mówić łagodnym tonem. – Powiedz, co stało się tamtego wieczoru. Wtedy, kiedy zginęła Amanda Montgomery.

Rozdział 5

Zimny wiatr musnął policzek Olivii i potrząsnął igłami jodły rosnącej na trawniku. Zmarznięta trawa zachrzęściła pod stopami, kiedy dziewczyna weszła przez wartownię na Wielki Dziedziniec Ariel.

Kaplica była podświetlona od środka, odłamki rubinowego szkła witraży płonęły w ciemności jak węgle. Ktoś grał na organach, kiedy przechodziła przez dziedziniec. Rozbrzmiewała przejmująca i melancholijna muzyka. Ćmy trzepotały z niepokojem wokół słupów latarń.

Amanda mieszkała w Hicks Court, dwa piętra nad salą jadalną i barem.

– Proszę – odpowiedziała na pukanie Olivii. – Otwarte.

Olivia weszła, poczuła delikatne kwiatowe perfumy. Pokój był kremowo-biały, bez żadnych maskotek i plakatów. Na ścianie wisiała oprawiona w ramy grafika, *La belle dame sans merci*, Johna Williama Waterhouse'a. Kilka pachnących świec paliło się na parapecie, płomyki odbijały się w ciemnych szybach.

Amanda siedziała na łóżku i kartkowała książkę.

– O, to ty – powiedziała. Wyglądała na rozkojarzoną.

– Prosiłaś, żebym po ciebie przyszła, kiedy zacznie się kolacja – przypomniała jej Olivia.

– Siadaj. – Amanda rzuciła książkę na nocny stolik. – Zaraz się przebiorę.

Zdmuchnęła świece, zaciągnęła zasłony, potem zaczęła grzebać w szafie. Olivia usiadła na łóżku i odwróciła wzrok, kiedy Amanda rozebrała się do ładnej pastelowej bielizny.

– Słuchaj, chyba dobrze zrobiłam, że ci powiedziałam wczoraj o Nicku i Pauli – Amanda postarała się, żeby w jej głosie brzmiała szczerość. Olivia nie odpowiedziała, więc Montgomery mówiła dalej: – Hm, bo ja chciałabym wiedzieć, gdyby mój chłopak był, wiesz, niezupełnie uczciwy.

– Jest w porządku – zapewniła Olivia, nadal na nią nie patrząc.

Amanda włożyła czekoladową jedwabną sukienkę, pasującą do koloru jej oczu.

– Zasuniesz mi suwak?

Podniosła włosy, Olivia wstała i zapięła sukienkę.

– Jeśli to ci poprawi humor, to Pauli też wykręcił numer. Myślałby kto, że może mieć każdego faceta, a Nick po prostu ją przeleciał i rzucił. – Amanda spryskała się z wielkiej kwadratowej butelki z tymi samymi perfumami, które Olivia poczuła, kiedy weszła do pokoju. Potem zniknęła w łazience. – Widziałaś Roba na dole? – zawołała.

Olivia wstała i podeszła do drzwi łazienki. Amanda malowała oczy brązową kredką.

– Nie, ale nie przechodziłam przez bar.

– Przez cały dzień próbowałam się do niego dodzwonić. Drań nie odbiera. – Olivia patrzyła, jak Amanda nakłada szminkę. Wiedziała, że koleżanka oczekuje po niej zainteresowania; że powinna zapytać, dlaczego zerwali, ale zabrakło jej energii. Tego dnia też nie odbierała telefonów. Nie chciała rozmawiać z Nickiem, odkąd dowiedziała się, że nie jest pierwszą dziewczyną, z którą sypiał w Ariel.

– Polubiłam cię od pierwszego spotkania – wyznała mu poprzedniego wieczoru, kiedy wracali do domu z pubu, gdzie Amanda „przypadkowo" puściła farbę. – Myślałam o tobie codziennie, chciałam cię mieć. Ale czy ja zrobiłam na tobie wrażenie? Czy w ogóle zapamiętałeś nasze spotkanie? Sądziłam, że to początek wielkiej miłości, a ty poszedłeś prosto do Pauli i… robiłeś z nią to, co robiłeś; wcale cię nie obchodziłam. W końcu zacząłeś mnie unikać.

– Unikać cię? Tak to widzisz?

– A jak inaczej miałabym to widzieć? Już dawno mogliśmy być razem, ale ty najwyraźniej wolałeś najpierw wypróbować inne.

– To nie tak – próbował zaprotestować, ale ona odwróciła się na pięcie i odeszła, zostawiając go samego na ulicy.

Na ten wieczór kupiła nową sukienkę. Chciała, żeby żałował, że wybrał Paulę. Amanda nie skomentowała jej wyglądu, chociaż kosztowało ją to sporo wysiłku.

Odsunęła się od lustra i przejrzała ze wszystkich stron.

– Okay, gotowa do wyjścia.

Olivia mało się nie roześmiała. Przygotowania zajęły Amandzie zaledwie pięć minut, a i tak będzie najpiękniejszą dziewczyną wieczoru.

Blade kamienie sali błyszczały w świetle świec; wielka choinka w północno-zachodnim kącie uginała się pod czerwonymi i złotymi bombkami. Wokół witrażowych okien migały lampki. Długie drewniane stoły zastawiono talerzami i dzbanami z winem. Rozłożono srebrne sztućce. Na wszystkich widniało wygrawerowane godło wydziału.

Olivia weszła. Była pewna, że zrobi wrażenie, nawet w towarzystwie Amandy. Miała szkarłatną, obcisłą sukienkę z długim rozcięciem, sięgającym szczytu uda, krwistoczerwoną szminkę. Głowy odwracały się za nimi, kiedy przechodziły.

Olivia kątem oka natychmiast zobaczyła Nicka – w garniturze i czarnym krawacie. Siedział obok Roba. Zasypywał ją wiadomościami na pocztę głosową, a w ciągu dnia trzy razy przychodził pod jej pokój. Za każdym razem siedziała cicho, słuchała, jak Nick puka, czeka chwilę i odchodzi.

Amanda pociągnęła ją do stołu; nie spuszczała oczu z Roba. Ubrał się w kilt – tartan rodu McNorton. Olivia była pewna, że włożył go, żeby pysznić się muskularnymi udami rugbysty. Pod wieczorową marynarką miał nawet koszulkę do rugby w barwach Szkocji.

– Się masz, Olivia – zawołał, ignorując Amandę.

Olivia uśmiechnęła się na powitanie, ale nawet nie spojrzała na Nicka, chociaż kątem oka dostrzegła jego zbolałą minę. Razem z Amandą usiadły obok Lea, który zdążył już wyjąć bożonarodzeniową kartonową trąbkę z niespodzianką, a na dredy włożył papierowy kapelusik.

– Dziewczyny, wyglądacie absolutnie odlotowo – pochwalił.

Olivia postanowiła przynajmniej udawać, że dobrze się bawi.

– Dzięki, Leo. Chętnie powiedziałabym, że ty też porządnie się wyszorowałeś, ale skąd to można wiedzieć? – zażartowała.

Leo, który nie stosował się do form towarzyskich i nigdy nie ubierał się odpowiednio do okazji, był w sfatygowanej kurtce i workowatych dżinsach. Zapadła cisza, wstał dziekan i wygłosił kilka zdań po łacinie. Inni też wstali. Olivia nie wiedziała, czy powiedział po łacinie, żeby wstać, czy też była to niepisana reguła, że kiedy facet w todze mówi coś w martwym języku, to trzeba go słuchać na stojąco. Pogratulował im udanego trymestru zimowego i życzył wesołych świąt Bożego Narodzenia i szczęśliwego Nowego Roku. Potem wyrecytował jeszcze coś po łacinie. Olivia doszła do wniosku, że to modlitwa, bo niektórzy powiedzieli amen.

Usiedli, kelnerzy roznieśli talerze z elegancko zwiniętymi płatami łososia. Sala szybko wypełniła się gwarem rozmów i brzękiem sztućców.

Przy stole Olivii rozległy się dźwięki bożonarodzeniowych trąbek.

– Co robi mucha bez skrzydeł? – przeczytał Leo z kawałka papieru wyciągniętego z trąbki.

– Spaceruje – odpowiedziała natychmiast Amanda. – Te zagadki pewnie mają z ćwierć wieku.

– „Złoto i szkło jej nierówne, nie wymienisz jej na złote naczynie; nie liczy się kryształ i koral, perły przewyższa posiadanie mądrości"* – zacytowała Olivia ze swojej karteczki. – Księga Hioba 28,18. Wspaniała pointa. Można by pomyśleć, że to profesor podmienił mi dowcip na ten cytat, bo na próżno próbuje mnie zmusić do cięższej pracy.

– Pewnie tak. Jak ci poszła konsultacja w sprawie Russella? – zapytała June. W świetle świec jej ciemna skóra błyszczała jak polerowane drewno.

– Nie pytaj – ostrzegła ją Amanda. Uśmiechnęła się pod nosem, wgryzając się w bułkę.

Godfrey chyba usłyszał cytat z Biblii, bo nachylił się od sąsiedniego stołu i zbliżył swoją seksowną twarz do Olivii.

– „Bo w wielkiej mądrości, wiele utrapienia, a kto przysparza wiedzy, przysparza i cierpień". Kohelet 1,18 – powiedział i uśmiechnął się promiennie.

– Oto pożytki z dobrej chrześcijańskiej edukacji – skwitowała June, przewracając oczami.

Ale Olivia odwzajemniła uśmiech.

– Dziękuję, Godfreyu, wolę Koheleta niż Hioba.

---

* Cytaty pochodzą z Biblii Tysiąclecia, Poznań, 2003.

42

Puścił do niej oko i odsunął się, żeby znów napełnić sobie kieliszek. Olivia poczuła na sobie czyjś wzrok, odwróciła się. To Nick się na nią gapił. Siedział daleko, nie można byłoby go usłyszeć, ale otworzył usta, jakby chciał coś powiedzieć. Potem je zamknął i zaczął wstawać. Rob wyciągnął rękę i posadził go z powrotem. Odwróciła wzrok.

Między kęsami łososia Leo przekonywał, jak wspaniale brzmi *Riders of the Storm* Doorsów, kiedy weźmie się LSD. Mówił o kolorach tańczących po suficie w rytm muzyki, Olivia znów zerknęła w stronę Nicka. Zasłaniał go Rob, którego głośny szkocki śmiech niósł się po sali. Amanda uniosła głowę i spojrzała na niego, ale Rob siedział do niej tyłem i nie widział wzroku dziewczyny. Ciekawe, ilu z nas patrzy na ludzi, którzy na nas nie patrzą, pomyślała Olivia.

Już w połowie głównego dania Rob, wznosząc pustą butelkę, wołał o kolejne chianti. Olivii szumiało w głowie, a June odmówiła następnego kieliszka wina. Olivia nalała szklankę wody i przesunęła w jej stronę. Gdzieś między pierwszym a drugim daniem Leo postanowił nawrócić się na wegetarianizm. Kelnerka poszła do kuchni, żeby poszukać bezmięsnej potrawy. Znużony czekaniem Leo wybrał się na obchód i przysiadł się do stołu samozwańczych ekowojowników. Wszczął z nimi poważny dyskurs o wpływie McDonald'sa na lasy tropikalne.

– Pewnie opowiada im, jak przebywał z plemieniem amazońskim i udzielał lekcji z Sartre'a i Kartezjusza w zamian za korzonki i pieczone tarantule – zakpiła June. – O, patrzcie, przynieśli jego risotto. Powiemy mu? Czy naprawdę nam zależy, żeby wrócił?

Leo uwielbiał risotto, w przeciwieństwie do Amandy, która swoje tylko dziobnęła i oświadczyła, że idzie rzucić się w tłum. Jej miejsce zajął jeden z kumpli Lea od trawki. Przyszedł, żeby poważnie porozmawiać o możliwościach zakupu koki i speedu w sytuacji, kiedy ich ulubiony dealer został relegowany za zdemolowanie swojego pokoju i rozbicie większości szyb na klatce schodowej podczas jednej z dwudniowych balang. Olivia patrzyła, jak Amanda każe zamienić się miejscami innemu studentowi, żeby móc usiąść obok Pauli, której ciało, o kształtach wiolonczeli, opinała czarna sukienka tego samego koloru co włosy, rozpuszczone jak zwykle, żeby łatwiej nęcić ofiary. Wiązała je tylko na kacu, kiedy nie miała nastroju do łowów.

Chichotały, szeptały sobie do ucha. Spiskowały z oczami utkwionymi w Nicku.

Potem przyniesiono deser. June trochę zbyt entuzjastycznie zareagowała na widok kawy. Olivia zrozumiała, że koleżanka chce ją otrzeźwić.
Zbuntowała się i nie pozwoliła, żeby June ponownie napełniła jej filiżankę. Nalała sobie kieliszek chianti.

Zerknęła za siebie, na Nicka. Nie była w stanie zachować neutralnego
wyrazu twarzy, kiedy zobaczyła, jak Paula przysiada się do niego, przysu-
wa i kładzie mu dłoń na ramieniu. Coś do niej powiedział, a ona odrzuciła
głowę do tyłu i roześmiała się, jedną ręką odsuwając na bok włosy.

Godfrey zobaczył, że Olivia posmutniała i znalazł się przy niej
w dwie sekundy. Założył nogę na nogę, ostrożnie, żeby nie pognieść kan-
tów u spodni swojego eleganckiego garnituru, szytego na miarę.

– *What's the story, morning glory?* – zapytał.

Roześmiała mu się w twarz.

– Zostałeś fanem Oasis?

Skrzywił się.

– Banda gburów z Manchesteru. Scena muzyczna naprawdę zeszła
na psy, odkąd umarł Ralph Vaughan Williams. Ale opowiedz mi o sobie
i Nickim. Co się stało z młodzieńczym snem o miłości?

Zaczerwieniła się wbrew sobie.

– Odwal się, Godfrey.

– To znaczy, że jesteś dostępna?

– Jeśli nawet, to ty nie jesteś. A co, nie chodzisz z Elizą od tygodnia,
chociaż twierdzisz, że nie podrywasz kobiet z Ariel?

Zaledwie parę tygodni wcześniej, wracając z pokazu *Lśnienia* w Ro-
binson College, Godfrey powiedział jej: „Wy, kobiety z Ariel, jesteście
bandą dziwek bez klasy. Z was wszystkich tylko Amandę mógłbym bzyk-
nąć, ale ona musi być lesbijką, bo mi odmówiła. Czekam na udany seks
w Trinity. To znacznie lepsza rasa".

Potem Eliza, to małe cacko, której omal nie wyrzucono ze szkoły z internatem, bo sypiała z ogrodnikiem, upiła i uwiodła Godfreya.

Pociągnął duży łyk wina.

– Eliza jest wkurzona, a kiedy się wkurzy, robi się nudna. Za dziesięć
minut zaśnie przy bilardzie. Tak czy inaczej, potrzebna mi nowa ofiara do
zdemoralizowania. – Od niechcenia położył jej rękę na udzie. Olivia, od
niechcenia, wstała.

– Muszę się jeszcze napić – powiedziała i wyszła z sali.

W barze panował tłok i hałas. Z szafy grającej w kącie dudniło *Paint in Black* Stonesów. Olivia, otoczona przez emanujący energią tłum, poczuła, jak jeżą się jej włoski na karku. To były ostatnie zamówienia, więc zamiast wina na kieliszki i porto na szklanki, kupowano całe butelki. Towarzystwo rozlazło się wokół kubików, paliło, piło. W odległym końcu baru grupka pijanych grała w bilard; przy wejściu, po raz piąty tego wieczoru, wybrano w szafie grającej *Fairytale of New York* Poguesów. Goście wrzaskliwie dołączyli się do piosenki, skandując nie do rytmu o kanaliach i łachudrach.

Olivia kupiła butelkę wina i wyszła przez szklane drzwi na dziedziniec. Z trzech stron otaczały go mury wydziału, a z czwartej żelazny parkan. Tu było ciszej – kilkoro studentów siedziało na ławkach, dyskretnie popalając skręty z marihuaną. Ryby w betonowym stawie, wijąc się, uciekły, kiedy nadeszła. Od powierzchni wody odbijał się rozczłonkowany księżyc.

Zbyt późno zobaczyła Amandę i Sinead. Siedziały tyłem do niej, na słupkach przy bocznej furtce i po cichu rozmawiały.

– W co ona się, kurde, bawi? – mówiła Amanda. – Tutaj sam fakt, że jesteś kobietą, utrudnia życie. Połowa tych zramolałych profesorów pewnie chętnie w ogóle by nas stąd wyrzuciła. Więc jeszcze tylko brakowało, żeby myśleli, że jesteśmy głupimi workami hormonów. Aż dziwne, że nie zapytał jej, czy ma napięcie przedmiesiączkowe. Jak nie mogła się wyrobić, powinna po prostu wyjść.

Olivia poczuła masochistyczną chęć, żeby usłyszeć, kiedy wreszcie Amanda wypowie jej imię, ale zadziałał instynkt samozachowawczy i po cichu się wycofała. Z baru dobiegał śpiew o budowaniu marzeń wokół innych ludzi.

Usiadła na parapecie wykuszowego okna północno-wschodniej wieży, niewidoczna z zewnątrz, i napiła się z butelki. Nie paliła, ale wtedy papierosa potrzebowała bardziej niż czegokolwiek.

Po drugiej stronie otwartego okna znajdował się korytarz prowadzący do toalet. W pijanym widzie rozpoznała głos Roba. Większości tego, co mówił, nie rozumiała, ale wychwyciła kilka słów: „Amanda", „bawi się" i „drań". A potem włączył się Nick, zbyt łagodnym, uspokajającym tonem, żeby można było dokładnie usłyszeć wypowiedź. I kolejny głos, ten niósł się wyraźniej. „Cześć, chłopaki…", brzmienie miękkie jak roztopiona czekolada. „Co tu knujecie?"

To kobieta, Paula.

Rob powiedział coś gardłowo; gwałtownie otwarte drzwi uderzyły w ścianę. Ktoś wchodził do toalety? Rob, Nick czy Paula?

Nie Paula. „Co myślisz o drinku przed snem?", zapytała. Olivia wyczuła uśmiech w jej głosie, mogła niemal wyobrazić sobie jej uszminkowane usta przy uchu chłopaka. Miała nadzieję, że Roba, nie Nicka. Może dlatego, że była pijana, rozbawiła ją myśl, że głos Pauli niesie się tak dobrze, jakby miała większe prawo do fal dźwiękowych.

– „Unikaj głośnych i napastliwych, są udręką ducha" – wymruczała pod nosem Olivia, cytując *Desideratę*. Zachichotała nad butelką wina.

Chciała wstać, żeby podejść do parki na korytarzu, ale pomyślała, że jeśli nagle pojawi się znikąd i przyłapie Roba z Paulą, wyjdzie na idiotkę. Więc po raz kolejny napiła się z butelki i odeszła w stronę baru.

Znowu uderzył ją hałas i pochłonął jak fala przypływu. Nie lecieli już Poguesi, ale *Hey Jude*. Studenci jakby prześcigali się, kto najgłośniej wykrzyczy końcowe „na, na, na". W czerwonych satynowych szpilkach z trudem przedzierała się przez tłum. Dotarła do toalety, żeby zobaczyć, czy Paula próbuje uwieść jej chłopaka.

Ciało Amandy Montgomery znaleziono następnego dnia rano.

Rozdział 6

Posterunkowy czekał na inspektora Stephena Weathersa na małym parkingu przed Ariel College. Ręką wskazał wolne miejsce do zaparkowania.

Weathers wyłączył stacyjkę i głos spikera porannej audycji urwał się nagle. Zaczął szperać w schowku, szukając krawata. Jechał z mieszkania swojej dziewczyny; byli ze sobą za krótko, żeby dorobił się tam własnej szuflady.

Posterunkowy cierpliwie czekał przy samochodzie, inspektor wiązał krawat i sprawdzał w lusterku wstecznym, jak wygląda. Przygładził ręką rozczochrane włosy i wysiadł z wozu. Nadal był obolały po wieczornym squashu.

– Nie jest dobrze, sir – powiedział posterunkowy.

Weathers domyślił się tego od razu, spoglądając na twarz policjanta. Funkcjonariusz był spocony, mimo że wiał chłodny wiatr.

– Alec, prawda? – Weathers od niedawna służył w Cambridge i nie zdążył jeszcze poznać wszystkich nazwisk.

Policjant kiwnął głową.

– Posterunkowy Alec Liman, sir.

– Jak masz ochotę, zrób sobie pięć minut przerwy na kawę w Copper Kettle.

– Nie, dziękuję, sir. Dobrze się czuję.

– To zaprowadź mnie do ciała.

W barze Ariel College tłoczyli się niespokojni studenci, wszyscy rozpaczliwie próbowali się dowiedzieć, czy stało się coś złego. Wiedzieli

47

tylko tyle, że tłum policjantów, urzędników uniwersyteckich i strażników zgromadził się wokół jednego ze studenckich pokojów i że cały korytarz odgrodzono, a lokatorów z innych pokojów dokądś zabrano.

Spoglądali na Weathersa, kiedy szedł z posterunkowym Limanem. Obejrzeli wystarczająco dużo filmów detektywistycznych, żeby się domyślić, że facet w krawacie i skórzanej marynarce to prawdopodobnie oficer śledczy.

Weathers popatrzył na nich pobieżnie, chociaż raczej nie oczekiwał, że zidentyfikuje sprawcę na pierwszy rzut oka. Wyglądali jak zwyczajna studencka paczka – w dżinsach, sukienkach, spodniach khaki. Było paru nieśmiałych, świrowatych typów z różowymi włosami albo z kolczykami w nosie, jeden koleś w niebieskiej kurtce z kapturem obrębionym wełną. Opatulony kurtką wyglądał jak żółw. Dziewczyna za barem nerwowo żuła gumę, co i raz przeczesując trzęsącą się ręką obcięte na jeża blond włosy.

Wyszedł z baru, posterunkowy Liman prowadził go po schodach na pierwsze piętro, gdzie znajdował się pokój ofiary.

– Znalazła ją gosposia, sir – poinformował.

– Jak to gosposia?

– Sprzątaczka, sir. Wydział wynajmuje kobiety do sprzątania studenckich pokojów.

– Jezu, te małe skurczybyki nadal mają służących?

– To chyba niezupełnie tak, sir.

W korytarzu czuć było tosty i sadzone jajka, Weathersowi wywracał się żołądek. Razem z Limanem przeszli pod taśmą policyjną i ruszyli do mężczyzny czekającego przed drzwiami Amandy. Sierżantowi Johnowi Halloranowi udało się przekonać strażników, że nie mają tu nic do roboty, i wysłał policjantkę, żeby zrobiła im po filiżance gorącej, słodkiej herbaty w Porters' Lodge.

Tuż przed drzwiami była niewielka kałuża wymiocin. Weathers spojrzał na nią, potem na Hallorana i uniósł brew.

– Niech pan na mnie tak nie patrzy, sir – powiedział szorstko sierżant z mocnym akcentem mieszkańca Manchesteru. – Żołądek mam ze stali. To strażnik. Ten chudy, z wielkimi wąsami.

– Wygląda na to, że połowa pracowników wydziału była już na miejscu zbrodni – zauważył Weathers.

– Tak, sir. Na to wygląda. Gosposia, pani Tracey Webb, znalazła ciało około ósmej trzydzieści.

– Gdzie jest teraz Tracey Webb?

– Detektyw Ames ją przesłuchuje.

– Co się stało, kiedy Webb znalazła ciało?

– Popędziła do Porters' Lodge. Starzy durnie nie uwierzyli jej na słowo, że w pokoju leży trup; musieli przyjść, żeby zobaczyć na własne oczy. No i jeden zwymiotował. Wreszcie nie wiedzieć czemu wykręcili 999 i wezwali karetkę... kiedy pan zobaczy, zrozumie, dlaczego sanitariusze mogli nie być zachwyceni wezwaniem. Po niebieskich chłopaków też zadzwonili. Dotarliśmy tutaj o... – spojrzał w notatki – ósmej pięćdziesiąt sześć. Do tego czasu ruch wywołał pewne zainteresowanie i dwoje studentów z pobliskich pokojów: Paula Abercrombie i Nicholas Hardcastle, także przyszło na miejsce zbrodni.

– Widzieli ciało? – zapytał Weathers.

– Nie wiadomo. Są teraz przesłuchiwani.

– Okay. Coś jeszcze?

– Na razie nie. Chce pan zerknąć?

Widok na pokój zasłaniały drzwi do łazienki. Krew, to pierwsze, co zobaczył Weathers, kiedy zrobił trzy kroki do środka. Na jednej ścianie łuk rozbryźniętej krwi z tętnicy, na drugiej, przylegającej, krople krwi z żył. Na dywanie kałuża krwi sięgała do jego stóp. Wtedy zobaczył ciało.

Wyjrzał za drzwi i popatrzył na Hallorana.

– Nie, sir – odparł sierżant; bez trudu odczytał minę inspektora. – Jeszcze nie znaleźliśmy głowy.

9.45 rano. Posterunkowa Collins podaje filiżankę herbaty Derekowi McIntoshowi, strażnikowi z wąsami, który zwymiotował na miejscu zbrodni.

– Wiesz, Roger, nie sądziłem, że kiedykolwiek w życiu zobaczę coś takiego. – Derek zwraca się do innego strażnika.

Roger przyjmuje filiżankę herbaty, dodaje trochę whisky z buteleczki, którą pożyczył w barze od Les, i miesza z zapałem.

– Kto by pomyślał. Żeby coś podobnego zdarzyło się tutaj. Nie do pojęcia. – Roger, zawsze z rumianą twarzą, teraz jest szary jak popiół z jego cygara.

10.34. Victor Kesselich siedzi w jednym z pokojów profesorskich, w Audley Court. Policja przystosowała pomieszczenie do przesłuchań na miejscu. Kesselich nerwowo szarpie i wypruwa nitki z pokrowca na kanapie. Detektyw sierżant John Halloran ma ochotę dać mu po łapach i powiedzieć, żeby przestał niszczyć meble. Halloran cierpi na syndrom leniwego oka. Czasem przesłuchiwani nie są pewni, w które oko mają mu patrzeć – które patrzy na nich. Halloran o tym wie. I wie, że to krępuje ludzi, ale z rozmysłem tak robi; czasem wykręca głowę pod dziwnym kątem, żeby ich zdezorientować. Lubi trzymać podejrzanych w napięciu.

– Więc nie był pan na imprezie? – pyta po raz dziesiąty.

– Nie! – Kesselich się poci. – Mówiłem już, musiałem dokończyć esej. Nie lubię jedzenia z baru ani alkoholu.

– Rosjanin, który nie lubi wódki! Pierwsze słyszę. – Halloran śmieje się rubasznie.

– Nie jestem Rosjaninem, tylko Ukraińcem – cedzi Kesselich przez zaciśnięte zęby.

– I przez cały czas był pan u siebie, ale nikt nie może tego potwierdzić, a pan nie słyszał żadnych odgłosów dobiegających z pokoju Amandy Montgomery?

– Tak, tak i tak – złości się Kesselich. – Powtarzam: dokończyłem esej około jedenastej wieczór i od razu poszedłem do łóżka. Byłem wykończony. Szafa grająca w barze dudniła przez cały czas, więc włożyłem zatyczki do uszu. Obudził mnie dopiero wasz człowiek, kiedy rano zapukał do drzwi.

11.52. Detektyw Ames i inspektor Weathers wpadają na siebie na skrzyżowaniu korytarzy w Hicks Court.

– Jedna rzecz – mówi Ames, zakładając pasmo blond włosów za ucho. – Skąd wiemy, że to Amanda Montgomery? Zakładamy, że tak, bo ciało znaleziono w jej pokoju, ale jest w takim stanie, że…

Weathers stęka.

– Dobra uwaga. Badanie DNA zajmie co najmniej kilka tygodni. Każę patologom sprawdzić pieprzyki, tatuaże, znaki szczególne, żeby się upewnić.

– Okay. – Spuszcza wzrok, zaczyna się uśmiechać. – No, jak się mają dzisiaj twoje obolałe mięśnie? Gotowy na kolejny trening squasha?

– Może przy innej okazji.

Tutaj, w pracy, nie mogą się pocałować, więc ona zakłada palec za jego palec, uśmiechają się do siebie i wracają do roboty.

12.31. W barze Ariel jest tylko jeden płatny telefon. Przed nastaniem telefonów komórkowych były trzy. Ci studenci, którzy z różnych powodów nie mają komórek albo im się rozładowały, stoją w kolejce do budki telefonicznej. Rozpaczliwie próbują dodzwonić się do rodziców, żeby powiedzieć, co się stało. Chłopak w budce, pachnącej jak zwykle lepkimi pomarańczami, patrzy na przyklejone do ścian ulotki i czeka, aż mama podniesie słuchawkę. Zastanawia się, jak jej wytłumaczyć, że znalazł się w epizodzie filmu detektywistycznego o inspektorze Morsie.

12.42. Dwóch policjantów, którym przydzielono zadanie powiadomienia rodziców Amandy Montgomery, że to prawdopodobnie ich córka nie żyje, siedzi w radiowozie i rzuca monetą. Jeden z nich zdejmuje rękę z grzbietu dłoni i odkrywa pięćdziesięciopensówkę. Zamyka na chwilę oczy. Obaj wysiadają i idą ścieżką rozdzielającą dwa eleganckie kwadraty trawnika Montgomerych. Po prawej stronie, na trawniku, leży przewrócony plastikowy rowerek na trzech kołach. Dzwonią. W karbowanej szybie drzwi frontowych widać, jak ktoś się zbliża. Otwiera blondynka po czterdziestce, ubrana w stylowy, beżowy kostium i naszyjnik ze słodkowodnych pereł. Uśmiecha się, ale pogodny wyraz twarzy znika na widok dwóch policjantów stojących w progu.

– Pani Julia Montgomery? – pytają. – Możemy wejść?

14.33. Przesłuchanie Olivii zostało zakończone. Teraz dziewczyna pragnie znaleźć Nicka, powiedzieć mu, że chce zapomnieć o ich kłótni, że to nieistotne. Pragnie się dowiedzieć, czy nic mu się nie stało. Przechodząc przez Ariel Bridge, słyszy, jak ktoś zawodzi; patrzy na ogród, gdzie po raz pierwszy całowali się z Nickiem. Paula chodzi w tę i z powrotem wzdłuż ścieżki nad rzeką; czarne włosy ma rozpuszczone i rozczochrane. Wyrzuca ręce do góry, krzyczy, że to nie ma sensu, że to nie w porządku. Dwaj studenci próbują przemówić koleżance do rozsądku, uspokoić ją, ale nieskuteczność ich działań jest oczywista nawet na odległość. Olivia patrzy przez chwilę, potem wraca do baru.

15.56. Leo i Sinead wychodzą z wartowni Ariel, natychmiast rzuca się na nich tłum reporterów.

– Znaliście ofiarę? – krzyczy jeden z dziennikarzy.

– Co sądzicie o tym morderstwie? – woła inny.

Leo i Sinead nie zatrzymują się.

17.10. Rob McNorton pije herbatę ze swojego ulubionego kubka, po-plamionego na brązowo od taniny, bo rzadko zdobywa się na umycie naczynia. Radio jest włączone i co pół godziny nadają komunikat o śmier-ci Amandy. Na dźwięk kolejnego muzycznego zwiastuna wiadomości drżącą ręką odstawia kubek z herbatą i wyłącza radio. Chwyta płaszcz, idzie do najbliższego pubu. Po drodze do wyjścia z akademika mija po-kój koleżanki. Drzwi są otwarte, w środku widzi dwoje pięćdziesięciolat-ków i dziewczynę w kapciach.

– Powiedziano mi, że nie wolno wychodzić, dopóki policja wszyst-kiego nie sprawdzi – upiera się dziewczyna. Patrzy na niego nad głowami rodziców, wymieniają pełne zrozumienia spojrzenia. Dramat zjednoczył studentów Ariel.

– Młoda damo, spakujesz się natychmiast i pojedziesz z nami do domu – mówi ojciec.

Przed akademikiem, na parkingu, nowa dziewczyna Godfreya wrzu-ca walizkę na tył używanego bmw, które parkuje przy hotelu Gardener, mimo że mieszka w Church.

– Wyjeżdżasz? – pyta Rob, zapinając płaszcz, aby ochronić się przed mroźnym wiatrem.

– Zgadłeś. Gdzieś tu krąży zabójca, taki co lubi śliczne dziewczyny z długimi blond włosami. Zostałbyś na moim miejscu?

– To brzmi jak cytat z tandetnego horroru. – Rob się krzywi.

– Zgadza się. Ale ja nie zamierzam czekać, aż dopadnie mnie Leat-herface albo pieprzony Tony Krueger! – Zarzucając włosami jak u lalki Barbie, wsiada za kierownicę i pędem odjeżdża z parkingu; omal nie po-trąca po drodze jakiegoś faceta na rowerze. Rowerzysta i Rob wymieniają spojrzenia, unoszą oczy. Rob rusza do pubu.

18.45. Radiowóz staje przed Ariel i dwóch funkcjonariuszy prowa-dzi Nicka przez bramę. Po drugiej stronie zostawiają go samego. Jeden ze strażników klepie chłopaka po ramieniu i pyta, czy dobrze się czuje. Nick, jakby go nie słyszał. Idzie ścieżką wolnym, chwiejnym krokiem do klatki schodowej prowadzącej na jego korytarz. W pobliżu jest paru stu-dentów, patrzą na niego, ale rozumieją, że powinni go zostawić samego. Jest osłabiony, wlecze się po schodach, podciągając się na poręczy. Zapach korytarza, w normalnych warunkach tak znajomy, teraz zawsze już będzie się kojarzyć z odorem krwi. Idzie z trudem, skręca za róg, do swojego pokoju. Tam, oparta o drzwi, siedzi Olivia. Wstaje na jego widok, on pada w jej ramiona.

Doktor Matthew Denison – inny Matthew Denison, bardziej skory do pomocy i mniej przygaszony niż ten, który parę lat później miał się spotykać z Olivią, chociaż sam byłby zaskoczony tą opinią – wszedł do centrum operacyjnego i pomachał do Weathersa. Inspektor stał w drugim końcu pokoju i rozmawiał z kobietą w eleganckich szarych spodniach i skórzanej kurtce. Weathers skinął głową, natychmiast zakończył rozmowę i podszedł do Dennisona.

– Dzięki, że przyszedłeś, Matt. Jadłeś coś?

– Zamierzałem wstąpić do Little Chef przy autostradzie, ale było zamknięte. Remont.

– No to chodźmy do stołówki. – Weathers skoczył do gabinetu, żeby wziąć teczkę z biurka i wyszedł na korytarz.

Denison pospieszył za nim, zaniepokojony tym ewidentnym pośpiechem. Byli przyjaciółmi od niemal dwudziestu lat i zazwyczaj, kiedy się spotykali, co najmniej godzinę rozmawiali o życiu. Denisona dziwiło zachowanie Weathersa w pracy: robił się wtedy poważny i małomówny.

W stołówce panował zastój między lunchem a popołudniową przerwą na herbatę. Wzięli po kilka tostów i kawę, usiedli przy stoliku, z dala od bufetowych.

– Co się dzieje? – zapytał Denison, wycierając okulary o krawat.

Weathers na razie zdążył przekazać mu tylko tyle, że pracuje nad sprawą morderstwa i potrzebuje pomocy.

– To studentka z Cambridge. Z Ariel College. Sprzątaczka znalazła dziś rano jej ciało. Zwłoki są potwornie okaleczone, a na miejscu zbrodni techników czeka harówka. Wiesz, jak to na uniwersytecie, pewnie z połowa wydziału bywała w pokoju tej dziewczyny. Jeśli zabił ją ktoś ze studentów, badania mikrośladów na niewiele się przydadzą, bo zabójca prawdopodobnie już wcześniej składał tam wizyty. Powie po prostu: „Tak, to moje odciski palców są na oknie. I co z tego? Tydzień temu piłem u niej herbatę" – przerwał, żeby nabrać tchu, ugryzł duży kawałek tosta i napił się kawy. – Oczywiście jeśli zabił ją ktoś, kogo znała – dodał ciszej.

– Podejrzewasz, że było inaczej?

– Hm, rzecz w tym, że ta zbrodnia przypomina mi coś, co już kiedyś widziałem na zdjęciu. Ciało Mary Kelly.

Denison odstawił kawę.

– Jezu, aż tak źle? – Mary Kelly była ostatnią, najokrutniej okaleczoną ofiarą Kuby Rozpruwacza. – Myślisz, że to seryjne?

Weathers przełknął kęs, grdyka przesunęła mu się w dół.

– Trudno stwierdzić. Przynajmniej na tym etapie. To może być pierwsze zabójstwo. Nie wiem, ty jesteś specjalistą. Dlatego cię wezwałem. Chcę, żebyś obejrzał zdjęcia z miejsca zbrodni i powiedział, co myślisz.

Przesunął teczkę do Denisona, który odstawił talerz z niedojedzonym tostem.

Może dlatego, że Weathers wspomniał o sprawie Mary Kelly z 1888 roku, Denison spodziewał się, że zobaczy czarno-białe fotografie. Były kolorowe. Czerwona krew, żółty tłuszcz, białawe kości.

Ciało Amandy Montgomery leżało na łóżku, na przesiąkniętym krwią prześcieradle. Była naga, stos zmiętych ubrań walał się na podłodze. Miała tak liczne nakłucia, że wyglądała, jakby zamknięto ją w dziewicy norymberskiej. Długie głębokie cięcia biegły wzdłuż ramion, bioder i łydek. Najgorsze, że odrąbano jej głowę, z szyi wystawały postrzępione fragmenty skóry i mięśni.

– Masz papierosa? – zapytał Denison. Twarz mu poszarzała.

– Będziesz wymiotował? – zapytał Weathers.

– Steve, daj mi tylko tego cholernego papierosa.

Weathers wręczył mu marlboro i zapalniczkę. Denison otworzył najbliższe okno i wychylił się na zewnątrz. Na przemian oddychał rześkim, chłodnym powietrzem i wdychał nikotynowy dym.

– Nie palimy w stołówce – zawołała jedna z kelnerek, drapiąc się w głowę pod nylonowym czepkiem. Denison ją zignorował, więc zwróciła się do Weathersa: – On tu nie może palić – upierała się.

Weathers wstał, zgarnął zdjęcia z powrotem do teczki.

– Chodź, Matt. – Położył dłoń na ramieniu przyjaciela. – Przejdziemy się.

W milczeniu chodzili po wielkim parku naprzeciwko komendy. Wreszcie Denison wziął kolejnego papierosa i zagadnął:

– To pójdzie dziś wieczorem na pierwsze strony, prawda?

Weathers pokiwał głową.

– Będzie z tego duża sprawa.

– Dla ciebie to koszmar.

– Pewnie tak. Czterystu potencjalnych podejrzanych. Ponad trzy czwarte z nich chce wyjechać do domu na weekend. Więc cokolwiek powiesz, już mi pomożesz.

– Wiesz, że mało zajmowałem się profilowaniem. – Denison uznał, że powinien o tym przypomnieć. – Jestem w Coldhill od trzech lat i robiłem mnóstwo ekspertyz sądowych, ale ty jesteś dopiero trzecim policjantem, który prosi mnie o pomoc w sprawie enki.

– Enki? – Weathers uniósł brew.

– Przepraszam, to skrót od: nieznany sprawca. Terminologia FBI. – Denison pewnie by się zaczerwienił, gdyby nie to, że cała krew odpłynęła mu do żołądka. – Chyba powinienem przestać czytywać *Milczenie owiec*.

Weathers się uśmiechnął.

– Nie martw się. Wiem, że FBI to pionierzy w dziedzinie profilowania. Może za pięć lat będziemy mieli gliniarzy, którzy nauczą się, jak to robić, i wtedy nie będziemy musieli zwracać się o pomoc do jajogłowych, takich jak ty.

Denison parsknął śmiechem przez nos. Wrócili pod komendę i Weathers znowu podał mu teczkę.

– Zadzwoń, jak się przez to przegryziesz, i przekaż mi swoją opinię.

Popatrzyli na siebie. W grudniowym powietrzu wisiały białe mgiełki ich oddechów.

– Powodzenia, Steve.

Uścisnęli sobie ręce, Denison wsiadł do samochodu i odjechał do Londynu. W radiu już mówiono o zabójstwie.

– A więc, co zapamiętałaś jako ostatnią rzecz z bożonarodzeniowego wieczoru? – zapytał Denison Olivię.

Była jak w transie.

– Poszłam do baru i kupiłam butelkę wina. Chyba wyszłam na dwór. Następne, co pamiętam, to to, że obudziłam się we własnym pokoju, a moja sąsiadka Sinead dobijała się do drzwi.

Denison spojrzał do notatek i zmarszczył brwi.

– Kupiłaś wino, zanim wpadłaś na Nicka i Paulę Abercrombie czy potem?

Olivia też zmarszczyła brwi, koncentrowała się.

– Nie rozumiem, o co panu chodzi? Nie przypominam sobie, żebym widziała Nicka z Paulą. Co robili?

– Tylko rozmawiali. Ale Nick powiedział, że wyglądałaś na bardzo złą i wyszłaś. Trzymałaś w ręku butelkę do połowy napełnioną winem.

– Nie pamiętam tego. Musiałam być bardzo pijana. A Nick poszedł za mną?

Denison poprawił okulary.

– Próbował. Zagroziłaś, że uderzysz go butelką.

Roześmiała się wbrew sobie.

– Żartuje pan. To do mnie niepodobne.

– Tak twierdził Nick. I dodał, że szłaś w stronę Church Hostel. Ale w akademiku już nikt cię nie widział.

Wzruszyła ramionami.

– Wszyscy bawili się na przyjęciu. Ja chyba pierwsza wróciłam.

– O wpół do jedenastej?

Znowu wzruszyła ramionami.

– Może w akademiku byli już jacyś ludzie, ale pewnie siedzieli w pokojach. Po drodze chyba nikogo nie spotkałam. Zresztą nie pamiętam, jak znalazłam się u siebie.

Znowu spróbował.

– Dlaczego wróciłaś z dziedzińca na korytarz, gdzie zastałaś Nicka?

Pokręciła głową.

– Mówiłam panu, nie pamiętam, żebym widziała Nicka.

– Dobrze, więc następnego dnia rano obudziła cię Sinead, tak?

– Dobijała się do drzwi, wykrzykiwała moje imię. Miałam niezłego kaca i szczerze mówiąc, wstałam tylko dlatego, żeby ją uciszyć. Nie mogłam znieść tego walenia.

– Co powiedziała, kiedy ją wpuściłaś?

– Spytała, czy ze mną wszystko w porządku. Miała zaczerwienione oczy. Wymamrotała, że coś się stało z Amandą.

– Powiedziała co?

– Nikt jeszcze nie wiedział. Słyszeliśmy tylko, że wszędzie jest mnóstwo policjantów i że nie ma Amandy. Później, w barze… wszyscy się tam zebrali, nie zamknięto go jak zwykle po południu, ktoś w końcu powiedział to, co wszyscy myśleliśmy: że ona nie żyje. A ktoś inny, chyba Danny, zaczął mówić o zawałach i atakach epilepsji. Ale Leo zapytał, dlaczego połowa policji z Cambridge miałaby się zjechać do naturalnej śmierci. „Tu może chodzić albo o przedawkowanie prochów, ale to jednak byłaby gruba przesada, albo wiecie… podejrzane okoliczności". Nikt nie wypowiadał jej imienia. Wszyscy mówiliśmy „ona", „jej". Niektórzy próbowali nakłonić gliniarzy, żeby zdradzili, co się stało, ale oni nie chcieli mówić. Później, tego samego dnia rano, przyszedł detektyw z profesorem Whitleyem z Ariel i wreszcie powiedzieli, że nasza koleżanka nie żyje. Wyczytali z listy nazwiska osób, z którymi chcieli rozmawiać, a innym kazali wrócić do pokojów. Nikt nie mógł wyjechać z Cambridge bez pozwolenia. Ludzie nie rozumieli, dlaczego chcieli nas rozdzielić. Ale wydaje mi się, że policja zazwyczaj przesłuchuje każdego z osobna, zanim świadkowie zdążą omówić ze sobą swoje wersje. Fakt, rozmawialiśmy o poprzednim wieczorze, plotkowaliśmy o tym, co mogło się wydarzyć. Dowiadywaliśmy się od siebie różnych rzeczy.

– Czy twoje nazwisko było na liście?

Skinęła głową.

– Tak. Moje, Roba, Sinead. Wszystkich, którzy siedzieli z Amandą przy stole poprzedniego wieczoru. Już przesłuchiwali Nicka, Paulę i Godfreya. I jej sąsiada z lewej, Victora Kesselicha. Taki samotnik. Właściwie go nie znaliśmy, więc oczywiście natychmiast stał się dla nas doskonałym podejrzanym.

– Jak sądzisz, kto zabił Amandę? – Przyglądał się jej uważnie.

– Z początku założyłam, że to ktoś z wydziału, kogo pewnie znamy. Ale kiedy usłyszałam, co zrobił, pamiętam, że pomyślałam: nikt ze znajomych nie byłby zdolny do czegoś tak okrutnego. To musiał być jakiś obcy, wariat, który wdarł się na wydział.

– Kto cię przesłuchiwał?

– Kobieta, detektyw. Nie pamiętam nazwiska. Blondynka.

– O co pytała?

– Chciała wiedzieć, dlaczego pokłóciliśmy się z Nickiem wieczorem, przed imprezą. Jeden ze starszych studentów z Ariel podsłuchał naszą awanturę i najwyraźniej wspomniał o tym policji. Chyba usłyszał, jak mówiliśmy o Amandzie.

– Wyznałaś jej prawdę?

– Tak.

– Nie krępowałaś się?

– Krępowałam, ale wiedziałam, że Nicka pytali o to samo, więc nie było sensu się wstydzić. On by nie skłamał.

– O co jeszcze pytali?

– Czy miała wrogów, czy kogoś zdenerwowała.

– Powiedziałaś im o napięciu między Amandą a Robem?

Olivia wyglądała na zmieszaną.

– Tak. Przez to dręczyło mnie sumienie, zwłaszcza potem, kiedy zaczął mieć kłopoty. Ale pomyślałam, że mógł stracić panowanie i zaatakować. Wtedy jeszcze nie wiedziałam, jak bardzo była okaleczona. Nie zamierzałam go kryć, jeśli kogoś zamordował.

Denison dziwnie się poczuł. To, co wiedział o Olivii, o tym, dlaczego teraz siedzi naprzeciwko niego, sprawiało, że rozmowa wydała mu się groteskowa. Czy zupełnie wymazała z pamięci, dlaczego tu trafiła?

Dziewczyna utkwiła w nim złote oczy. Głowę trzymała lekko przechyloną na bok. Jakby go chciała przejrzeć na wylot.

– Pan mi o czymś nie mówi – powiedziała.

Znowu napłynęło to dziwne uczucie, łaskotanie adrenaliny.

– Właściwie to samo pomyślałem o tobie.

Wyglądała na wystraszoną. Trochę zdezorientowaną.

– Nie wiem, czego pan chce się ode mnie dowiedzieć. – Jakiś czas temu zsunęła buty. Teraz podciągnęła nogi w rajstopach na krzesło, objęła rękami kolana. Parę kosmyków kręconych włosów uwolniło się z kucyka i opadło na twarz. Zaczęła ogryzać paznokieć kciuka.

Patrzył na nią zaniepokojony. Zabrzęczał telefon na biurku. Denison podniósł słuchawkę.

– Panie doktorze, przekroczył pan czas prawie o dwadzieścia minut – poinformowała sekretarka.

Odwrócił się tyłem do Olivii, zniżył głos.

– Janey, to ważne. Nie możesz tak po prostu mi przerywać…

– Za dwie minuty ma pan spotkanie z komisją administracyjną – przypomniała mu kobieta lodowatym tonem.

58

Westchnął.

– Dobrze. Dziękuję.

Znowu odwrócił się do Olivii. Zaskoczył go widok dziewczyny: siedziała prosto, buty na nogach, włosy schludnie przyczesane.

– Rozumiem, mam już iść – powiedziała uprzejmie i pozwoliła odprowadzić się do drzwi, gdzie czekał pielęgniarz, żeby zabrać ją do pokoju.

Po jednej stronie linii był Matthew Denison. Siedział za biurkiem w oddziale psychiatrycznym Coldhill, przed nim leżały cztery strony zabazgrane notatkami. Po drugiej, w mieszkaniu swojej dziewczyny, inspektor Stephen Weathers. Curry na wynos stygło, kiedy słuchał Denisona.

– Dobrze. – Denison przeglądał notatki, żeby znaleźć miejsce, od którego mógłby zacząć. – Myślę, że zabójcy powinieneś szukać na wydziale. To nie jest facet, który dopiero co ją zobaczył. Gdyby się włamał, ryzykowałby, że jako outsider zostanie zauważony. Morderstwo niosłoby duże ryzyko nawet dla studenta, a przecież nie byłoby niczego podejrzanego, gdyby znalazł się w tamtym korytarzu. Nie sądzę, żeby morderstwa dokonał ktoś z zewnątrz. Czy zabójca szedł tam z zamiarem popełnienia zbrodni, czy chodziło mu o coś innego? Powiedziałbym, że planował mord. Myślę, że wziął ze sobą nóż. Najpierw poderżnął ofierze gardło. To musiało spowodować błyskawiczną śmierć. Jeszcze nie jestem pewien, czy chciał, żeby tak szybko umarła. Możliwe, że było to konieczne, bo inaczej sąsiedzi Amandy usłyszeliby krzyk. Ale chyba wolał, żeby pożyła dłużej, bo gdyby tylko mógł, poddałby ją torturom. Z drugiej strony, sądząc po ilości obrażeń, wygląda na to, że przede wszystkim zależało mu na okaleczaniu. Jeśli rzeczywiście pragnął ciąć, kroić, profanować zwłoki, to staje się jasne, dlaczego zabił od razu. Wtedy natychmiast mógł osiągnąć cel, nie musiał walczyć z ofiarą. Wątpię, żebyście znaleźli jakikolwiek dowód na gwałt. Bardziej prawdopodobne, że facet osiągnął satysfakcję seksualną, kiedy rozpruwał zabitą, niż że odbył stosunek ze zwłokami. Jeśli był umazany krwią, umył się u niej w łazience.

– Kazaliśmy technikom sprawdzić łazienkę, zatyczki, odpływy wody – powiedział Weathers.

– Okay, więc zabójcą jest ktoś, kto na co dzień widywał Amandę i miał na jej punkcje obsesję. Szukacie faceta, który ją znał, ale nie był jej przyjacielem. Możliwe, że to nie student. Jeśli wziąć pod uwagę złożoność tego zabójstwa, z powodzeniem mógł go dokonać ktoś starszy. Morderca snuł na ten temat fantazje od dłuższego czasu. Taki skrajny scenariusz czasem dojrzewa całymi latami. Steve, ten gość naprawdę jej nienawidził. Ale w rzeczywistości jej nie znał. Dokonał na nią jakiejś projekcji. Sądzę, że niedługo spotka inną kobietę i uzna, że powinien ją ukarać. Dziewczyny z tego wydziału powinny być bardzo ostrożne.

– Jaki jest nasz podejrzany? Czy zdołam go rozpoznać?

– Nie mogę ci podać dokładnego profilu. To tylko spekulacje, ale wyobrażam sobie, że jest inteligentny...

– W przeciwieństwie do pozostałych trzystu dziewięćdziesięciu dziewięciu studentów wydziału tego najlepszego w kraju uniwersytetu.

– Inteligentny, ale nie pracowity. Szybko się zniechęca. Zawiera powierzchowne znajomości i nigdy całkowicie nie otwiera się przed kolegami. Tłumi w sobie gniew i frustracje, zdarzają mu się jednak niespodziewane wybuchy emocji. Zapytaj studentów, czy zauważyli, że ktoś, na co dzień spokojny, nagle traci panowanie nad sobą. Wśród jego rzeczy są prawdopodobnie książki o zbrodniach i podręczniki medycyny. Takie z mnóstwem makabrycznych zdjęć, które odwołują się do jego zaburzonej seksualności. Więcej znajdziesz na jego twardym dysku. Pewnie kiedyś, na początku swoich doświadczeń seksualnych, poczuł się upokorzony przez dziewczynę. Na przykład nie udało mu się podtrzymać erekcji albo miał przedwczesny wytrysk. Partnerka go wyśmiała, plotkowała na ten temat... a może upokorzenie powstało wyłącznie w jego głowie. W każdym razie to sprawiło, że znienawidził kobiety i zapragnął nad nimi dominować. Jeśli ma dziewczynę, co według mnie jest mało prawdopodobne, to bardzo uległą, bierną. Taką, która nie może stanowić wyzwania dla jego próżności lub intelektu.

– Wiesz, że rozmawiam w zasadzie z każdym, kto znał Amandę. Istnieje jakiś sposób, żeby zmusić faceta do mówienia? – zapytał Weathers.

– Nic nie powie, jeśli poprowadzisz rutynowe przesłuchanie. Zacznie mówić, jeśli pomyśli, że postawisz go przed sądem bez względu na to, czy będzie zeznawać, czy nie. Choć i to nie jest pewne.

– Wspaniale.

– A, jeszcze jedno. Zatrzyma sobie głowę. To dla niego trofeum. Daruję ci szczegóły, jakie obrzydlistwa mordercy robili z odciętymi głowami w podobnych sprawach, ale wierz mi, kiedy go znajdziesz, będzie miał jej głowę... albo czaszkę.

– Czekamy na to niecierpliwie – powiedział ponuro Weathers. – Słuchaj, Matt, bardzo ci dziękuję. Kiedy znajdziemy kogoś, kto podpasuje nam jako podejrzany, to może przyszedłbyś pomóc przy przesłuchaniu?

– Jasne. Nie ma sprawy.

Obaj odłożyli słuchawki. Ames czekała, żeby wrócił do stołu i skończył curry. Kiedy tego nie zrobił, usiadła obok niego na kanapie, pogłaskała go po karku i policzku. Wziął ją za rękę, pocałował. Wyglądał na nieobecnego duchem.

– Musisz coś zjeść – powiedziała. – Żeby być silny. Nie chcesz chyba, żebym wygrała z tobą w squasha, co?

Nick zgodził się na kolejne spotkanie z Denisonem: „Wszystko, żeby pomóc Olivii". Denison zobaczył go po raz trzeci. Chłopak za każdym razem wyglądał gorzej. Jego lekko kręcone włosy teraz były krótko ścięte. Oczy miał podkrążone, skórę bladą.

– Jak się masz? – Denison spróbował uśmiechnąć się ciepło.

Nick spojrzał na niego martwym wzrokiem.

– Wczoraj rozmawiałem z Olivią. Powiedziała, że nie pamięta, jak starła się z tobą i Paulą Abercrombie na przyjęciu bożonarodzeniowym ani jak groziła ci butelką wina.

Młody człowiek pokręcił głową.

– Cóż, cała Olivia. Zapomniałaby własnej głowy, gdyby nie nosiła jej na szyi.

– Zapominalska? – zapytał Denison, myśląc o rozbieżnościach między relacjami Nicka i Olivii na temat ich pierwszego spotkania.

Nick przetarł oczy.

– Można tak powiedzieć. Tyle razy coś jej mówiłem, a ona następnego dnia nie pamiętała. Wspominałem jakąś naszą rozmowę albo wieczorne wyjście, a Olivia tylko patrzyła na mnie pustym wzrokiem. Bóg jeden wie, jak zdołała zdać egzaminy z taką pamięcią jak sito.

– Jaki stopień dostała?

61

– Miała 2:2★. Inteligentna dziewczyna, ale na testach wysiadała.
– Wygląda na to, że była… hm, lekko postrzelona.
Nick poczuł się nieswojo. Założył ramiona na piersi.
– Po prostu czasami trochę lekkomyślna. I tyle. Ale kochałem…
kocham ją.
– A zdarzało się, że nie dawałeś sobie z nią rady?
– Chyba tak. – Nick zmierzwił palcami krótko obcięte włosy.
– Jednego dnia była bardzo czuła, a innego nie mogła znieść, jak jej
dotykałem. Czasem słodka, a niekiedy naprawdę potrafiła mnie nieźle
zdenerwować.
  – Nick, wiem, że omawiałeś to już ze sto razy, ale chciałbym wró-
cić do tego, co się stało wtedy wieczorem, kiedy Olivia odeszła.
  Westchnął, potem obojętnym głosem odtworzył łańcuch wydarzeń.
  – Wróciłem do baru i wypiłem jeszcze jednego drinka. Paula trzymała mi rękę na nodze. Amanda to zobaczyła i mrugnęła do mnie. Zdją-
łem dłoń Pauli i poszedłem się wysikać. Kiedy wróciłem do baru, Rob
i Amanda zajęci byli jedną z tych swoich szeptanych kłótni, które się widzi, ale się nie słyszy. Złapał ją za ramię. Wyrwała się i pobiegła na górę.
Rob nie ruszył za nią, kopnął automatyczny bilard i wyszedł innymi
drzwiami. Dokończyłem drinka i wróciłem do swojego pokoju. Dziesięć minut później zapukała Paula. Miała na sobie szlafrok, a pod spodem tylko bieliznę. Była bardzo pijana, próbowała mnie pocałować. Nie
mogłem się jej pozbyć. Położyła się na łóżku i w końcu zasnęła. Ja spałem w ubraniu na podłodze. Rano obudziłem się, kiedy usłyszałem, jak
ktoś wymiotuje w korytarzu. Stali tam strażnicy. Przepchnąłem się między nimi i zobaczyłem trupa. Nie mogłem ustać na nogach, rąbnąłem
tyłkiem o podłogę i zacząłem się cofać w stronę korytarza. Strażnicy nie
przepuścili Pauli, ale po mojej twarzy poznała, że jest źle. Pamiętam, jak
zjawili się policjanci, ale nie wiem, ile czasu minęło, zanim przyjechali.

★ Absolwenci brytyjskich wyższych uczelni uzyskują oceny końcowe (i okre-
ślony rodzaj dyplomu) na podstawie liczby punktów zdobytych na egzaminach.
Najlepszy wynik (dyplom) ma notę: 1 – *First Class Honours*, uzyskuje go 11% absolwentów; następnie 2:1 – *Upper Second Class Honours*; najczęściej uzyskiwany
wynik, ok. 45% absolwentów; 2:2 – *Lower Second Class Honours*, ok. 30% absolwentów; 3 – *Third Class Honours*; najsłabsze notowania (przyp. red.).

Denison odsłuchał już taśmy z przesłuchania Nicka przeprowadzonego niecałą godzinę po odkryciu ciała. Chłopak mówił niespójnie. Paula nie zapewniała mu dobrego alibi: nie pamiętała, dokładnie kiedy przyszła do pokoju Nicka ani o której godzinie zasnęła. Dlatego przez pierwsze kilka dni Nick był jednym z głównych podejrzanych o morderstwo.

– Myślałeś o tym, kto zabił Amandę?

Pokręcił głową.

– W ogóle niewiele myślałem.

– Nie sądziłeś, że mógł to zrobić Rob?

– Nie. Nie byłby w stanie. Ani nikt inny z moich znajomych.

Rozdział 7

Denison był sam w gabinecie. Na dworze drzewa magnoliowe traciły kwiaty, zaścielając trawę grubym białym dywanem. Zdjęcia Amandy Montgomery leżały na biurku. Nie z miejsca zbrodni, nie z sekcji zwłok; żywej dziewczyny. Tu jako dziecko, przebrana za kowboja, stoi obok starszego brata. Tam w sukni druhny, wygląda na zawstydzoną, że musi pozować. Na wycinku z lokalnej gazety – *Dziewczyna z Williamsden idzie do Cambridge* – profesjonalnie uśmiechnięta Amanda przed bramą szkoły. Ulubione zdjęcie Denisona zrobiono latem, przed jej wyjazdem do Ariel. Amanda w białej kamizelce i workowatych spodniach poplamionych farbą. Nawet na włosach ma pasemko niebieskiej farby. Pomagała rodzicom w malowaniu pokoju kilkumiesięcznego brata. Mały Tommy śmieje się w jej ramionach.

Potem jeszcze zdjęcie z ukończenia studiów. Amanda stoi prawie w samym środku, z chłodnym, niemal wyniosłym wyrazem twarzy. Spoglądając na to zdjęcie i znów na to ulubione, Denison zastanawiał się: może Olivia miała rację, twierdząc, że Amanda była obecna w Ariel tylko ciałem. Nie mógł się powstrzymać od myśli, że prawdziwa Amanda to ta, która uśmiecha się do aparatu i trzyma w ramionach roześmiane dziecko.

Taksówkarz, który zabrał Nicka i Olivię ze stacji kolejowej w Oksfordzie, próbował nawiązać rozmowę podczas jazdy do domu rodziców chłopaka.

– Więc jesteście studentami? Jaki uniwersytet? – zapytał.

– Cambridge – odpowiedział Nick po chwili milczenia.

– Kurczę. Naprawdę? Pewnie się cieszycie, że stamtąd wyjeżdżacie. Ja wsiadłbym w pierwszy pociąg do domu. Znaliście tę dziewczynę?

Nick i Olivia zgodnie pokręcili głowami.

– Jak myślicie, policja na coś wpadła? Czytałem, że siedzą na dupach i drapią się po jajach.

Nick spojrzał na kieszeń w drzwiach od strony kierowcy, z której wystawał egzemplarz „Mirror". W ciągu trzech dni po zamordowaniu Amandy w zbiorowym sercu studentów Ariel zrodziła się trwała nienawiść do tabloidów. Po pierwsze za publikowanie zdjęć Amandy w bieliźnie wykonanych z ukrycia. Najwyraźniej nawet morderstwo nie daje osłony przed obsesją, jaką mają brukowce na punkcie półnagich kobiet. A po drugie za to, że zapłacili chłopakowi Amandy z liceum, żeby opowiedział historyjkę w stylu „byłem jej pierwszą miłością".

– Tak dokładnie nie śledzimy sytuacji – skłamał Nick, ściskając dłoń Olivii. Resztę drogi do domu Hardcastle'ów siedzieli w milczeniu.

Olivia została z tyłu, kiedy rodzice Nicka wybiegli im na spotkanie.

– Och, Nicky, tak się cieszymy, że już jesteś – powiedziała matka, mocno go ściskając.

– Powinieneś zadzwonić ze stacji, głuptasie, wyjechalibyśmy po was. – Pan Hardcastle złapał Nicka za szyję i zaaplikował mu szorstki pocałunek w czubek głowy.

– Mamo, tato… – Nick odwrócił się do swojej przyjaciółki, oczy mu błyszczały. – To jest Olivia.

Stał skąpany w świetle z werandy, wysoki, w długim czarnym płaszczu. Olivia patrzyła na niego, wdychała aromat sosen i uśmiechała się.

Mama Nicka podeszła do niej po chrzęszczącym żwirze.

– Witaj, moja droga, jestem Valerie. – Ucałowała Olivię w oba policzki. Dziewczyna poczuła jej ciężkie perfumy. Odwzajemniając uścisk, machinalnie położyła dłoń na ręce Valerie. Pod jedwabiem brązowej bluzki czuła jej kruche ciało.

– Musisz być głodna – powiedziała Valerie. – Wejdź. Przy okazji, to Geoff, tata Nicka.

Geoff i Olivia spojrzeli na siebie, niepewni, czy pójść za przykładem Valerie i ucałować się serdecznie. Olivia zrobiła krok do przodu i podała

Geoffowi rękę. Potem nachyliła się do pocałunku, przy którym wargi nie dotykają policzków, chociaż słychać cmoknięcie. Nie lubiła łaskotania wąsami.

Geoff mężnie chwycił walizki gościa i wniósł je do domu. Valerie, Olivia i Nick weszli za nim.

W środku było ciepło, w kominku płonęły polana. Dwie wielkie kanapy i dwa fotele stanowiły główne wyposażenie obszernego salonu. W kącie stał telewizor, najwyraźniej zaniedbywany. Na nim leżały stare egzemplarze „Timesa" i „Guardiana" otwarte na stronach z krzyżówkami.

Valerie przyglądała się przyjaciółce syna, oceniała ją tak, jak Olivia oceniała otoczenie.

– Może zrobić ci coś do picia, moja droga? Mamy herbatę i kawę, a może wolisz kakao?

– Dziękuję, chętnie napiję się kawy – odparła Olivia, idąc za gospodynią do kuchni.

Valerie nalała wody z dzbanka z filtrem Britta i nasypała mielonej kawy do wielkiego ekspresu. Czekały, aż woda się zagotuje. Matka Nicka oparła się o kuchenną ladę i zaczęła pstrykać łososiowymi paznokciami o blat.

– Jak tam podróż? – zagadnęła.

Olivia żałowała, że ma na sobie dżinsy. W towarzystwie pani Hardcastle czuła się bardzo niechlujnie.

– Pociąg był zapełniony. Naprawdę mieliśmy szczęście, że znaleźliśmy miejsca do siedzenia.

– Trzeba było przyjechać wcześniej – stwierdziła Valerie. – Nie należy wybierać się w podróż tuż przed Bożym Narodzeniem.

Olivia wzruszyła ramionami.

– Wyjechaliśmy, jak tylko policja nam pozwoliła.

Valerie ściągnęła usta.

– Nigdy nie zrozumiem, dlaczego, na Boga, was tam przetrzymywali. Okropne! Jakby któreś z was zamordowało tę biedną dziewczynę.

– To nic takiego – powiedziała cicho Olivia. – Chcieliśmy chociaż trochę pomóc.

Geoff wsadził głowę przez drzwi.

– Kochanie, gdzie postawić walizki Olivii?

– Przygotowałam pokój gościnny – odparła Valerie.

Wszedł Nick.

– Mamo, chcielibyśmy mieszkać w moim pokoju.

– Nicholasie, masz przecież pojedyncze łóżko. Byłoby wam koszmarnie ciasno. Jestem pewna, że Olivia wolałaby mieć całe łóżko dla siebie.

Nick przewrócił oczami.

– A co ty myślisz, że przez ostatnie miesiące sypialiśmy w królewskim łożu z baldachimem?

Matka rzuciła mu ostrzegawcze spojrzenie.

– No co? Jesteśmy dorośli. To nie tak jak za dawnych czasów, kiedy strażnicy patrolowali wydział, żeby przyłapać chłopaka in flagranti z jakąś panną i wyrzucić go ze studiów.

– Nie bądź bezczelny – wtrącił się Geoff. – Możecie się zabawiać po cichu, za plecami rodziców, tak jak ja z twoją matką, kiedy byliśmy młodzi.

Nick i Olivia spędzili następne kilka dni, odpoczywając. Nie czytali gazet i nie oglądali wiadomości, rozmawiali mnóstwo przez telefon z kolegami i koleżankami z wydziału. Pewnego wieczoru Hardcastle'owie wystroili się, żeby pojechać na przyjęcie bożonarodzeniowe do Geoffa, do pracy. Geoff chciał wypić drinka, więc poprosił syna, żeby ich podwiózł. W drodze powrotnej Nick i Olivia zatrzymali się w pubie na colę, ale nagle przypomnieli sobie, że dom jest pusty. Nickowi z trudem udawało się nie przekraczać dozwolonej prędkości, ale kiedy dotarli na miejsce, natychmiast zaczęli uprawiać seks.

Potem, kiedy leżeli pod kołdrą, przyciśnięci do siebie, Olivia rozejrzała się po pokoju. Zobaczyła medale na haczyku wbitym w szafę i dwa srebrne puchary na półce nad biurkiem.

– Hokej i bieg przełajowy – wyjaśnił Nick.

Kiwnęła głową, myśląc, że bieg przełajowy w jej szkole polegałby pewnie na joggingu przez grunty gminne i pobliski park, ulubione miejsce pijaczków, którzy chodzili tam z bełtami. Zaczęła się ubierać. Nick pocałował ją w ramię, kiedy wkładała stanik.

Na ścianie wisiał plakat Oxford United.

– Dlaczego nie zdawałeś do Oksfordu zamiast do Cambridge? – zapytała.

– Dlaczego nie zdawałaś na któryś z uniwersytetów w Londynie? – odparł.

– Skąd wiesz, że nie?

– Kiedyś mi mówiłaś. Poza Cambridge złożyłaś papiery w Yorku, Edynburgu, Manchesterze i Cardiff. Żadne z tych miast nie leży blisko Londynu.

– Chyba chciałam się wyprowadzić. Być niezależna. Wyrwać się z domu.

– Właśnie, ja też.

– Nie dogadujesz się z rodzicami?

– Musisz pytać? – Uniósł brwi i osłonił się kołdrą jak tarczą. – Mama jest trochę neurotyczna, a tata trochę głupawy, ale nie o to chodzi. Mało kto ma ochotę trzymać się tak bardzo rodziców. Do swoich nawet nie zadzwoniłaś, odkąd tu jesteśmy.

Olivia odwróciła się do niego plecami, zapinając guziki bluzki.

– Jakoś to przeżyją – powiedziała i wyszła z pokoju.

W dzień Bożego Narodzenia Olivia wstała z łóżka i jeszcze w piżamie poszła do kuchni. Matka Nicka już się tam szamotała jak obłąkana ćma.

– Mogę w czymś pomóc? – zapytała Olivia.

Valerie ledwie na nią spojrzała.

– Nie teraz, kochanie. Może za parę minut. Niedługo pewnie zjawią się tu wujowie i ciotki Nicka, więc proponuję, żebyś się ubrała.

Kiedy przybyła rodzinka, wujek Nicka, kawaler, zmierzył Olivię wzrokiem od stóp do głów i klepnął Nicka po plecach. Żonaty wujek z małymi dziećmi przywiózł ze sobą także złotowłosego retrievera. Pies biegał po pokoju i szczekał, aż z tego wszystkiego Valerie nalała sobie kolejny kieliszek wina, nie odstępując od piekarnika.

Olivia patrzyła, jak ciotka Nicka przybiera tragiczny wyraz twarzy i czekała na nieuchronne pytanie.

– Och, Olivio, znałaś tę zmarłą dziewczynę? – zapytała kobieta.

– Nicholasie, może zechciałbyś nakryć stół! Trzeci raz cię już o to proszę! – zawołała Valerie z kuchni. Głos miała coraz bardziej przenikliwy.

Nick skrzywił się i zwlókł z kanapy. Przyniósł z kuchni sztućce i naczynia. Olivia poszła mu pomóc. Nie robiła tego wyłącznie ze względów altruistycznych, chciała odpocząć od towarzystwa całej rodziny Hardcastle'ów. Zauważyła, jak Geoff zręcznie zabiera żonie kieliszek z winem i wynosi go do jadalni.

Dania były pyszne. Objedzeni indykiem, ziemniakami i bożonaro-dzeniowym puddingiem z kremem, opadli na kanapy i fotele. Nawet pies rozłożył się z zadowoleniem przed kominkiem.

W końcu wujowie, ciotki, dzieciarnia i retriever poszli sobie. Nick i Olivia oglądali telewizję. Kiedy usłyszeli głośne chrapanie z pokoju rodziców, zrozumieli, że są bezpieczni. Najpierw całowali się na kanapie, potem stoczyli się na podłogę przed kominkiem. Starali się zachowywać cicho. Olivia śmiała się potem, kiedy znalazła długi złoty włos psa przylepiony do lewego pośladka Nicka.

Dwudziestego ósmego zadzwonił do nich Rob.

– Mogę wpaść? – zapytał.

Spotkali się w miejscowym pubie. Olivia ledwie go poznała – był blady, nieogolony, czapka baseballowa zasłaniała mu połowę twarzy. Nick musiał poprowadzić Roba we właściwym kierunku.

Spojrzał na nich spod daszka. Nie uśmiechnął się. Jego brązowe oczy były pochmurne, wzrok obojętny, otępiały.

– Jak się masz? – zapytała z niepokojem Olivia.

Przyciągnął bliżej szklankę z piwem.

– Nie najlepiej. A co u was?

Nick i Olivia spojrzeli po sobie.

– Jakoś dajemy sobie z tym radę – powiedział Nick. – Dziwnie się czuję w domu.

Rob pokiwał głową.

– Wiem, o co ci chodzi. Nie masz ochoty wracać do Ariel, ale jednocześnie nie chcesz być z dala od innych.

Olivia upiła duży łyk wina.

– Wszyscy dookoła chcą wiedzieć, co się stało. Ale ty masz ochotę rozmawiać tylko z przyjaciółmi, z ludźmi, którzy tam byli – powiedziała, patrząc na podrapany drewniany stół. – Jakby nikt inny nie miał prawa o tym mówić.

– Pieprzone hieny – rzucił Rob. – Dzwonili już do was z brukowców?

Olivia zaczęła kręcić głową. Ale przestała, zaskoczona słowami Nicka.

– Nie mówiłem jej – zwrócił się do Roba. – Ale tak, było parę telefonów. Ten sam facet dzwonił trzy razy. Dwa razy mama wyjaśniała mu, że na pewno nie będę z nim rozmawiał. Kiedy zadzwonił trzeci raz, powiedziałem, żeby się walił.

– Do mnie dzwonili bez przerwy – użalał się Rob. – Jakiś drań z Ariel musiał im powiedzieć, z kim Amanda trzymała. Na naszym roku do nikogo tak często nie wydzwaniali jak do mnie. – Siedział zgarbiony nad szklanką. – Miałem tego dość. Chciałem wrócić do Ariel, być z dala od tych telefonów.

– Będą tam na nas czekać – stwierdziła Olivia. – Poza uczelnią jesteśmy rozproszeni. A każdego z osobna trudniej dręczyć.

Rob wzruszył ramionami, nie patrząc na nią.

– Wydział zadba, żeby reporterzy nie dostali się do środka. Będą też musieli zwiększyć ochronę o tysiąc procent, jeśli chcą, żebyśmy tam zostali.

– Myślisz, że ktoś odpadnie? – zapytał Nick.

Rob pokiwał głową.

– Suzy Marchmond już odeszła. Jenny McEvoy mówi o przerwie w studiach. Godfrey twierdzi, że Eliza myśli o wyjeździe do Australii, żeby być z dala od miejsca zbrodni.

Olivia roześmiała się wbrew sobie.

– Drastyczne posunięcie.

– Najwyraźniej Eliza uważa, że jest w większym niebezpieczeństwie niż inni, bo ona i Amanda były podobne jak dwie krople wody. Głupia dziwka; to jakby porównywać złoto do tombaku.

– Mam nadzieję, że nie podzieliłeś się tą uwagą z Godfreyem – wtrącił Nick.

Rob przełknął łyk piwa, nie odpowiedział.

– Zastanawialiście się, kto to mógł zrobić? – zapytał w końcu.

Nick i Olivia znów spojrzeli po sobie.

– Nie mamy pojęcia, kto byłby do tego zdolny – powiedział Nick.

– Tak? Spotkaliście się kiedyś z Victorem Kesselichem?

Nick odstawił drinka.

– Nie wolno ci mówić, że Victor to zrobił.

– Dlaczego nie? Jest dziwny. I podkochiwał się w Amandzie.

– Rob, połowa wydziału do niej wzdychała.

– Tamtego dnia rano policja przesłuchiwała go wiele godzin.

– Mnie też policja przesłuchiwała wiele godzin. I co z tego? Myślisz, że mogłem to zrobić? Jezu, oni przesłuchiwali wszystkich z jej piętra.

Victor jest samotnikiem, człowiekiem zamkniętym w sobie, ale to nie znaczy, że chorym psychicznie.

– Nick, to dziwoląg. Byłeś u niego w pokoju? Ma tam czarne świece, hoduje kaktusa w jakiejś zwariowanej, cholernej doniczce w kształcie czaszki. Maluje sobie włosy na czarno. Uwielbia te wszystkie podejrzane, kiepskie zespoły metalowe, które ryczą o odrywaniu ludziom głów. Leo mówił, że Victor przepowiadał mu przyszłość z kart tarota.

Nick gwałtownie nabrał tchu, jakby zamierzał zaraz rozerwać Roba na strzępy. Ale to przemyślał. Olivia zauważyła, jak napinają mu się mięśnie szczęki.

– Rob, nie wolno nam wyciągać pochopnych wniosków. Niech policja robi swoje. Wcześniej czy później go dopadną, to pewne. My musimy pochylić głowy i iść dalej. – Sięgnął pod stołem po rękę Olivii. Uścisnął ją.

– Nie widziałaś się z rodzicami, z rodziną przez całe ferie? – zapytał zdumiony Denison.

Olivia znów zaczęła ogryzać paznokcie.

– Nie. – Dzisiaj miała na sobie zapięte pod szyję wdzianko z długimi rękawami. Włosy związała w kucyk, nie nałożyła makijażu. Denison wiedział, że mało spała.

– Dlaczego?

Obgryzała skórkę przy paznokciu.

– Chciałam być z Nickiem. Moi rodzice by nie zrozumieli, przez co przechodzę. Naprawdę wszyscy chcieliśmy być razem.

Denison pokiwał głową.

– To typowa reakcja na takie wydarzenie.

Olivia patrzyła na niego sponad wygiętej dłoni, palce napinały się jej, jakby trzymała nuty przy gryfie skrzypiec.

– Dlaczego nie chcesz mówić o rodzicach?

Widział, jak zesztywniała. Twarz miała nieruchomą, spojrzała w dół, ukryła się przed nim. Dłonie uniosła do skroni, koniuszki palców złączone w literę V nad czołem zasłaniały oczy.

– Niech pan mnie nie zmusza, żebym o nich mówiła – powiedziała; jej głos brzmiał głucho.

– Dlaczego nie chcesz o nich mówić, Olivio?

Nie podniosła oczu. Widział tylko dolną część jej twarzy. Prze-łknęła. Zrobiła wydech. Długi, kontrolowany. Koniuszki palców prze-sunęły się na skronie. Wreszcie położyła dłonie na kolanach. Kiedy podniosła głowę, była uśmiechnięta, spokojna.

– Co chce pan wiedzieć? – zapytała.

– Jesteś z nimi w dobrych stosunkach?

Wzruszyła ramionami. Nadal się uśmiechała.

– Często się kłócimy. Szczególnie ja i tata. Jest lepiej, odkąd się wyprowadziłam. Kiedy byłam nastolatką, bywało naprawdę źle... wie pan, hormony. Uważałam, że są nadopiekuńczy, a oni twierdzili, że ze mnie kawał narwańca.

– Miałaś sporo problemów?

– Na pewno przeglądał pan moje szkolne akta. – Owszem. Olivia miała za sobą długi okres bezczelnych odpowiedzi pod adresem na-uczycieli i bójek z innymi uczniami. – Hm, inne dzieciaki dawały mi w kość za to, że miałam dobre stopnie. Przez jakiś czas próbowałam ukrywać, że jestem inteligentna. Odszczekiwałam się nauczycielom, więc dziewczyny mnie uwielbiały. Szybko zrozumiałam, że nie warto. Koleżanka... nie przyjaciółka, tylko taka, z którą chodziłam na dużej przerwie, zaszła w ciążę i musiała rzucić szkołę. Ostatnim razem, kie-dy ją widziałam, pracowała na zmianie od piątej do północy, w bud-ce z frytkami i rybami. Wiedziałam, że nie chcę takiego życia. Znów zaczęłam odrabiać prace domowe, ciężko pracować. Próbowałam nic sobie nie robić z tych głupich dzieciaków, które myślą, że jak komuś dobrze idzie w szkole, to jest kujonem. – Znów się uśmiechnęła, ale oczy miała smutne. – Nie zawsze udawało mi się być niewidzialną. – Według szkolnych dokumentów od czternastego roku życia dostawała same piątki, ale często przyłapywano ją na bójkach na boisku.

Akta policyjne dotyczące nieletnich są archiwizowane, kiedy noto-wany kończy szesnaście lat, ale przyjaciel Weathersa z londyńskiej po-licji metropolitalnej przypomniał sobie Olivię i incydent, który zda-rzył się, kiedy miała piętnaście lat. Bójka w Clapton, w blokach gmin-nych Amhurst Park skończyła się tym, że Olivia miała podbite oko, a druga dziewczyna złamaną rękę i poharataną twarz. Wyglądała tak, jakby ciągnięto ją po chodniku. Jakiś lokator natknął się na dziewczyny w jednej z klatek wieżowca i wezwał policję. Funkcjonariusze ustalili, że ta druga, też ze szkoły Olivii, od miesięcy się nad nią znęcała. Żadna nie chciała złożyć skargi, więc policjanci udzielili im upomnienia i na tym się skończyło.

– Rozmawiałaś kiedykolwiek z rodzicami o tym, co ci robią w szkole?

Skrzywiła się.

– Nie. Szczerze mówiąc, wcale nie byli lepsi. Nie są zbyt rozgarnięci. Podle to brzmi, prawda? I naprawdę nie rozumieli, jakie znaczenie ma edukacja. Martwiło ich, że będą musieli płacić, żeby utrzymać mnie na uniwersytecie. Chcieli, żebym została i pomagała im w sklepie w pełnym wymiarze godzin.

– Masz rodzeństwo?

Zacisnęła dłonie na kolanach. Potem się rozluźniła. Znów pojawił się łagodny uśmiech.

– Panie doktorze, jestem pewna, że pan o tym wie. Tak. Mam trzy młodsze siostry.

– Dobrze ci się z nimi układa?

Znowu to wzruszenie ramion.

– Wie pan, jak to jest z siostrami. Było całkiem nieźle, dopóki nie zaczęły kraść moich rzeczy. Najstarsza skończyła dopiero szesnaście lat. Za duża różnica wieku, żebyśmy się kumplowały.

– Czy rodzice mieli ulubioną córeczkę?

Uśmiech się poszerzył.

– Można tak powiedzieć. – Nie dała się pociągnąć za język.

– Musieli bardzo się o ciebie bać, kiedy usłyszeli, co stało się z Amandą Montgomery. Próbowali się z tobą skontaktować?

– Zostawili parę wiadomości w mojej poczcie głosowej. Myślę, że chodziło im o dokładne informacje, żeby mogli plotkować o tym z sąsiadami.

Olivia ściągnęła gumkę z kucyka i przejechała palcami po włosach.

– Dzwoniłaś do nich z domu rodziców Nicka?

– Tak. W Boże Narodzenie. Po prostu, żeby życzyć im wesołych świąt. Chcieli porozmawiać o Amandzie, ale ja ciągle zmieniałam temat. – Nagle w jej oczach pojawiły się łzy. – Moja siostra Jodie powiedziała, że prosiła Świętego Mikołaja, żeby nic mi się nie stało w Cambridge. To był bardzo ładny prezent.

Rozdział 8

„NABOŻEŃSTWO ŻAŁOBNE ZA ZAMORDOWANĄ STUDENTKĘ ARIEL. Wczoraj odbyło się nabożeństwo żałobne za duszę Amandy Montgomery, studentki Ariel, której ciało znaleziono na wydziale, wieczorem 9 grudnia ubiegłego roku. Msza żałobna była otwarta dla wszystkich studentów i wykładowców uniwersytetu oraz dla przyjaciół i rodziny Amandy z jej rodzinnej Kornwalii. W nabożeństwie w Ariel Chapel uczestniczyło ponad trzysta osób.

Morderstwo, jak do tej pory niewyjaśnione, wstrząsnęło uniwersytetem i sprawiło, że wielu studentów wystąpiło z prośbą o urlop dziekański. A do Ariel napłynęło już tyle podań o przeniesienie na inne wydziały, że 12 bieżącego miesiąca władze uczelni wystosowały oświadczenie, że takie przeniesienia nie będą możliwe. Nasz rozmówca z komisji rekrutacyjnej Ariel twierdzi, że chociaż wydział oficjalnie nie ogłosił jeszcze liczby miejsc na kolejny rok akademicki, już wycofywane są podania maturzystów, z którymi przeprowadzono rozmowy w trymestrze jesiennym.

Po mszy żałobnej policja z hrabstwa Cambridge, według jednego ze studentów Ariel, dolała oliwy do ognia, prosząc tych, którzy byli na wydziale w wieczór morderstwa, żeby poddali się badaniom odcisków palców i oddali próbki DNA. Jeśli ktoś odmówił, wkrótce zapewne zostanie do tego zobowiązany decyzją sądu. Na razie policja, jak się zdaje, nie wytypowała głównych podejrzanych, chociaż w ostatnim oświadczeniu twierdzi, że »w śledztwie podjęto kilka obiecujących wątków«.

Ujawniono niewiele szczegółów dotyczących śmierci Amandy Montgomery. To oczywiście doprowadziło do rozmaitych spekulacji w społeczności studentów, szczególnie na wydziale Ariel, jak, dlaczego i kto zamordował Amandę. Chociaż wydział wzmocnił zabezpieczenia i zainstalował kamery przemysłowe na swoim terenie oraz w akademikach, wielu studentów postanowiło zamieszkać wspólnie, żeby uniknąć samotności i ryzyka. Podopiecznym zaproponowano porady psychologa.

»Uniwerek« gazeta studencka, 14 stycznia"

Olivia i Nick stali przed drzwiami do pokoju Amandy, patrzyli na bukiety i pluszowe misie.

– To wydaje się nierealne – powiedziała Olivia, czytając kartkę na wiązance lilii. Wcześniej Nick patrzył, jak policjant przejechał wacikiem po wnętrzu policzka Olivii, i znowu zrobiło mu się niedobrze, jak wtedy, w grudniu, kiedy próbkę DNA pobierano od niego. Wielu studentów też wyglądało blado, kiedy brano od nich odciski palców. Na wystraszonych twarzach mieli wypisane przekonanie, że są prześladowani, że wini się ich za niepopełnione czyny. Byli zdumieni: jak ktokolwiek mógł pomyśleć, że to właśnie oni są czarnymi charakterami.

– Chodź, napijemy się. – Nick wziął Olivię za rękę.

Poszli na dół, zamówili kawę u ponurego barmana. Zauważyli Roba. Stał w drugim końcu baru, obok automatu do gry, razem z kolegami z drużyny rugby. Ręce miał założone na piersiach, patrzył na Victora Kesselicha, który siedział w jednym z kubików, popijał kawę i czytał książkę Michela Foucaulta.

Olivia spostrzegła, jakim wzrokiem Rob patrzy na Kesselicha.

– Ho, ho – mruknęła.

– Podejdę i powiem cześć – stwierdził Nick. – Spróbuję z nim pogadać, bo może wpadł na jakiś genialny pomysł.

Nick ruszył do Roba. Olivia rozejrzała się po barze i natychmiast zauważyła sąsiadkę, Sinead, której kręcone włosy miały charakterystyczny kolor nowiutkich miedzianych monet. Sinead dostrzegła wzrok koleżanki i machnięciem przywołała ją do kubika po drugiej stronie baru.

Uścisnęła ją mocno.

– Co się z tobą działo? Naprawdę spędziłaś całe ferie u Nicka?

– Tak, naprawdę – odparła Olivia. Miała nadzieję, że Pauli, która stała w pobliżu, uszy spuchną na dźwięk imienia byłego chłopaka. Z wielką przyjemnością głośno opowiadała, jak spędzała z Nickiem Boże Narodzenie, żeby Paula mogła podsłuchać. Szczególnie miło się zrobiło, kiedy dziewczyna odrzuciła włosy i odeszła sztywnym krokiem.

– A ja byłem w Meksyku – powiedział Leo, a Olivia dopiero wtedy zauważyła, że nosił poncho. – Tamtejsze moskity to dopiero draństwo – ciągnął. – No i prawie całe Boże Narodzenie rzygałem po jakichś podejrzanych burritos. I mieliśmy tylko jeden hamak do spania. Ale ludzie są tacy fajni, wyluzowani i swobodni, chociaż skorumpowani jak cholera.

– Wygląda na to, że dobrze się bawiłeś – stwierdziła z ironią Olivia.

– Kurczę, było ekstra. W sylwestra pojechaliśmy na pustynię, naćpaliśmy się i patrzyliśmy na wschód słońca.

Na Dannym Armstrongu, wielkim miłośniku balang, nie zrobiło to wielkiego wrażenia.

– A ja spędziłem sylwestra w szemranym klubie nocnym – oznajmił z liverpoolskim akcentem. – Nazywa się Neon Lites. – Olivia parsknęła nad kawą. – Wiem. – Danny się skrzywił. – Nic nie mów. Całą noc grali jakąś szmirę. Nie wiedziałem, że Whamsi nagrali tyle hitów.

– Trzeba było pojechać z nami – powiedział Leo.

– Jasne, ale nie mamy tych kilkuset funciaków na samolot do Ameryki Południowej – skomentowała uszczypliwie Olivia. Danny uniósł brew, a Sinead spojrzała na nią z niepokojem. – No co, niektórym trudno zebrać pieniądze nawet na bilet kolejowy do domu – dodała Olivia obronnym tonem.

Leo nie wyglądał na zbyt urażonego.

– Po to są szybkie pożyczki. Chryste, mój bank serdecznie mnie nienawidzi, ale wolę mieć parę setek długu i przeżyć fantastyczne przygody, niż przepuścić całą zabawę.

Olivia piła kawę.

Podczas kolacji wszyscy byli przygaszeni. Nikt nie mówił podniesionym głosem, nikt się nie śmiał. Olivia siedziała naprzeciwko Godfreya, który nosił na ramieniu czarną opaskę. Obok niego siedziała Eliza. Zmieniła zamiar i nie przeprowadziła się do Australii, kiedy Godfrey, obawiając się, że straci gwarantowane codzienne dymanie, ofiarował jej diamentowy naszyjnik i dał do zrozumienia, że to nie wszystko, co dla niej ma.

– Dręczą mnie koszmary, odkąd to się stało – zwierzyła się Eliza Olivii. – Czasem budzę się cała we łzach. Ciągle śni mi się to samo. – Godfrey przewrócił oczami; najwyraźniej słyszał tę opowieść już wcześniej, ze szczegółami. – Biegnę bardzo długim korytarzem, coś mnie ściga. Łapię za klamki, ale wszystkie drzwi są zamknięte. Wreszcie znajduję takie, które dają się otworzyć, i wbiegam do środka. A tam jest Amanda, w białym szlafroku, zakrwawiona, śmiertelnie blada, mówi: „Drzwi się nie zamykają, tak mnie dopadł". Nagle słyszę hałas, odwracam się, staję oko w oko z potworem, który mnie ściga. Właśnie wtedy się budzę. – Na rękach Elizy pojawiła się gęsia skórka. Olivia sięgnęła po jej dłoń i ścisnęła ją mocno.

– Okropne. Co za koszmarny sen.

Godfrey prychnął.

– Nie tak koszmarny jak mój. O Johnie Prescotcie w białym szlafroku.

– Skrywany homoseksualizm. – Olivia zachichotała, zasłaniając usta.

Mrugnął do niej.

– Michael Portillo mógłby być mój w każdej chwili.

– Tak na marginesie – wtrąciła się znów Eliza – Jak myślisz, kto to zrobił?

– Nie wiem! – Olivia się roześmiała. – To tak, jakbyś mnie pytała o zakończenie powieści Agaty Christie.

– Musisz mieć jakiegoś podejrzanego. Każdy ma.

– Naprawdę? Kto jest teraz na czele listy?

Eliza się nachyliła.

– Victor Kesselich – wyszeptała konspiracyjnie i wyprostowała się. – Niektórzy słyszeli też, że Amanda ostro pokłóciła się z Robem. A Godfrey sądzi, że to Laurence.

– Laurence Merner? – Olivia ze zdumieniem popatrzyła na Godfreya.

– Właśnie tak. – Wyglądało, że mówi poważnie. Laurence należał do grupy jajogłowych, którzy dyskutowali o Kurosawie, Nietzschem i Sarttrze, nosili stylowe okulary i długie płaszcze. – Pod koniec ostatniego trymestru pokłócił się z Amandą.

– O co?

– Chyba chodziło o telewizyjne show. Ona powiedziała, że w dzieciństwie chciała wygrać *Masterminda*, a on na to, że bardziej nadawałaby się do *Koła fortuny*.

Olivia mrugnęła.

– Trochę po chamsku. Ale dlaczego uważasz, że ją zabił?

– Hm, pewnie miał z nią jakiś problem. Nawet dobrze nie znał Amandy, ale ciągle gadał, że jest za gruba, nie ma klasy, czy coś w tym stylu. Dlaczego tak bardzo nie lubił kogoś, z kim prawie nie rozmawiał?

– Bo ja wiem? Myślę, że to trochę naciągane – stwierdziła Olivia.

Do sali wszedł z tacą Victor Kesselich. Usiadł sam przy końcu stołu i zaczął jeść.

Olivia wiedziała, jak to jest, kiedy skazują cię na ostracyzm. Mogłaby się do niego przysiąść, zacząć rozmowę, ale właściwie go nie znała. Jak zareagowałby, gdyby nagle podeszła obca dziewczyna i zaczęła coś paplać?

Dokończyła tortellini.

– Dzwoni do pana inspektor Weathers – poinformowała recepcjonistka z Coldhill.

– Okay, proszę połączyć – powiedział Denison. Była to piąta w tygodniu rozmowa telefoniczna o morderstwie Montgomery.

– Mamy odciski palców i DNA prawie wszystkich studentów Ariel – odezwał Weathers. – Paru dupków odmówiło, ale dostaniemy nakaz sądowy.

– Podejrzewasz któregoś z tych, którzy odmówili? – zapytał Denison.

– Nie. To tacy zorientowani na prawa człowieka. Nie mogę ich zbytnio winić. Chyba nie chciałbym, żeby gdzieś trzymano próbkę mojego DNA, jeśli niczego złego nie zrobiłem.

– O ile rozumiem, jak do tej pory nie ma pasujących próbek?

– Ależ są. Problem w tym, że należą do ludzi, którzy tam bywali z bardzo uzasadnionych powodów. Znaleźliśmy też paskudne, krwawe odciski palców na ścianie. Czyli ktoś był w pokoju Amandy, kiedy dokonywano zabójstwa albo tuż po nim. Niestety, okazało się, że to Tracey Webb.

– Tracey Webb?

– Sprzątaczka. Musiała je zostawić, kiedy znalazła ciało.

Denison westchnął z przygnębienia.

– Przykro mi, Steve.

– Mamy też DNA z krwi, którą znaleźliśmy w rurach łazienki. Bez wątpienia to krew Amandy. Jak słusznie zauważyłeś, zabójca umył się po morderstwie.

– To wskazówka, że panował nad sobą. Nie wpadł w panikę, nie wybiegł umazany krwią.

– Nasz patolog mówi, że zadanie wszystkich pośmiertnych ran zajęło mu prawdopodobnie co najmniej dwadzieścia minut. Według mnie morderca doszedł do wniosku, że gdyby ktokolwiek usłyszał odgłosy agonii, to przybiegłby z pomocą. Ale uznał, że jest bezpieczny. Odciął ofierze głowę, a potem spokojnie wziął prysznic.

– Czyli tak jak przypuszczaliśmy, zabójca jest dobrze zorganizowany. – Denison się zamyślił. – Chociaż takie okaleczenia to zwykle robota ludzi, którzy nad sobą nie panują. Innymi słowy, totalnych świrów. Zapewne bardzo dobrze potrafi ukrywać swoją wypaczoną osobowość.

– Pytamy studentów, czy znają wariatów w okolicy – przyznał Weathers. – Większość śmieje się i odpowiada: „Co, nie licząc mnie?"

– Bardzo śmieszne – mruknął ponuro Denison. – Znaleźliście jeszcze coś w łazience? Na przykład włosy?

– Tak. Większość prawdopodobnie jest Amandy. Co do innych, to sortowanie będzie koszmarem. Wiesz, że w czasie ferii na wydziale są konferencje? Hm, zakładamy, że sporo włosów należy do ostatniego tutejszego gościa. Poza tym jak ktoś ma łazienkę w pokoju, czasami lituje się nad tymi, którzy muszą korzystać ze wspólnej toalety i pozwala kolegom wykąpać się u siebie. A więc jeśli zabójca jest studentem, może zawsze powiedzieć, że Amanda zgodziła się, żeby wziął u niej prysznic.

Denison wiedział, że nawet zidentyfikowanie właścicieli włosów będzie trudne. Bez cebulki można tylko określić, że włosy są podobne, ale nie identyczne.

– A więc nasza kryminalistyka jest gówno warta – przyznał Weathers dziwnie zadowolony z siebie. – Ale wychodzi na to, że zabójca nie jest maniakalnym geniuszem, jak się obawialiśmy.

– To znaczy? – zapytał Denison.

– Ten idiota zostawił kartkę w pokoju Amandy. Z odręczną notatką.

Nick pojechał na weekend do domu, chciał wpaść z wizytą na pięćdziesiąte trzecie urodziny taty. Olivia nocowała u Sinead na podłodze, pod własną kołdrą. Sinead zapaliła parę świec. Leżały, słuchały Blue Öyster Cultów *Nie bój się Rozpruwacza* i opowiadały sobie przerażające historie.

– No więc ustaliły, że jeśli jednej z nich się uda i kogoś będzie miała, to zawiąże szalik na klamce, żeby współlokatorka nie przeszkadzała – opowiadała Sinead. Źrenice rozszerzyły się jej w blasku świec. – Pewnego wieczoru jedna z nich wraca późno z czytelni i widzi szalik, ale po prostu chce się jej spać. Nie ma ochoty się nigdzie włóczyć; jest padnięta. Więc wchodzi, ale nie włącza światła, żeby nie przeszkadzać współlokatorce. Kładzie się i próbuje zasnąć mimo jęków i szeptów dochodzących z drugiego łóżka. Następnego ranka budzi ją słońce świecące przez zasłony. Odwraca się, żeby powiedzieć koleżance dzień dobry. A ona leży tam, w kałuży krwi, z flakami na wierzchu. A na lustrze są wypisane krwią słowa: „Masz szczęście, że nie zapaliłaś światła".

– Sinead! – zaprotestowała Olivia, podciągając wyżej kołdrę. – To było nie w porządku.

Sinead machnęła ręką.

– Twoja kolej – powiedziała.

Olivia usiadła.

– Nic z tego, za bardzo się boję. Jak tak dalej pójdzie, nie zaśniemy.

Sinead, przycupnięta na łóżku, potarła chude ramiona, żeby dodać sobie odwagi.

– Wiem. Od pół godziny chce mi się do wucetu, ale nie pójdę tam sama!

– Nie bądź głupia. – Olivia się zaśmiała. – Zabójca nie będzie czyhał na ciebie w toalecie.

– Skąd wiesz? Może być wszędzie!

– Mam z tobą pójść? – zapytała Olivia.

– Tak, proszę!

Chichocząc, owinięte kołdrami zeszły po schodach do toalet piętro niżej. Puste korytarze były dobrze oświetlone.

– Która godzina? – zapytała scenicznym szeptem Sinead.

– Dziesięć po drugiej. – Olivia wskazała na zegarek.

Skręciły za róg i wrzasnęły, bo przed nimi pojawiła się jakaś postać. „Zjawa" odwrzasnęła równie pisklliwie. To była Eliza. We trzy zaniosły się histerycznym śmiechem. Koleś, który studiował chemię, wystawił głowę zza drzwi i popatrzył na nie z niesmakiem. Zaśmiały się jeszcze głośniej z jego majtek w stylu Homera Simpsona. Cmoknął z dezaprobatą i wrócił do pokoju.

Sinead poszła do ubikacji.

– Co robicie? – zapytała Eliza stojącą na straży Olivię.

– Głównie się straszymy nawzajem. Chcesz się przyłączyć?

– Pewnie, czemu nie? I przyprowadzę Paulę. Jest w moim pokoju. Godfrey powiedział, że ma już powyżej uszu, że go budzę, bo mi odbiło po kolejnym koszmarze. Ten samolubny drań spieprzył wieczorem do siebie.

Olivia wolałaby spędzić noc na pogaduszkach z kimkolwiek, byle nie z Paulą. Mogła wrócić do swojego pokoju, ale przez cienkie ściany i tak słyszałaby wrzaski dziewczyn. Zdecydowała więc zostać.

Kiedy wróciły do pokoju Sinead, zapaliła więcej świec i zrobiła czekoladę na gorąco. Paula przyszła w ciemnoniebieskiej satynowej kamizelce i szortach; piersi jej sterczały, mimo że była bez stanika. Eliza miała różową piżamę i kapcie w kształcie puszystych białych psiaków.

– No, dziewczyny, znacie jakieś straszne historie? – zapytała Olivia.

– Sinead właśnie opowiedziała jedną, o dziewczynie, której współlokatorka została zamordowana... – zmieszana zawiesiła głos.

Paula jakby tego nie zauważyła.

– Znacie to o starszej pani i psie?

– Nie – odpowiedziały chórem i ochoczo przysunęły się do koleżanki.

Opowieść była długa i nudna, a kończyła się tak:

– Na szafce leży jej pies, pocięty na kawałeczki. A starsza pani myśli: jeśli to jest mój pies, to co leży w koszyku i liże moją rękę?

– Ojej! – jęknęła Eliza.

– Trochę to pogmatwane – stwierdziła Olivia. – To chyba nie jest prawdziwa historia, tylko zmyślona.

– Ale opowieść o pająkach, które gnieździły się w czyimś koku, brzmi wiarygodnie, co? – oburzyła się Paula.

– Właśnie to przytrafiło się przyjaciółce mojej ciotki – powiedziała Eliza.

Paula i Olivia spojrzały na siebie i parsknęły śmiechem.

– Wiecie, co powinnyśmy zrobić? – wtrąciła się Sinead. – Urządzić seans!

– Ale do tego jest potrzebna tabliczka z literami – zauważyła Olivia.

– Możemy ją zrobić – zaproponowała Paula. – Macie dużą kartkę?

Sinead wyskoczyła z łóżka i przyniosła czysty notes i czarny flamaster. Paula wypisała litery alfabetu i cyfry od zera do dziesięciu.

– No nie wiem, czy to dobry pomysł – zawahała się Eliza. – Serio. Kiedyś widziałam *Egzorcystę*, w ten sposób dziewczyna została opętana.

– Nie bądź mięczakiem – rzuciła Paula, wypisując słowa „tak" i „nie" na dole kartki. – Sinead, szklankę.

Ale Sinead miała tylko półlitrowy plastikowy kubek w neonowych barwach. Olivia pobiegła do swojego pokoju; kiedyś „pożyczyła" szklankę z wydziałowej stołówki.

– Doskonale – zawołała Paula.

– Słuchajcie, to naprawdę zły pomysł – upierała się Eliza.

– Spieprzaj do swojego pokoju, jeśli ci się nie podoba. A jak chcesz zostać, to się zamknij. – Paula położyła kartkę na podłodze. Uklękły dookoła, niechętnie przyłączyła się nawet Eliza. – Okay, niech wszystkie położą palec wskazujący na szklance. Ale nie naciskać. Wystarczy lekko dotknąć denka. – Zrobiły, jak kazała. – Chcemy rozmawiać z duchem Amandy Montgomery – zaintonowała Sinead. Olivia stłumiła śmiech. – Amando, jesteś tam?

Cisza.

– Nic się nie dzieje – powiedziała Eliza. – Na filmie dziewczyna miała trójkąt ze szpicami, na kółkach, a nie szklankę.

– Skąd, do diabła, mamy coś takiego wziąć? – warknęła Paula. – Czy to sklepik z zabawkami?

– Potrzebna jest jakaś rzecz Amandy – stwierdziła Sinead. Popatrzyła na przyjaciółki, źrenice miały rozszerzone i szkliste w blasku świec.

Paula odsunęła się, zamyśliła i zdjęła łańcuszek z szyi. Wisiał na nim srebrny pierścionek z kamieniem księżycowym.

– To Amandy – powiedziała. – Zostawiła go w mojej łazience na dzień przed śmiercią. Nie miałam okazji oddać.

Położyła pierścionek na kartce i znów założyła łańcuszek. Dziewczyny dotknęły palcami szklanki.

– Amando, jesteś tam? – spróbowała ponownie Sinead.

Wszystkie sapnęły, kiedy szklanka wibrując, przesunęła się na słowo „tak". Eliza szybko cofnęła palec.

– Chcecie mnie nastraszyć! – pisnęła.

– Elizo, połóż ten cholerny palec z powrotem na szklance – syknęła Paula.

– Może bez niej i tak to zadziała – powiedziała Sinead. – Amando, z tobą wszystko w porządku?

– Oczywiście, że nie, przecież nie żyje! – zadrwiła Paula.

– Chciałam tylko zapytać, czy jest szczęśliwa, gdziekolwiek przebywa!

Szklanka, drżąc, przesunęła się ku słowu „nie". Sinead wyglądała, jakby zrobiło się jej niedobrze.

– Amando, kto cię zabił? – zapytała Paula. Szklanka nie poruszyła się. – Czy to Rob? – zapytała. Szklanka stanęła na słowie „nie". – Laurence Merner? – Szklanka nawet nie drgnęła. – Victor Kesselich?

Tym razem szklanka przesunęła się na „tak".

– Chryste – wymamrotała Sinead. – O co, do diabła, teraz zapytać?

– Któraś rusza szklanką – stwierdziła Olivia. – Nie wierzę w duchy i dobrze was znam, wy też nie wierzycie. Jedna z was się nabija.

– Słowo daję, Liv, ja nic nie robię – przysięgła Sinead.

– Ja też nie – powiedziała, trzęsąc się, Eliza.

– Więc zapytajmy o coś, na co odpowiedź znałaby tylko Amanda.

– Amando, dlaczego cię zabił? – zapytała Sinead.

Ale już nic się nie działo. Próbowały jeszcze przez dziesięć minut, szklanka się nie poruszyła.

Następnego ranka opowieść o seansie rozeszła się po wydziale i wkrótce Olivia miała dosyć ludzi, którzy ją o to pytali.

– To był żart – tłumaczyła. – Któraś robiła sobie jaja.

– Jak myślisz, która? – zapytała June.

– Nie wiem. Nie Sinead. Może Paula. Ten pierścionek pewnie nawet nie należał do Amandy.

– Pierścionek?

– Paula miała pierścionek zawieszony na łańcuszku. Powiedziała, że to Amandy.

– Jak wyglądał?

– Srebrny z kamieniem księżycowym.

– Amandy. Widziałam, jak go nosiła. – June upiła długi łyk kawy. – Olivio – zaczęła w zamyśleniu – gdybym umarła, zrobiłabyś dla mnie seans?

Olivia zmarszczyła czoło.

– Chciałabyś?

– Nie, nie chciałabym.

Matthew Denison znów spojrzał na niestaranne notatki z wczorajszej rozmowy z detektywem Stephenem Weathersem. Przepisał w całości tekst z kartki, którą policja znalazła w pokoju Amandy Montgomery, w tomiku poezji Sylvii Plath.

„Myślałem, że jesteś przyjacielem. Mimo wszystko przyjacielem. Nie życzyłbym tego najgorszemu wrogowi. A ty tylko udawałaś przyjaźń i zrozumienie. Jesteś zimnokrwistą dziwką, którą inni gówno obchodzą. Nie chcę Cię już znać".

Notatka była niepodpisana. Ale autorowi na pewno nie chodziło o zachowanie anonimowości; wiedział, że Amanda od razu się domyśli, kto to napisał. Ludzie Weathersa już szukali odcisków palców na notatce, żeby je porównać z tymi, które zebrali od studentów i personelu Ariel.

Później, tego samego wieczoru, Olivia siedziała w swoim pokoju z Nickiem, kiedy rozległo się niecierpliwe pukanie do drzwi. To był Rob, wściekły, obok niego z rozpaczliwą miną stała Paula.

– Olivio, czy to prawda, z tym seansem? – zapytał.

– To znaczy co?

– Czy wyszło nazwisko Kesselicha?

– Na litość boską, Rob, chyba nie bierzesz tego na serio.

– Chcę tylko wiedzieć, czy było „tak" na Kesselicha.

– Powiedz mu, Olivio – przynagliła Paula.

– Nie! Rob, co się z tobą dzieje? Po prostu się wygłupiałyśmy. Naprawdę myślisz, że odwiedził nas duch Amandy i powiedział, kto ją zabił?! Kurczę, nie bądź śmieszny!

– Nie zaprzeczasz, że wskazała Kesselicha – upierał się Rob.

– Nie, bo to nie ma żadnego znaczenia. Gdyby wyszło, że zabił ją papież, też byś uwierzył?

– Tak. – Pod oczami miał szkarłatne podkówki. Zacisnął pięści; prawie biegł, kiedy schodził z piętra.

– Na litość boską, Paulo! – krzyknęła Olivia, przepchnęła się obok niej i pobiegła za Robem. Nick ruszył za nimi.

Dogoniła go w wartowni, próbowała przytrzymać za ramię, ale się wyrwał.

– Rob, uspokój się – zawołał Nick, ale Rob odepchnął go i szedł dalej.

Victor Kesselich siedział w barze jak zwykle sam. Rob podszedł i bez ostrzeżenia uderzył chłopaka w twarz.

Wszyscy w barze się odwrócili i patrzyli wstrząśnięci. Rozmowy ucichły – słychać było tylko przerażone westchnienia i klasykę Motown z szafy grającej.

Nick wszedł między nich i dostał w twarz za swoje poświęcenie. Podbiegł Godfrey. Olivia myślała, że on chce pomóc, ale schwycił Nicka i popchnął na bar. Victor, oszołomiony, osunął się na podłogę. Rob kopnął go w brzuch, twarz miał wykrzywioną.

Olivia rzuciła się naprzód, żeby oderwać Roba od Victora. Niespodziewanie wyłoniło się trzech policjantów i odciągnęło Roba siłą. Dwóch chwilę się z nim szarpało, zanim rzucili go na ziemię, twarzą na dół. Nie puszczali, dopóki stawiał opór. Trzeci pomógł wstać i usiąść Victorowi.

Olivia się odwróciła. Obok niej przeszedł mężczyzna w czarnej skórzanej marynarce. Rozpoznała w nim policjanta z wydziału zabójstw, który minął ją rano, tamtego dnia, kiedy znaleziono Amandę. Weathers usiadł na stoliku przy głowie leżącego na ziemi Roba.

– Panie McNorton – powiedział. – Już pan się uspokoił?

Rob w milczeniu pokiwał głową.

– Może wstać – zwrócił się Weathers do policjanta, który trzymał Roba za ramię wykręcone za plecami. Rob dźwignął się na nogi, ale gliniarz nadal go przytrzymywał. – Chcielibyśmy pogawędzić z panem. Zechce pan pójść z nami na komisariat?

– Rob, nie musisz – zawołał Godfrey. – Najpierw muszą cię aresztować.

Weathers chłodno spojrzał na Godfreya.

– Pan Parrish, prawda? Proponuję, żeby pan nie wtykał w to swojego nosa. Byliśmy świadkami pańskiej reakcji, kiedy Nicholas Hardcastle próbował interweniować. – Nick opierał się o bar i wycierał krew z ust.

– No, panie McNorton, porozmawia pan z nami?

Rob pokręcił głową.

– Znam swoje prawa. Chcecie „pogawędki", to mnie aresztujcie.

– Słusznie. – Weathers wstał. – Robercie McNorton, aresztuję pana pod zarzutem zamordowania Amandy Montgomery.

Rozdział 9

Rob BLADŁ CORAZ BARDZIEJ, w miarę jak Weathers odczytywał mu jego prawa.

– Okay, zabierzcie go na komisariat – powiedział inspektor.

Policjanci wyprowadzili Roba za drzwi. Wszyscy studenci w barze odwrócili głowy i odprowadzali go wzrokiem. Weathers popatrzył na Victora Kesselicha. Policjant, który pomógł chłopakowi usiąść, wzywał przez radio karetkę.

– W porządku, Victorze? – zapytał Weathers. Kesselich ledwie na niego spojrzał. Jedno oko już mu napuchło. – Posterunkowy Liman pójdzie z tobą do Addenbrooke, potem zbierzemy zeznania. Tylko od ciebie zależy, czy wniesiesz skargę. – Weathers odwrócił się do Nicka. – To samo dotyczy pana, panie Hardcastle.

Nick, z twarzą białą jak kreda, tylko pokręcił głową.

Weathers wstał, zerknął na Olivię i też opuścił bar. Patrzyła przez okno, jak inspektor idzie ścieżką do wartowni, potem podeszła do Nicka. Delikatnie dotknęła dłonią jego twarzy.

– Byłeś bardzo dzielny – wyszeptała.

– Ale niewiele zdziałałem – powiedział Nick ponuro.

Siedzieli w pokoju Nicka i rozmawiali o Robie.

– Nie myślicie chyba, że to Rob zabił Amandę? – zapytał Danny.

Nick i Olivia nie odpowiedzieli, ale nie mogli się powstrzymać, żeby na siebie nie popatrzeć.

– Co? – zapytała Sinead, która zauważyła ich spojrzenia.

– Tamtego wieczoru był na nią naprawdę wkurzony – powiedział przygnębionym tonem Nick.

– Dlaczego?

Wzruszył ramionami.

– Poważnie, Nick. Dlaczego? – Danny poprawił na nosie okulary w grubej oprawce.

– Rob mu nie powiedział – odparła Olivia, która już rozmawiała o tym z Nickiem.

– Mówił tylko, że się jej zwierzył, a ona go wyśmiała. Pewnie chodziło o coś bardzo osobistego, bo to naprawdę go zabolało. Nic więcej nie wiem – dodał Nick.

– Może już wcześniej ktoś wykorzystywał ten sekret przeciwko niemu – zasugerował Leo.

Rozległo się pukanie do drzwi. Nick, z puszką zimnego 7-upa przy obolałym policzku, poszedł otworzyć.

– Nick, przepraszam – powiedział Godfrey, trzymając ręce w kieszeni. – Chciałem, żeby Kesselich dostał to, na co zasłużył. I przyznaję, trochę mnie poniosło.

– Wydawało mi się, że twoim głównym podejrzanym był Laurence Merner. – Olivia wyszła zza Nicka z mocno ściągniętymi brwiami. – A może chciałeś zobaczyć trochę krwi?

– Nie wtrącaj się, Olivio – odparł Godfrey. – Przyszedłem porozmawiać z Nickiem, nie z tobą.

Nick zatrzasnął mu drzwi przed nosem.

– Chciałbym, żebyś mi to wytłumaczył. – Weathers popchnął plastikową torebkę po stole w pokoju przesłuchań. Była w niej notatka znaleziona w pokoju Amandy.

Rob z trudem przełknął ślinę. Podniósł kartkę, a Weathers zobaczył łzy na jego rzęsach.

– Napisałeś to, Rob, prawda? – powiedział łagodnie.

Chłopak pokiwał głową, wytarł oczy grzbietem dłoni.

– Żałuję. Chciałbym to cofnąć.

– Wytłumacz mi, dlaczego to napisałeś?

Rob gwałtownie pokręcił głową, szczęki miał zaciśnięte, powstrzymywał się od płaczu. Skrzyżował ręce na piersi i patrzył w sufit, żeby łzy nie płynęły mu z oczu.

– Rob, nie wiem, czym Amanda tak cię zdenerwowała, ale muszę założyć, że to mógł być motyw zabójstwa. Jeśli nie, teraz masz okazję złożyć wyjaśnienia.

Rob nie spojrzał na niego.

– Mogę powiedzieć nieoficjalnie?

– Obawiam się, że nie, Rob. Jeśli to nic istotnego, spróbujemy zachować tę informację w tajemnicy, ale nie obiecam, dopóki nie usłyszę, o co chodziło.

Rob pokręcił głową.

– Więc nic nie powiem.

– Rob, grozi ci oskarżenie o morderstwo. Naprawdę radzę, żebyś ze mną porozmawiał. Co takiego zrobiła Amanda, że napisałeś ten liścik?

Chłopak znów skrzyżował ręce na piersi.

– Chcę się widzieć z adwokatem – powiedział.

Do komisariatu wszedł zdenerwowany młody człowiek w długim czarnym płaszczu. Po samym wyglądzie sierżant dyżurny odgadł, że to student. Chłopak podszedł do biurka, poprawił okulary od Christiana Diora i odchrząknął.

– Chciałbym rozmawiać z kimś, kto kieruje śledztwem w sprawie Montgomery – powiedział. – Nazywam się Laurence Merner.

Rozległo się pukanie do drzwi pokoju przesłuchań.

– Wejść – zawołał Weathers zirytowany, że mu przeszkadzają.

To był detektyw Halloran.

– Sir, proszę na słówko.

Przed pokojem przesłuchań Halloran skinął głową w stronę Laurence'a Mernera, który stał na korytarzu.

– Kolejny student z Ariel. Mówi, że był z Robem McNortonem w noc morderstwa Montgomery. Przynajmniej przez te cztery godziny.

– Od dwunastej do czwartej nad ranem? Co robili?

Halloran spojrzał na niego wesoło.

– A jak pan myśli?

Weathers uniósł brwi.

– Poważnie?

– Tak twierdzi. Nazywa się Laurence Merner. Wychodzi na to, że przez kilka tygodni miał przelotny romans z panem McNortonem. Stąd całe zamieszanie z Amandą. To była ostatnia próba McNortona, żeby pozostać heteroseksualistą. Nie udało się i kiedy wyznał Amandzie, że być może jest gejem, nie zostawiła na nim suchej nitki.

Weathers się zamyślił.

– To mu daje dobry motyw. Zwłaszcza jeśli sądził, że ona go wyda, a najwyraźniej bardzo się tego boi.

– Tak, motyw ma, ale ma też alibi.

– Myślisz, że Merner mówi prawdę?

– Tak. Widać, że niechętnie to ujawnia, chociaż w Ariel nie kryje swoich skłonności seksualnych. Zdaje się, że przyjaciele nie zaakceptowaliby jego stosunków z panem McNortonem. Robert to klasyczny przykład pedałowatego osiłka, który ukrywa się pod maską homofoba. Więc jeżeli Merner mimo wszystko z tym przyszedł, to ja mu wierzę.

– Może zakochał się w McNortonie i kłamie, żeby go chronić – zasugerował Weathers.

Leniwe oko Hallorana spojrzało na automat ze słodyczami. Weathers zastanawiał się, w jakim stopniu pozostaje to poza kontrolą sierżanta, a w jakim podświadomie wyraża jego ochotę na czekoladę.

– Możliwe – przyznał Halloran. – Ale ja odniosłem inne wrażenie. Zresztą lepiej niech pan sam go przesłucha. Mógłbym poszukać kogoś, kto ewentualnie potwierdziłby tę wersję.

Weathers pokiwał głową.

– Okay, ale bądź delikatny. Dla McNortona to najwyraźniej ważne, żeby ludzie nie dowiedzieli się, że jest gejem. Powinniśmy to uszanować.

– Tak jest, sir. – Halloran odszedł. Po drodze wyjął z automatu snickersa.

Olivia potulnie siedziała na krześle, ręce złożyła na kolanach. Znowu była bez makijażu, a włosy miała zebrane w kucyk. Zachowywała się tak, jakby patrzenie mu w oczy sprawiało jej kłopot.

– Panie doktorze, widział pan ostatnio Nicholasa?

– Olivio, teraz musimy porozmawiać o czym innym. O sprawach z przeszłości. Ostatnio mówiłaś mi o tym, jak spędzałaś Boże Narodzenie w domu Hardcastle'ów.

Uśmiechnęła się.

– Tak. Pani Hardcastle dała mi perfumy. Nie mój zapach, trochę za ostry, ale to było miłe z jej strony.

– I razem z Nickiem wróciliście w styczniu do Ariel?

Spochmurniała.

– Tak. Wszyscy byliśmy w żałobie. Ludzie brali urlopy dziekańskie. Niektórzy próbowali zmienić wydział, ale nie pozwalano na to. Mieszkaliśmy razem w pokojach. Po prostu się baliśmy. Wszędzie kręcili się reporterzy. Publikowali wywiady ze studentami, którzy ledwie znali Amandę. Robili zdjęcia Robowi, kiedy go aresztowano. Jego rodzice musieli czuć się okropnie. – Rozpogodziła się. – Ale skończyło się dobrze. Laurence wszystko powiedział policji i wypuścili Roba.

Denison miał rację: autor liściku i morderca Amandy Montgomery byli różnymi osobami. Chociaż pod pewnymi względami Rob pasował do profilu stworzonego przez Denisona. Jako gej próbował sypiać z dziewczynami z próżną nadzieją, że się do tego przyzwyczai, ale to doświadczenie nigdy go w pełni nie satysfakcjonowało. Pod innymi względami jednak biegunowo różnił się od portretu przestępcy, którą naszkicował Denison. To, wraz z alibi, które dał mu Laurence Merner, wystarczyło policji, żeby skreślić go z listy podejrzanych.

– Byłaś zaskoczona, kiedy się dowiedziałaś, że Rob jest gejem? – zapytał Denison.

Miał wrażenie, że jej oczy patrzą w przeszłość.

– To wyjaśniało, dlaczego tak się wściekł na Amandę. Nie zmieniłam potem stosunku do Roba.

– To znaczy?

– Przez jakiś czas byłam na niego zła, że zaatakował Victora Kesselicha. Ale zrozumiałam, że jego gniew wynika z poczucia winy, że tak się zachował wobec Amandy, i z żalu, że nie zdążył się z nią pogodzić. Nadal chciałam się z nim przyjaźnić. To, że jest homoseksualistą, nie miało dla mnie znaczenia.

Denison spostrzegł, że dziewczyna zaczęła się wypowiadać bardziej oficjalnie. Zapisał to. Olivia czekała na kolejne pytanie.

– I co dalej?

– Jak to, dalej? – zdziwiła się.

– Roba wypuszczono pod koniec stycznia. A do następnego morderstwa minęło kilka miesięcy. Jak układało ci się życie w tym czasie?

Lekko wzruszyła ramionami.

– Przede wszystkim skupiłam się na pracy. Chodziłam też na kursy samoobrony, zorganizowane przez wydział. Ale nie zainteresowała mnie pomoc psychologa, którą proponowano. – Uśmiechnęła się do niego. – Bez obrazy.

– Nie obraziłem się. Jak szły ci studia?

– Dobrze. Na egzaminach końcowych miałam 2:1. Nick dostał 1.

– A w życiu prywatnym też ci się układało?

– Tak. – Uśmiechnęła się pod nosem. – Bardzo miło spędziliśmy z Nickiem walentynki. Włożył czerwoną różę do mojej skrytki na listy. Wieczorem poszliśmy do Peterhouse na *Wywiad z wampirem*, a potem na kolację do Venezii. Postanowiliśmy na drugim roku postarać się o sąsiednie pokoje.

– Więc opuściłaś Ariel w lipcu z całkiem pozytywnymi uczuciami: dostałaś dobre oceny, twoje stosunki z Nickiem się zacieśniały. Jak było w domu tamtego lata?

Twarz dziewczyny znów poszarzała.

– Och, wie pan. Niezbyt dobrze. Nie lubiłam rozstawać się z Nickiem, ale jego rodzice chyba mieli dość moich wizyt.

– Nie lubiłaś wyjeżdżać do domu?

– Nie było tam moich przyjaciół. Jak się przywyknie, że zawsze są blisko, to potem trudno znieść, kiedy nagle się rozjeżdżają po całym kraju.

– A twoje koleżanki ze szkoły?

Miała smutne oczy.

– Tam nie miałam koleżanek.

– Dlatego chciałaś się przenieść?

– Tak. No i dlatego, że zależało mi, żeby się dobrze uczyć. Moja szkoła nie była najlepsza.

– Z akt wynika, że nie dostałaś stypendium, co przekreśliło twoje plany. Czy powodem była bójka?

Klasnęła w ręce.

– Nie wiem.

Olivia, która siedziała przed nim, zupełnie nie pasowała do wizerunku bezczelnej dziewczyny opisanej w aktach szkolnych.

– Więc byłaś szczęśliwa, że w październiku wracasz do Ariel? Nie denerwowałaś się, nie obawiałaś niczego?

91

– Nie, a czego miałabym się obawiać? Nie mogłam się doczekać, kiedy wrócę.

– Mimo że zabójcy jeszcze nie złapano? – Denison nie zdołał się powstrzymać przed zadaniem tego pytania.

Olivia ściągnęła brwi.

– Tak. Tego chyba się obawiałam… Po prostu próbowałam o tym nie myśleć. W końcu minęło sporo czasu. Myśleliśmy, że to się nie powtórzy.

– Ale było inaczej.

– Było inaczej.

Denison szedł ze stacji kolejowej Cambridge w stronę rynku, nucąc pod nosem. Niebo było błękitne; świeże, zielone liście szeleściły na drzewach stojących wzdłuż drogi. Nie zepsuło mu nastroju nawet to, że omal nie zderzył się z rowerzystą, który wolał jechać po chodniku niż po ruchliwej jezdni.

Umówił się w Starbucks z Sinead Flynn. Kiedy wszedł, ona już tam siedziała na jednym z miękkich foteli. Rude włosy miała związane w niechlujny kok; popijała z wielkiego kubka. Uśmiechnęła się do niego.

– Dzień dobry – powiedziała. – Poznałam pana. Był pan w ITV w ubiegłym roku.

Denison wystąpił w filmie dokumentalnym o szpitalu Coldhill.

– Mogę ci zaproponować jeszcze jedną kawę? – zapytał, bo spostrzegł, że jej kubek jest prawie pusty.

– Dziękuje, poproszę bezkofeinową z chudym mlekiem.

Stanął w długiej kolejce turystów i studentów. Wreszcie wrócił z dwoma wielkimi kubkami.

– Zdrowie. – Sinead uderzyła swoim kubkiem o jego kubek.

– Zdrowie. Nie rozumiem, jak możesz pić bezkofeinową. Jest ohydna.

– Uzależniłam się od kawy, kiedy przygotowywałam się do egzaminów końcowych – powiedziała z miękkim, irlandzkim akcentem. – Musiałam się odzwyczaić. Dostawałam drżączki. – Mrugnęła do niego.

– Może i ja powinienem odstawić kawę. – Upił łyk swojego espresso. – Przy okazji, dziękuję, że zgodziłaś się ze mną spotkać. Chętnie skorzystam z twojej pomocy.

– Chce pan porozmawiać o Liv?

– Tak. Ale interesują mnie również twoje uwagi na temat kolegów z Ariel. Im dalej posuwa się śledztwo, tym bardziej wygląda na to, że sprawca uczęszcza na twój wydział. A im więcej dowiem się o ofiarach i ich kolegach, tym lepiej będę mógł zrozumieć konflikty i motywy, które mogły przyczynić się do tych tragedii.

Sinead umilkła.

– Jest pan pewien? – zapytała w końcu.

– Czego? Że zabójcą jest któryś ze studentów Ariel? Tak, obawiam się, że tak.

– Na zajęciach z psychologii mówili, że przy seryjnych zabójstwach nie ma ukrytego motywu – powiedziała. – Zabójca dąży tylko do zaspokojenia swoich pragnień.

– Hm, tak, zasadniczo to prawda – odparł Denison. Pomyślał, że powinien był dokładniej przestudiować notatki. Studenci psychologii bywają przekorni. – Ale z reguły seryjni mordercy zabijają, żeby uzyskać władzę nad ofiarami. Znajdują upodobanie w kontrolowaniu drugiego człowieka. Niektóre typy kobiet nieświadomie prowokują zabójców. Sprawiają, że czują się oni nieudolni, bezwartościowi; pragną mordu, żeby wyzbyć się tych odczuć.

Sinead kiwała głową na znak, że rozumie, o co chodzi.

– Amanda była w tym niezła – przyznała. – To znaczy przy niej człowiek czuł, że jest do niczego.

– Ty też tak się czułaś?

Sinead uniosła oczy.

– Hm, tak. Jak tylko przyjechałam do Cambridge, bardzo chciałam zagrać w takim jednym przedstawieniu. Kiedy odkryłam, że i ona interesuje się teatrem, pomyślałam, że mamy ze sobą coś wspólnego. Zaproponowałam, żebyśmy zrobiły razem próbę i… cóż, okazało się, że ona już ma zarezerwowaną główną rolę w sztuce, którą wystawiała jej szkolna koleżanka. Moja epizodyczna rola w *Czarownicach z Salem* naprawdę nie mogła się z tym równać. Poszłam na jej premierę, na koniec, kiedy się kłaniała, głośno biłam brawo, a ona odpłaciła mi tak, że wyszła w przerwie, zanim wystąpiłam. – Sinead roześmiała się, kręcąc głową. – Taka była nasza Amanda.

Zapytał ją o innych przyjaciół z Ariel – o rudowłosego Danny'ego („Wariat z tego chłopaka, ale daleko zajdzie"), o Godfreya („Pewnego dnia okaże się, że jest tajnym działaczem Socjalistycznej Partii Robotniczej"), o imprezowiczkę Elizę ("Powiedziała jednemu profesorowi, że jeśli nie zmieni nic w swoim wyglądzie, to umrze jako prawiczek") i o Nicka Hardcastle'a ("Myślałam, że jest trochę za pruderyjny jak na Olivię, ale ona szaleńczo się w nim kochała od samego początku").

– Pruderyjny?

– No, wie pan. Za poprawny. Taki waniliowy. Żadnych zboczeń.

– Sądziłaś, że Olivię będzie ciągnąć do mężczyzn trochę bardziej... hm, czekoladowo-bakaliowych?

Sinead uśmiechnęła się, jakby trochę się odprężyła. Do tego momentu Denison nie zdawał sobie sprawy, że jest spięta.

– No... do takich, co się znają na luksusowych lodowych deserkach. Tak, myślałam, że zdecyduje się na kogoś o duszy ciemniejszej niż dusza Nicka. Najwyraźniej nie miałam racji.

– Dlaczego uważałaś, że Olivia nie zwiąże się z kimś waniliowym?

Sinead rozłożyła się na krześle i postawiła kubek na brzuchu.

– Bo sama nie jest waniliowa.

– Nick powiedział, że potrafiła być wybuchowa; niespodziewanie zmieniał się jej nastrój.

– Może to objaw zakochania. Odniosłam raczej wrażenie, że to, co widać, niekoniecznie zgadza się z tym, co jest.

– Myślisz, że coś ukrywała?

– Tak, ale nie tylko... chciała być kimś, kim nie była. A czasem człowiek nagle myślał, że widzi jej prawdziwe ja, nie to skromne, pracowite, zabawne.

Rozmawiali jeszcze przez dłuższą chwilę. Obraz stworzony przez Sinead przedstawiał dziewczynę mniej pewną siebie, niż na to wyglądała, wysłuchującą opinii innych, zanim wypowie własne.

Denison już dawno wypił kawę. Zaczął pakować notes i długopis.

– Dużo panu mówiła o swoich rodzicach? – zapytała Sinead.

Podniósł wzrok znad teczki.

– Dlaczego o to pytasz?

– Po prostu przypomniałam sobie, jak kiedyś pojechałam do Londynu, żeby ją odwiedzić. Nie spodziewała się mnie. Znalazłam sklep jej rodziców w książce telefonicznej. Wiedziałam, że mieszkają nad nim. Pomyślałam, że będzie fajnie, jak zrobię Olivii niespodziankę.

Sinead stwierdziła, że Londyn niezbyt się jej podoba. W Covent Garden miło spędziła czas, dwa razy poszła tam do teatru, ale na przedmieściach położonych w najstarszej części miasta czuła się nieswojo. Były za brudne – nienawidziła śmieci. Przez okno autobusu widziała wieżowiec, materac leżący na malutkim placu zabaw, napis sprayem na niskim murku „Jonny ciągnie lachę". W autobusie o mały włos nie usiadła na wielkiej, tłustej gumie do żucia, którą ktoś specjalnie położył na siedzeniu. A kierowca tylko coś warknął, gdy poprosiła, żeby powiedział jej, kiedy dojadą do Dalston High Street.

Nad siedzeniem naprzeciwko przeczytała napis, że pracownicy Transportu Londyńskiego mają prawo wykonywać swoje obowiązki bez obawy, że ktoś dokona na nich zamachu, i że za napaść grozi kara. Inny napis informował: „Graffiti to wandalizm, wandalizm to przestępstwo". Pod nim ktoś napisał zielonym markerem „JM kocha MK".

– Dalston – powiedział głośno kierowca.

Zobaczyła jego wzrok przy przedniej szybie. Podziękowała i poszła do wyjścia, najwyraźniej irytując ludzi, między którymi musiała się przeciskać.

Dalston była głośna i ruchliwa. Sinead przebiegała wzrokiem witryny. Widziała zakłady fryzjerskie, męskie i damskie, sklepy z odzieżą, fast foody, ale nigdzie nie było Croscadden Detal. Szukając w notesie numeru ulicy, mało nie wpadła na kobietę z wózkiem idącą z naprzeciwka.

– Przepraszam – powiedziała.

Kobieta syknęła przez zęby i poszła dalej sztywnym krokiem.

Jakiś facet w typie śródziemnomorskim, z czarnym wąsem, w wyświeconym szarym garniturze, cmokając, przemknął obok niej. Zaczerwieniła się i przyspieszyła. Kiedy mijała Ridley Road Market, straganiarze proponowali jej jabłka, koronkową bieliznę, buty Nike. Odmawiała.

– Wie pan, gdzie jest Croscadden Detal? – zapytała sprzedawcę owoców.

– Chodzi pani o sklep Barry'ego? Kochana, jesteś prawie na miejscu, trochę dalej, przy tej ulicy.

Fronton sklepu był wyblakły, niebieski, nazwisko wymalowane zwietrzałą czernią. Przez szybę Sinead zobaczyła sprzęt elektroniczny spiętrzony w stosy sięgające sufitu. Kiedy weszła, zapiszczał czujnik w drzwiach.

Kilkoro ludzi przebierało w towarze, przyglądało się metkom z cenami, kręciło gałkami. Sinead zobaczyła pojemnik wypełniony mnóstwem tandetnych aparatów fotograficznych i zrozumiała, że tu handluje się starzyzną. Do tego sklepu przychodzili ludzie, którzy liczyli każdy grosz.

Za ladą stała chuda kobieta z tlenionymi blond włosami zaczesanymi do tyłu. Przy skórze głowy widać było ciemne odrosty na ponad dwa centymetry. Miała na sobie jasnozieloną kamizelkę; na jednym z jej nagich ramion Sinead zobaczyła tatuaż, chyba imię – Barry.

– Co, kochaneczko? – zagadnęła kobieta, zaciągając się papierosem.

– Czy zastałam Olivię? – spytała uprzejmie Sinead.

Kobieta zmrużyła oczy, potem zaśmiała się, aż zaczęła kaszleć. Dławiąc się, wypuściła pasmo dymu.

– Przepraszam, kochaneczko – wychrypiała i zaczęła walić się w pierś, jakby chciała oderwać złogi smoły w płucach. – Nie śmiałam się z ciebie. – Cofnęła się o krok do otwartych drzwi i wrzasnęła w górę schodów: – Cleo! Cleo, zejdź no tu!

Sinead pokręciła głową, sądząc, że się pomyliła, ale kobieta zajęta gaszeniem niedopałka nie zwróciła na to uwagi. Na klatce schodowej rozległy się donośne głosy, oba z silnym londyńskim akcentem.

– Kurwa, won z łapami od moich rzeczy, głupia dziwko! – usłyszała jakąś dziewczynę.

– Odchrzań się, Cleo. Gówno mnie obchodzą twoje nędzne ciuchy! – odpowiedziała druga dziewczyna, a odgłos stóp bębniących po schodach stał się głośniejszy.

W drzwiach pojawiła się Olivia.

– Mamo, lepiej powiedz Jodie… – Nagle zobaczyła koleżankę i zamarła.

Sinead usiłowała się uśmiechnąć.

– Cześć, Olivio!

– Pewnie jesteś jej kumpelką z wydziału – zagadnęła mama Olivii, zapalając kolejnego benson & hedgesa. – Tutaj nikt nie mówi do niej Olivia. Od zawsze używamy jej drugiego imienia. Prawda, Cleo? – Uszczypnęła Olivię w policzek, zostawiając na skórze biały ślad.

Olivia zaniemówiła. Sinead poczuła się bardzo nieswojo, nie wiedziała, co powiedzieć.

– Nie przedstawisz nas? – spytała pani Croscadden.

Olivia wygładziła czarne włosy, nasmarowane żelem i mocno związane w kucyk. Nie miała makijażu. Ubrana była w workowaty T-shirt, czarno-białe nylonowe spodnie od dresu z paskami po bokach i trampki Reeboka. Sinead uświadomiła sobie, że jeszcze nigdy nie widziała Olivii w takich ciuchach, nawet na kursach samoobrony.

– Mamo, to Sindy. Sindy, to moja mama. Ma na imię Shelley – powiedziała Olivia z dziwnym akcentem. Już nie był to cockney, ale jeszcze nie ten znajomy, przyjemny, w stylu BBC.

– Miło cię poznać. – Shelley przełożyła niedopałek do lewej ręki, żeby podać prawą.

Sinead nie mogła się powstrzymać, żeby nie spojrzeć na żółte nikotynowe plamy na palcach pani Croscadden.

Ku jej uldze, a jak podejrzewała, także ku uldze Olivii, w tym momencie wszedł klient i zaczął się skarżyć na niedziałający pilot do telewizora, który kupił tydzień wcześniej.

– A spróbowałeś, kochasiu, zmienić baterie? – zapytała Shelley.

Olivia skinęła głową w stronę drzwi.

– Masz ochotę czegoś się napić? – zapytała prawie normalnym głosem.

– Jasne – powiedziała Sinead.

Olivia znów wbiegła na górę i wróciła z małym plecakiem. Przeskoczyła nad ladą i pociągnęła Sinead za łokieć do drzwi.

Do sklepu wszedł wielki, niedźwiedziowaty mężczyzna. Siwiejące włosy miał obcięte na jeża, T-shirt Paula Smitha ciasno opinał mu piwny brzuch. Na włochatym i opalonym przedramieniu Sinead zobaczyła zamazany tatuaż. Tym razem: Shelley.

– Cleo! – powiedział ciepłym, chrypliwym głosem. – Dokąd się wybierasz, kochanie?

– Po prostu wychodzę. – Olivia nawet na niego nie spojrzała.

– Widzę, słodziutka, pytałem: dokąd?

– Idziemy czegoś się napić.

Wtedy dostrzegł Sinead i obejrzał ją od stóp do głów.

– Kim jest twoja kumpelka? – Uśmiechał się, minę miał przyjacielską, ale Sinead nie podobał się wyraz jego oczu, zielonozłotych, jak Olivii.

– To Sindy. Słuchaj, tato, mama ma kłopot z jakimś awanturującym się facetem. – Cockney wrócił w pełni.

Tata Olivii popatrzył w głąb sklepu, gdzie Shelley kłóciła się z niezadowolonym klientem.

– Kurwa, tylko nie to. No, dobra, spływaj, ale nie zapomnij kupić mamie fajek, jak będziesz wracała.

Olivia obeszła ojca ostrożnie, żeby go nie dotknąć. Na ulicy Sinead musiała się bardzo starać, żeby dotrzymać koleżance kroku.

– Po co tu się zjawiłaś? – zapytała Olivia, patrząc przed siebie.

– Przepraszam, nie wiedziałam... Chcesz, żebym sobie poszła?

– Teraz trochę za późno.

Olivia zabrała ją do pubu pełnego kibiców, wiwatujących drużynie Anglii w ćwierćfinałach Pucharu Świata. Znalazły stolik z tyłu, z dala od gigantycznego ekranu telewizora.

Sinead jak zwykle wzięła białe wino. Była zaskoczona, że Olivia zamówiła sobie piwo.

– Więc to twój bar? – zapytała Sinead po pięciu minutach niezręcznego milczenia.

Olivia łyknęła połowę zawartości szklanki.

– Tak. – Wytarła usta. Nie patrzyła na Sinead. – Może wolałabyś, żebyśmy poszukały winiarni? – zapytała chłodnym tonem. – Albo jednego z tych uroczych pubów z wielkimi kanapami i laminowaną podłogą?

– Nie, tu jest dobrze. Słuchaj, Liv, naprawdę przepraszam. Myślałam, że będzie fajnie, jak zrobię ci niespodziankę.

Wzrok Olivii nagle spoczął na Sinead, ostry, przenikliwy.

– Nie powiesz nikomu, dobrze?

– Jasne, jeśli chcesz... Ale Liv, nikt o tobie źle nie pomyśli. Kurczę, jak znam towarzystwo z Ariel, to pewnie stwierdzą, że jesteś naprawdę fajna. – Zauważyła, że kąciki ust Olivii lekko opadają i postanowiła już nie pocieszać koleżanki. – Słuchaj, nic nie powiem. Obiecuję.

Wyglądało, że Olivia to przyjęła. Piły w milczeniu przez dłuższą chwilę. Wreszcie Sinead zapytała:

– Dlaczego przedstawiłaś mnie jako Sindy, a nie Sinead? Nikt do mnie nie mówi Sindy.

– Wierz mi, im mniej wiedzą, tym lepiej – odparła Olivia.

– Dziwne, nie sądzi pan?

– Bardzo dziwne. – Denison oparł się wygodnie i próbował przyswoić tę informację. Ogarnęło go podniecenie: to doskonale pasowało do jego teorii. Błyskawicznie wstał i wyciągnął do Sinead rękę. – Bardzo ci dziękuje za pomoc. – Wydawała się zdziwiona, że tak nagle zdecydował się odejść, i podała mu rękę dopiero po paru sekundach.

W pociągu do Londynu Denison wyjął obszerne notatki. Na następny dzień umówił się z Nickiem.

– Spotkałeś się kiedykolwiek z rodzicami Olivii? – zapytał, kiedy tylko skończyli grzecznościową rozmowę.

– Nie. – Nick się nachmurzył. – Nie chciała. Odniosłem wrażenie, że się ich wstydzi.

Weathers powiedział Denisonowi, że ojciec Olivii był już skazany za spowodowanie ciężkich obrażeń ciała i włamanie. Denison potrafił zrozumieć, dlaczego Olivia nie chciała przedstawić ich Nickowi.

– Czy Sinead Flynn mówiła ci o swojej wizycie u Olivii w Londynie?

– Nie… Nic nie wspominała na ten temat. Kiedy to było?

– Latem, po waszym pierwszym roku.

Chłopak zaczął ogryzać paznokieć.

– Olivia znowu chciała zostać ze mną i moimi rodzicami. Ale mama się nie zgodziła. Uważała, że zaczynamy za wcześnie i za poważnie. Popełniłem błąd i zdradziłem jej, że w Carriwel Court mamy sąsiadujące pokoje. „Co się stanie, jak ze sobą zerwiecie? – powiedział, naśladując głos matki. – Utkniesz obok tej dziewczyny na resztę roku!" Chciałem pojechać do Olivii, skoro ona nie mogła być ze mną, ale kategorycznie zabroniła mi nawet zbliżać się do jej rodziny.

– Jak wyglądał wasz związek po zamordowaniu Amandy Montgomery?

– To nas chyba zbliżyło najbardziej. Wiele par w Ariel po tym zerwało. Może dlatego, że dziewczyny nie ufały swoim chłopakom albo oni zrobili się nadopiekuńczy, nie wiem. W każdym razie potem było mnóstwo facetów chętnych na randkę w ciemno organizowaną przez studencką fundację charytatywną.

– Co to takiego? Jakaś impreza dobroczynna?

– Tak. Wszystkie wydziały biorą w tym udział. Wypełnia się formularz, podaje się szczegóły dotyczące własnej osoby, odpowiada się na kilka głupich pytań, wpłaca trochę pieniędzy, a oni dobierają ci kogoś z innego wydziału, żebyś miał z kim umówić się na walentynki. Ale wtedy tego nie zorganizowano. Przynajmniej nie dla Ariel. – Nick wyglądał na zmęczonego. – Żadna dziewczyna z innego wydziału nie zamierzała ryzykować randki z gościem z Ariel. Nie chcieli mieć z nami nic wspólnego.

– Ale ty umówiłeś się na randkę z Olivią.

Uśmiechnął się.

– Tak, trochę zaoszczędziliśmy i spłukaliśmy się na szampana w Brown's.

Denison zmarszczył brwi.

– Brown's? Jesteś pewien?

– Tak, a co?

Denison przekartkował notatki z rozmowy z Olivią.

– Powiedziała, że poszliście na *Wywiad z wampirem*.

– To było na następnym roku – wyjaśnił Nick.

– Na pewno?

– Jasne. Liv zawsze robi takie numery.

– To znaczy jakie?

– Wszystko miesza. Wydaje się jej, że coś zdarzyło się kiedy indziej. Zapomina. Wtedy mieliśmy się spotkać na mieście, a ona nie przyszła. Byłem zaniepokojony, bo ten tak zwany Rzeźnik z Cambridge gdzieś się czaił, więc pognałem do naszych pokojów, a Olivia jakby nigdy nic siedziała tam, piła herbatę i oglądała telewizję. Wściekłem się, naprawdę na nią nawrzeszczałem, a ona jak zwykle patrzyła na mnie pustym wzrokiem.

– Pustym wzrokiem?

– Tak, czasami wygląda jak zombi, oczy ma puste. Potem albo przeprasza i jest słodziutka, albo pluje jak kobra i rzuca się na człowieka.

Olivia zapatrzyła się na stojący na stoliku wazon z kolorowymi zawilcami.

– Ładne, prawda? – Denison spróbował nawiązać rozmowę.

– Tak – przyznała nieśmiało.

– Olivio, jak się dzisiaj czujesz?

Lekko wzruszyła ramionami.

– Okay.

– Wiesz, wczoraj widziałem Nicka. Prosił, żeby cię pozdrowić.

Uśmiechnęła się prawie niezauważalnie.

– To dziwne – ciągnął Denison. – Według niego nie byliście w kinie w tamte walentynki, o których mi opowiadałaś. Twierdzi, że poszliście do Brown's, tej wielkiej restauracji przy Trumpington Street.

Pokręciła głową.

– Nie, chyba nie.

– Ale on się nie myli, Olivio. Sprawdzałem, tamtego roku w Peterhouse w walentynki grali *Casablancę*. Musieliście tam być następnego roku. Pamiętasz kolację w Brown's?

Znowu pokręciła głową.

– Mówi, że kelner przyniósł ci czerwoną różę. Do twojego krzesła był przywiązany balonik w kształcie serca. Nie przypominasz sobie tego?

Znowu pokręciła głową. Łza spłynęła jej po policzku.

– Olivio, trzy dni temu widziałem się w Cambridge z Sinead Flynn. Usłyszałem od niej parę interesujących rzeczy. – Miał wrażenie, że dziewczyna zapada się w sobie. – Domyślasz się, o czym mi powiedziała?

– Nie – wyszeptała.

– Pamiętasz, jak Sinead przyjechała do ciebie, do Londynu?

– Nie przyjechała! – zaprzeczyła ostrym tonem.

– Odwiedziła cię w czerwcu, po pierwszym roku, w sklepie twoich rodziców. Zabrałaś ją do pubu pełnego kibiców, którzy oglądali Puchar Świata.

Olivia energicznie kręciła głową, po zaczerwienionych policzkach płynęło coraz więcej łez.

– Prosiłaś, żeby nikomu w Cambridge nie mówiła o tej wizycie. Dlaczego? Dlaczego mówisz wszystkim, że masz na imię Olivia, a nie Cleo?

Olivia dygotała. Nagle Denison zobaczył pustkę w jej oczach, którą opisał Nick. Dziewczyna zesztywniała. Niewidzącym wzrokiem jak u lalki patrzyła przed siebie. Przyglądał się zafascynowany, wstrzymywał oddech.

Była „pusta" zaledwie przez kilka sekund, potem zaczęła drżeć, zamrugała. Skupiła się, spojrzała na Denisona.

– Przepraszam, panie doktorze – powiedziała łagodnie. Sięgnęła po chusteczkę z pudełka na stoliku, wytarła łzy, jakby zmywała makijaż przed pójściem do łóżka. – O co pan pytał?

– O twoje imię – skłamał, mimowolnie zginając palce u stóp.

– Hm, hm – mruknęła z uśmiechem. – Zastanawiałam się, kiedy pan na to wpadnie. Mam na imię Helen, doktorze. Miło mi pana poznać.

Rozdział 10

MIEJSCE ZBRODNI znajdowało się niedaleko mieszkania inspektora Weathersa. Ledwie ogrzewanie zaczęło działać, a już samochód zatrzymał się przy Victoria Avenue, drodze oddzielającej błonia Midsummer od Jesus Green.

Było rano, po Nocy Guya Fawkesa. Co roku piątego listopada na błoniach urządzano pokazy sztucznych ogni i rozstawiano wesołe miasteczko. Schodziły się tysiące mieszkańców hrabstwa Cambridge. Nadal stało tam parę przyczep i ciężarówek z wesołego miasteczka. Trawa była wdeptana w błoto. Za kilkoma drzewami rosnącymi wzdłuż Jesus Green Weathers dostrzegł niebiesko-białą taśmę policyjną. Po drugiej stronie strumienia płynącego przez park rozstawiono już biały namiot, który osłaniał zwłoki przed siłami natury i oczami ciekawskich.

Inspektor ruszył w stronę namiotu, chwiejnym krokiem przeszedł po desce przerzuconej przez wąski strumień i zbliżył się do człowieka w kombinezonie i białych kaloszach.

– Cześć, doktorku. Szybko przyjechałeś.

Anatomopatolog wzruszył ramionami.

– Nocowałem w mojej Alma Mater. – Doktor Trevor Bracknell wykładał medycynę na uniwersytecie i należał do grona pedagogicznego Magdalene College.

– No, to co możesz mi powiedzieć?

Bracknell zaprowadził go do namiotu rozbitego przy krzaku jeżyn, między grupami zimozielonych drzewek. Przeciskając się między roślinami,

103

Weathers poczuł, jak sosnowe igły drapią go w głowę. Bracknel podwinął połę namiotu.

Dziewczyna leżała oparta o drzewo, z rękami na udach. Nogi miała złączone, wyciągnięte do przodu, twarz zalaną krwią, nos zmiażdżony, skórę pokrytą zielonymi plamami. Rozdarte usta odsłaniały kły, co nadawało jej twarzy dziwny, kpiący wyraz. Skóra zdarta z jednej nogi zwisała przy kostce. Nie było śladu butów.

Weathers szybko przykucnął, żeby lepiej się przyjrzeć.

– Hm, przynajmniej jest w jednym kawałku. Wiadomo, kiedy umarła?

– Wczoraj mniej więcej między siódmą wieczorem a drugą nad ranem – powiedział Bracknell.

Weathers spojrzał na niego, ale patolog tylko wzruszył ramionami.

– I tak nie powinienem tego mówić. Wiesz, że nie mogę ci podać dokładniejszego czasu śmierci, dopóki nie położymy jej na stół.

– Tak, tak. Domyślam się, że przyczyną zgonu są urazy głowy.

– Prawdopodobnie. Chociaż kto wie, co znajdziemy, kiedy ją rozbierzemy w laboratorium. Może jakieś nakłucie od strzykawki. Albo dziurę po szpikulcu do lodu w bębenku usznym. – Patolog był znany z subtelnego sarkazmu.

Weathers nie zamierzał puścić mu tego płazem.

– Znowu oglądałeś *Morderstwa w Midsomer*.

Bracknell prychnął.

– Cześć, szefie. – Detektyw sierżant Halloran stanął obok nich, opatulony w niebieską kurtkę narciarską.

– Co znalazłeś, John?

– Burdel, a nie miejsce zbrodni. Wszędzie puszki po piwie, pety i gumy. Z tego gówna możemy mieć DNA co najmniej pięćdziesięciu osób.

– Wygląda na to, że mogli ją zgwałcić. – Weathers wskazał głową podarte rajstopy. – Jeśli tak, to jak amen w pacierzu znajdziemy DNA zabójcy. Ma przy sobie jakiś dokument?

Bracknell pokręcił głową.

– W kieszeniach jest tylko trochę kosmetyków i chusteczka.

– A torebka? Buty?

– Nic. – Halloran wzruszył ramionami. – Albo rabunek się nie udał, albo gwałciciel zabrał torebkę i eleganckie buty jako ładne trofeum.

– Jeśli chodziło mu o forsę, to dawno pozbyłby się torebki. Musiała-by gdzieś tutaj leżeć. Zgłoś przez radio, żeby nam dali znać, gdyby coś znaleźli. I sprawdź, czy zgłoszono czyjeś zaginięcie w ciągu ostatnich dwunastu godzin.

Dziewczyna siedząca przed nim ściągnęła opaskę i rozpuściła wło-sy. Lekko roztrzepała je ręką i rozparła się na kanapie, podciągając pod siebie stopy.

– Pan nie pozwala tu palić, prawda? – zapytała ze swobodnym uśmiechem.

Denison tylko patrzył. Potem drgnął i machinalnie sięgnął po pa-pierosy do wewnętrznej kieszeni marynarki.

– Niby nie wolno… Ale nie powiem nikomu, jeżeli zapalisz.

Poczęstował ją, potem sam zapalił. Przypomniał sobie, że trze-ba wyjąć popielniczkę schowaną w jednej z szuflad zamykanych na klucz. I pojemniczek z odświeżaczem o zapachu jabłkowym.

Dziewczyna głęboko się zaciągnęła, wypuściła dym z westchnie-niem rozkoszy.

– Nie paliłam od wieków. Inne nie palą. Przynajmniej te, które się ujawniają.

Denison mało nie połknął papierosa. Próbował udawać nonsza-lancję.

– Inne? – zapytał zdawkowo.

– Tak. – Oczy dziewczyny wpatrywały się w niego spoza krętych smug dymu. – Jeśli zamierza mnie pan o coś zapytać, musi pan być bardziej bezpośredni. Manipulacja nic nie da, nie otworzę się bardziej, niż chcę. Więc może pan być ze mną szczery.

Denison wyprostował się w fotelu i zgasił dopiero co zapalonego papierosa.

– Okay… Kiedy powiedziałaś „inne", kogo miałaś na myśli, Olivio? Dziewczyna skinęła głową.

– Ona jest jedną z nich. Chyba najważniejszą. A ja jestem tą, którą pan pewnie by nazwał jej zastępczynią, chociaż wychodzi na to, że ja najczęściej kieruję tym statkiem. Jeśli pan wie, o co mi chodzi.

– Kto tam jeszcze jest, poza Olivią?

– Przyjrzyjmy się: Mary, ta inteligentna. Wprowadziła nas do Cambridge. Często nie chciało jej się ruszyć dupy i iść na egzaminy, więc Olivia parę razy wpadała w panikę. Kelly, chyba się pan z nią spotkał. To cicha myszka, wszystkiego się boi i w ogóle. Jest też Vanna. Chciałby pan, żeby stanęła po pańskiej stronie, gdyby mieli pana napaść. Christie, najmłodsza, to taki szkrab. Jude. No i ja, Helen. Nie jestem najbystrzejsza, najsilniejsza ani najmłodsza. Chyba to ja trzymam wszystko w kupie i robię wszystko, żeby życie nie było dla Olivii za trudne. Widzi pan, ta biedna krowa nic o nas nie wie. Staram się, żeby przemiany przebiegały gładko, ale nie zawsze potrafię kontrolować pozostałe.

Helen strząsnęła do popielniczki centymetr popiołu.

Denison robił pospieszne notatki. W samym środku, w kółku, widniało imię Jude.

– Od jak dawna wszystkie istniejecie? – zapytał.

Helena spojrzała na sufit, jakby starała się sobie przypomnieć.

– Nie jestem pewna na sto procent, bo nie było mnie od samego początku. Chyba najpierw pojawiła się Kelly, potem Mary, potem Vanna. Christie na samym końcu. Myślę, że Olivia miała trzy lata, kiedy to się zaczęło. Trzy albo cztery.

Trzy albo cztery lata. Denison wiedział, jak pokierować rozmową. Prawie cała literatura przedmiotu, która to, z czym teraz miał do czynienia, uważała za autentyczne zaburzenie psychiczne – była zgodna co do jednego, że przyczyny tkwią w brutalnym wieloletnim maltretowaniu dziecka. Głęboko zaczerpnął powietrza.

– Helen, powiedz, co skłoniło Olivię...

– Do rozszczepienia? Hm, sądzę, że gwałty, jakich dopuścił się na niej ten sukinsyn, który nazywa się jej ojcem.

Helen wyznała mu, że maltretowanie nie zaczęło się od gwałtu. Ojciec Olivii uznał, że najpierw należy córkę „wyedukować". Nie było okresu w jej życiu, z którego nie zapamiętałaby różnych rodzajów udręki.

Ojciec zgwałcił ją po raz pierwszy, kiedy miała pięć lat. Zamknęła oczy i udawała, że jest Kelly. Biedną, wyimaginowaną przyjaciółkę Kelly spotykało najgorsze. To ona pozowała ojcu do zdjęć, a w końcu przechodziła przez ręce sprowadzanych przez niego, równie jak on brutalnych mężczyzn.

Kiedy Olivia miała pięć lat, mężczyźni zaczęli składać jej wizyty. Ojcu dobrze płacili – w gotówce albo w przysługach. Kiedy ją krzywdzili – bili albo zostawiali pręgi – musieli płacić dodatkowo. To Vanna fantazjowała, żeby złapać kuchenny nóż i wykastrować drani.

Kiedy Olivia nie mogła się skoncentrować w szkole – kiedy wiedziała, że wieczorem wpadnie z wizytą „wujek", albo rano ojciec mrugał do niej przy stole, żeby wróciła do domu na dużą przerwę – wyłaniała się Mary i przejmowała szkolne zadania. Christie pojawiła się, kiedy Olivia skończyła trzynaście lat i miała już wszystkiego dosyć. Zwijała się wtedy w kłębek i płakała. Kiedy stawała się Christie, mogła udawać, że jest za mała i nie rozumie, co się dzieje.

Olivia przeszła dojrzewanie płciowe w wieku czternastu lat. Rok później, kiedy bardziej przypominała kobietę niż dziewczynkę, mężczyźni przestali wpadać z wizytą. Miała dwie młodsze siostry, Samanthę i Jodie. Czekała, aż „wujkowie" zaczną przychodzić do nich zamiast do niej. Tak się nie stało. Sióstr nikt nie molestował.

Dostawała od ojca za każdego mężczyznę, który przestał się nią interesować. Zaczajał się za drzwiami sypialni i bił ją po nerkach, kiedy wchodziła do pokoju. Kazał zjadać to, co ich kot Tintin zostawił w kuwecie. Kiedyś ogolił ją na zero – strasznie się to spodobało w szkole, w kolejny poniedziałek. A raz zmusił, żeby położyła się na podłodze z zamkniętymi oczami, a on klęczał jej na klatce piersiowej, aż usłyszał, jak łamie się żebro.

– Żebra łamią się zaskakująco łatwo – powiedział rodzicom lekarz pogotowia, ledwie tłumiąc ziewanie. – Radziłbym, żeby Cleo nie ćwiczyła na wuefie przez jakiś czas.

Dojrzewanie płciowe nie uchroniło jej przed seksualną drapieżnością ojca. Chociaż gwałty już go raczej tak nie podniecały jak dawniej, to chyba nadal uważał je za swój obowiązek, jedyny sposób, żeby trzymać córkę w ryzach. Ataki były coraz bardziej przypadkowe, a czasem tak niedbałe, jakby miał ochotę się onanizować, ale pomyślał, że równie szybko i wygodnie może wylać nasienie w córkę zamiast na chusteczkę higieniczną.

Pewnego razu wyszła na wierzch Vanna i dziewczyna, która zazwyczaj leżała pod nim bez ruchu, zmieniła się w dzikie zwierzę. Podrapała go do krwi. Rąbnął jej głową o oparcie łóżka, że mało nie zemdlała, a kiedy leżała oszołomiona na różowym prześcieradle, wziął z szafy metalowy wieszak i zbił nim krnąbrną córkę. Żadna z osobowości

Olivii nie zebrała się jeszcze na odwagę, żeby sprawdzić, czy może mieć dzieci.

Słuchając, jak Helen opowiada dzieje Olivii, Denison z trudem przełykał ślinę przez ściśnięte gardło. Zmuszał się do chłodnego spojrzenia.

– A co na to matka? – zapytał.

Papieros Helen już dawno zgasł. Denison podał jej następnego.

– Wiedziała. Ta dziwka wiedziała. Mówił jej: „Dziś wieczór Cleo zarobiła dla nas kolejne pięćdziesiąt funciaków". A ona odpowiadała: „Każ jej więcej pracować, Jodie ma urodziny w przyszłym tygodniu".

– Czy ty… Czy wy kiedykolwiek…

– Jest pan bardzo nieśmiały jak na psychiatrę – zauważyła Helen.

– Myślałam, że w tym zawodzie trzeba być twardzielem.

– Szczerze mówiąc, nigdy się jeszcze z czymś takim nie zetknąłem – wyznał Denison. Odchrząknął. – Helen, czy ciebie kiedykolwiek zgwałcono?

Skinęła głową, patrząc na żarzący się koniuszek papierosa.

– Miałyśmy z Olivią po równo gości. Ale ja ujawniałam się tylko przy tych, których trzeba było uwodzić, którzy myśleli, że dzieci w skrytości ducha uwielbiają być pieprzone przez starych facetów.

Denison popatrzył na setki pytań, jakie nagryzmolił w notatniku.

– Czy wiesz, dlaczego twoje siostry nie były tak samo molestowane?

Helen wzruszyła ramionami.

– Nie mam pojęcia. Rodzice traktowali Olivię tak, jakby tylko przypadkiem zamieszkała w tym samym domu, dla ich rozrywki i zysku. Jej siostry uznawali chyba za swoje jedyne, prawdziwe dzieci.

– Czy Olivia dobrze żyła z siostrami?

– Zdarzały się kłótnie, wiadomo. Chociaż nie wyobrażam sobie, żeby była naprawdę szczęśliwsza, gdyby Samantha i Jodie musiały cierpieć ten sam los.

Denison rozsiadł się wygodnie, wygładził marynarkę.

– To niezwykłe, żeby ludzie, którzy byli tak nieludzko molestowani, utrzymywali normalne, zdrowe związki seksualne. Ale Olivia i Nick zdają się temu przeczyć. Możesz to wyjaśnić?

Helen uniosła papierosa do ust, zawahała się, zaciągnęła.

– Czasem to ja z nim jestem – wyznała. – Ale ma pan rację. Zwykle z Nickiem przebywa Olivia. Nie wiem, czy potrafię to w pełni wytłumaczyć. Sądzę, że ona po prostu nie pamięta dziewięćdziesięciu pięciu procent tamtej udręki. W przeciwieństwie do nas. Olivia nienawidzi rodziców, niedobrze się jej robi na samą myśl o nich, ale chyba nie wie dlaczego. Nie uświadamia tego sobie. Poza tym Nick to bardzo przyzwoity człowiek. Poczułyśmy się bezpieczne w chwili, gdy go spotkałyśmy. Zaufałyśmy mu. Wiedziałyśmy, że nigdy nas nie skrzywdzi. Dzięki niemu czułyśmy się normalne. – Helen zwilgotniały rzęsy. Zakaszlała, zgasiła papierosa. – Zajęłam panu dzisiaj więcej czasu niż zazwyczaj, doktorze. – Wyprostowała się, włożyła buty. – Ma pan jeszcze jakieś pytania?

Nie spojrzał na zegarek od ponad godziny. Kolejny pacjent na pewno już bardzo się niecierpliwił.

– Jeszcze jedno. Kto to jest Jude?

Helen spoważniała.

– Nie byłby zadowolony, gdybym o nim opowiedziała – szepnęła. – Przepraszam, ale on może się ujawnić w każdej chwili. Rozumie pan? – Zatrzymała się przy drzwiach. – A ja nie chciałabym, żeby zrobił panu krzywdę.

Ciało dziewczyny, umyte i rozebrane, leżało na metalowym stole prosektorium. Było tak ułożone, żeby wszystkie płyny wyciekające z trupa spływały przez otwory do pojemników pod spodem.

Ofiara była szczupła, miała manikiur i przystrzyżone włosy łonowe. Nacięcie w kształcie litery Y biegło wzdłuż tułowia, obnażając organy wewnętrzne.

Halloran przechylił głowę.

– Niezłe cycki – skomentował.

Doktor Bracknell spojrzał na niego z obrzydzeniem.

Trudno było cokolwiek powiedzieć o urodzie dziewczyny – tak miała zmasakrowaną twarz. Nos spłaszczony, oczy opuchnięte. Połamane zęby sterczały przez rozerwaną górną wargę. Na skórze brzucha widniały owalne sińce.

– No i co?

– Ciężkie urazy głowy, sam widzisz. Złamana kość policzkowa, zmiażdżony nos. Stłuczone czoło, a pod spodem pęknięcie czaszki. Krwotok masywny, ale nie spowodował natychmiastowej śmierci. Kiedy upadła na ziemię, nieprzytomna albo półprzytomna, skopał ją po brzuchu i klatce piersiowej. Te okrągłe sińce to ślady czubka buta. Ma cztery złamane żebra i pękniętą śledzionę. Ale ostatecznie zmarła na skutek urazu głowy.

– Rany wskazują na to, że jej głową wielokrotnie uderzano o pień drzewa. Pobrałem próbki z zielonych plam na twarzy, więc będziecie mogli porównać je z mchem i porostami na tym drzewie. Na korze znaleziono krew i włosy.

– Czas śmierci?

– W żołądku miała tortellini i jakiś deser czekoladowy. Tylko częściowo strawione. Jeśli zdołacie ustalić, kiedy jadła, wystarczy dodać dwie godziny i macie przedział czasowy.

– Wykorzystano ją seksualnie?

– Nie potwierdzono tego. – Bracknell wydawał się równie zdziwiony, jak i oni. – Wiem, że miała podarte rajstopy, ale majtek nie ruszono. Nie było śladów urazów waginalnych i analnych, żadnej obecności płynów, próbki wypadły negatywnie.

– No nie – jęknął Halloran. – To brzmi koszmarnie znajomo.

– Wiek? – zapytał Weathers, choć podświadomie nie chciał usłyszeć odpowiedzi.

– Prawie dwadzieścia do trochę ponad dwudziestu.

Wymienili spojrzenia z Halloranem.

– Lepiej zadzwonię do Matthew Denisona – mruknął, czując, że zbliża się ból głowy.

– Matt, jest kolejna.

Denison akurat był u jubilera, szukał prezentu urodzinowego dla swojej dziewczyny. Zastanawiał się, co wybrać: złoto, platynę czy srebro i czy Cass odróżni diament od diamonitu. Zajęło mu chwilę, zanim skojarzył głos Weathersa, i mało nie upuścił komórki.

– Matt? – powtórzył inspektor niecierpliwie.

– Słucham.

– Mógłbyś tu przyjechać?

– Jasne, będę najszybciej, jak się da.

Jechał M 11, przekraczał dopuszczalną prędkość, ręce mu drżały na kierownicy. Weathers wyszedł po niego do poczekalni komisariatu. Oczy miał podkrążone, twarz nieogoloną. Uścisnął Denisonowi dłoń.

– Dzięki, że wpadłeś, Matt. Chodź, zaprowadzę cię do centrum operacyjnego.

Szli korytarzem, gumowe podeszwy butów Denisona skrzypiały na linoleum.

– Bardzo źle?

Weathers omal nie parsknął histerycznym śmiechem.

– Owszem. Chociaż nie aż tak jak z Amandą, ale tamto morderstwo trudno przebić.

W centrum operacyjnym było z dziesięciu funkcjonariuszy w cywilnych ubraniach, większość telefonowała albo siedziała przy komputerach. Detektyw Ames przypinała zdjęcia z miejsca przestępstwa do białej tablicy z tyłu pokoju. Skinęła Denisonowi głową na dzień dobry.

Przejrzał uważnie zdjęcia, głośno przełknął ślinę.

– Wiadomo, co ją zabiło?

– Czyjeś psychopatyczne zachowanie – odparła Ames. Spojrzała na twarz Denisona. – Przepraszam, Matt, głupi dowcip.

– Wygląda na to, że jej twarzą uderzano o drzewo – powiedział Weathers. – Stąd ten zielony kolor. Od kory. Miała też mnóstwo sińców na klatce piersiowej i brzuchu; najwyraźniej zabójca mocno ją skopał, kiedy leżała na ziemi.

– Skoro były sińce, to nie mogła umrzeć natychmiast – stwierdził Denison.

– Nie. Musiała leżeć dłuższy czas. Umierała, a parę metrów obok kręciło się mnóstwo ludzi. Zastanawiam się, czy morderca zostawił ją, czy przyglądał się, jak z ofiary uchodzi życie?

Denison potarł twarz.

– Myślę, że zanim odszedł, upewnił się, że dziewczyna nie żyje, o ile czuł się bezpiecznie. W ciemnościach skrywały go drzewa. Ale może jakieś napalone parki szukały tam odrobiny prywatności?

– Wystąpiliśmy z apelem do świadków, ale sądząc po liczbie pustych butelek w całym parku, większość imprezowiczów leży jeszcze w łóżkach. Matt, przychodzi ci coś do głowy?

Denison znowu popatrzył na zdjęcie martwej dziewczyny opartej o pień.

– Tylko tyle, że to identyczny poziom agresji. Popatrz na twarz. Chciał ją zniszczyć. Ale... tu jest inaczej niż przy morderstwie Montgomery. Nie ma tła seksualnego.

– A podarte rajstopy? – zapytał Weathers, grając rolę adwokata diabła.

– Mogły się podrzeć podczas walki. Czy bielizna została zdjęta? Weathers pokręcił głową.

– Idę o zakład, że i tym razem nie znajdziecie żadnych pasujących próbek DNA. A morderstwo było zaimprowizowane. Zabójca nie miał z sobą broni, więc musiał zabić ofiarę gołymi rękami. Na pewno od dłuższego czasu go podniecała, a ostatniego wieczoru powiedziała albo zrobiła coś takiego, że wybuchnął. Nie planował zbrodni.

– Myślisz, że to ten sam zabójca?

Denison popatrzył na przyjaciela.

– Istnieje jakiś związek między nią a Amandą?

– Mów pierwszy.

– Sprawdzasz mnie? Doskonale. Tak, to ten sam zabójca. Cechuje go kompleks niższości i nienawiść do kobiet. Niech Bóg ma cię w swojej opiece, jeżeli w mieście jest dwóch takich psychopatów. To musi być ten sam facet.

Weathers pokiwał głową i westchnął.

– No? Jest jakiś związek, co? – zapytał ponownie Denison.

– Zidentyfikowaliśmy ją dopiero godzinę temu. Też była studentką z Ariel. Z roku Amandy. Nazywa się Eliza Fitzstanley.

– Elizo, zmarzniesz – powiedziała Sinead, która miała na sobie dwa swetry i ocieplaną bieliznę. – Popatrz na siebie. Nie warto narażać się na odmrożenia tylko po to, żeby ekstra wyglądać.

Eliza ubrana była w jedwabną bluzkę, krótką spódniczkę, rajstopy, długie buty od Jimmy'ego Choo i ulubiony płaszcz przeciwdeszczowy Armaniego.

– Nie martw się – odparła. – Mam małego przyjaciela, który mnie rozgrzeje. – Z kieszeni płaszcza wysunęła do połowy małą srebrną flaszkę whisky i mrugnęła do koleżanek.

Sinead uniosła oczy.

– No, to nie miej do mnie pretensji, jak za tydzień odpadną ci palce u stóp.

Olivia roześmiała się, owijając szyję szalikiem.

– Pójdziemy wreszcie? – zapytała. – Chcę się przejechać, zanim zaczną się fajerwerki.

– Spokojnie, wyhamuj – skarciła ją Sinead. – To na twojego spóźnialskiego chłopaka czekamy. – Siedziały i przyglądały się pierwszoroczniakom. Szaleli we własnym gronie. Jeden z nich po raz piąty tego wieczoru puszczał *Velvet Underground*.

Eliza, głaszcząc wysokie po kolana buty z lśniącej skóry, podśpiewywała z playbacku piosenkę i zerkała uwodzicielsko na młodszego kolegę. Biedak nie wiedział, czy ma się podniecić, czy przestraszyć.

– Zapomnij o niej, jest mężatką – zawołała Sinead.

Jak na dany znak pojawił się Godfrey, ukłąkł na podłodze i pocałował czubek buta Elizy. Jakby tego nie było dosyć, przejechał językiem wzdłuż cholewki i warknął.

Pierwszoroczniakowi opadła szczęka, pokręcił głową i uciekł w stronę mechanicznego bilardu.

– Godfrey, zachowuj się – upomniała go Sinead. – Straszysz dzieci.

– Było to od Boga dane prawo starszych studentów, żeby protekcjonalnie traktować młodszych.

Przyszedł Nick, w każdej kieszeni miał po paczce zimnych ogni. Ruszyli na błonia Midsummer.

Wieczór był mroźny, ale bezchmurny. W miarę jak zbliżali się do jarmarku, robiło się coraz tłoczniej. Wpływali rzeką w morze studentów i mieszkańców miasta. Wielkie karuzele i diabelskie młyny iskrzyły się światłem, od ciężkiej basowej muzyki dudniła ziemia. Olivia słyszała wiwaty i wrzaski. Znalazła najbardziej przerażającą maszynę i pociągnęła za sobą Nicka.

W Tornadzie przypinano człowieka do wózka i ciskano nim na wszystkie strony, z maksymalną szybkością. Chyba żadne z nich nie miało na to ochoty, ale Olivia tylko bardziej się podniciła, patrząc na twarze tych, którzy właśnie jeździli. Nick zerkał na podobizny hollywoodzkich gwiazd wymalowanych na kulisach. Arnold Schwarzenegger występował w stroju z *Terminatora*; rozpoznał Madonnę, głównie po stożkowatym staniku, ale reszta zupełnie mu nikogo nie przypominała.

– To ma być Tina Turner? – zapytał Olivię.

Nawet go nie usłyszała. Zawzięcie przeciskała się przez tłum do karuzeli. Zapłaciła za nich oboje. Po trzech minutach szalonego wirowania Nick ochrypł od wrzasku, ale Olivia chciała się jeszcze raz przejechać.

– Nie – uparł się i pociągnął ją do stoiska z hot dogami.

– I jak? – zapytała. – Między tobą a Godfreyem jest już okay?

Wzruszył ramionami.

– Chyba tak. Ten facet nigdy nie będzie drużbą na moim ślubie, ale chyba żałuje, że wdał się w tę bójkę między Robem a Kesselichem.

– A ty nie z takich, co to obrażają się na wieki.

Popatrzył na nią. Oczy miała błyszczące, nadal była podniecona światłem, ruchem i dźwiękiem.

– Nie, raczej nie.

Kupował jej właśnie neonowy naszyjnik, który ultrafioletowym światłem rozjaśniał twarz i szyję, kiedy zobaczyli Roba i Laurence'a. Na powitanie, lekko zawstydzeni, wymienili skinienia głowy.

– Dobrze się bawisz? – zapytał Rob Olivię.

– Doskonale. A ty?

Rob przytaknął, patrząc na Laurence'a. Olivia zobaczyła, jak delikatnie potarł ręką jego dłoń.

– Bardzo stylowy naszyjnik – zauważył Laurence.

– Dziękuję. – Dumnie wypięła pierś. – Wiesz, to Gucci.

Roześmiał się.

– Od razu się domyśliłem. No, kochani, bawcie się dobrze przy fajerwerkach.

Obaj odeszli w stronę wielkiego ogniska, którego płomienie pożerały część nocnego nieba.

– Nadal nie mieści mi się to w głowie. – Nick popatrzył, jak Rob i Laurence odchodzą.

– Cóż… ale to dobrze, że Rob nie musi się z tym kryć.

– Tylko nie rozumiem, dlaczego odszedł z drużyny rugby. I już nie wiosłuje. Chłopakom to obojętne, że jest gejem. Nie są homofobami.

– Owszem, ale chyba też nie drużyną spod tęczowego sztandaru, prawda? Może nie czuł się już z nimi dobrze.

– Więc obija się teraz z pozerami i intelektualistami? Nie powiedziałbym, że to jego środowisko.

– Ale na tym, w pewnym sensie, polegają studia – zauważyła Olivia. – Odkryć coś. Znaleźć to, co się lubi. Znaleźć siebie. – Skrzywiła się. – Teraz sama mówię jak pozer. Szybko, znajdź coś z procentami do picia, zanim mi się pogorszy.

Reszta towarzystwa siedziała w pubie Fort St. George na rogu łąki, ściśnięta na końcu wystawionej na dwór ławy. Panował taki tłok, że i Olivia natychmiast zrezygnowała z pomysłu, żeby wejść na drinka. Kolejka przy barze była szeroka na sześć osób. Olivia napiła się więc z piersiówki Elizy i podała ją dalej, do Godfreya.

– Nie zimno ci? – zapytała Elizę. Miała na sobie bardzo ładną wełnianą czapkę, gruby płaszcz i ciemne skórzane buty z cholewami. Wiedziała, jak się ubrać, żeby było i ciepło, i modnie.

– Czy moglibyście wszyscy przestać mnie o to pytać? – zdenerwowała się Eliza. Na jej ładnym czole pojawiła się mała zmarszczka.

– Nie boisz się, że zniszczysz sobie buciki od Jimmy'ego Choo w tym błocku?

– Paula, zostaw ją – wycedził Godfrey, zaciągając się drogim włoskim papierosem.

– Powinnaś się rozsądniej ubierać, tak jak Olivia – upierała się Paula.

Eliza zmarszczyła nos.

– Nie mam takich zwykłych ubrań.

– Ani zwykłej bielizny – wtrącił Godfrey. – I za to ją kocham.

– Tak na marginesie – dodała Eliza – w życiu nie postawiłam nogi w Primark i nie zamierzam tego zmienić. Harvey Nicks by mi nie wybaczył.

– Godfrey, umówiłeś się kiedyś z dziewczyną, która nie byłaby córką milionerów? – Olivia przechyliła głowę i spojrzała tak, jakby naprawdę interesowała ją odpowiedź.

– Nie wiedziałem, że takie istnieją. – Godfrey zapalił kolejnego papierosa od poprzedniego.

– Ależ z ciebie głupek – roześmiała się Sinead.

– Wiedzieliście, że Godfrey ma flagę przypiętą do sufitu? – zapytała Paula zjadliwym tonem. – To prawdziwy patriota. Czerwony, biały i niebieski. Za królową i kraj. Z naciskiem na kraj.

– Lubię, żeby moje dziewczyny, leżąc, myślały o Anglii – wyjaśnił Godfrey, dmuchając dymem w twarz Pauli.

– Paula, dlaczego z ciebie taka jędza? – zapytała Eliza ostro, ze złością. Gdzieś się podział jej słodki, dziewczęcy głosik.

Zapadła niezręczna cisza. Paula wyprostowała się z wymuszonym uśmiechem.

– Nie zwracaj na mnie uwagi, Elizo – powiedziała. – To pewnie napięcie przedmiesiączkowe.

Pogawędzili jeszcze trochę i potem Paula i Sinead poszły razem do toalety, ale nie wróciły. Reszta towarzystwa czekała jakiś czas, zerkając na zegarki.

– Chyba złożymy wizytę madame Rose – powiedział Nick.

– Nie wiedziałem, że w Cambridge są burdele – zakpił Godfrey.

– To medium, idioto. Spotkamy się przy hangarze na łodzie o wpół do siódmej? – Z hangaru przy Ariel był wspaniały widok na fajerwerki.

– Jasne. To na razie.

Nick i Olivia szybko się zmyli, zadowoleni, że zostawiają za sobą złą atmosferę.

– Madame Rose? – zagadnęła Olivia, kiedy już nikt ich nie słyszał.

– Pomyślałem, że będzie śmiesznie – odparł Nick. – Chodź, ja płacę.

– Nie potrzebuję łaski – oburzyła się Olivia.

– O rany, nie bądź taka obrażalska. To mój głupi pomysł; dlatego ja stawiam. No chodź, może nam powie, ile będziemy mieli dzieci.

Madame Rose zajmowała pomalowaną w róże i karty tarota przyczepę mieszkalną obok ścieżki nad rzeką. Ceny wypisane były czarnym markerem na desce przy drzwiach. W chłodnym powietrzu powiewała zasłona z siatki.

– Ty pierwszy. – Olivia szturchnęła go lekko.

Nick zastukał w ścianę przyczepy, obok otwartych drzwi. Wyszła starsza pani z farbowanymi na czarno włosami i siwymi odrostami. Uśmiechała się, w ręku trzymała papierosa.

– Cześć, kochasiu. Powróżyć?

– Poproszę.

– Oboje naraz czy po kolei?

– Po kolei – powiedziała Olivia. – Poczekam tutaj. Będziesz miał trochę prywatności.

Madame Rose rzuciła papierosa w błoto i wprowadziła Nicka do środka. Zamknęła za nim drzwi.

Olivia oparła się o ławkę stojącą przodem do rzeki i objęła ramionami, żeby się ogrzać. Jacyś podcięci faceci przeszli obok, popijając piwo, a jeden z nich, z ogoloną głową i w poprutych dżinsach, zapytał, czy maleńka chce pójść z nim do tunelu strachu. Warknęła, żeby się odpieprzył, i ciaśniej owinęła się szalikiem.

Po pięciu minutach Nick wyszedł. Wydawał się zarumieniony; skinął głową madame Rose na pożegnanie. Olivia podeszła do niego.

– No i co? – zapytała.

– Potem ci powiem. Twoja kolej.

Spojrzała przez ramię na kobietę, która kiwała do niej zagiętym palcem.

– Okay. Spotkamy się przy hangarze?

– Mogę tutaj na ciebie poczekać.

– Nie, idź. Zaraz tam będę.

W przyczepie było ciepło, ale cuchnęło dymem papierosów i kocim jedzeniem.

Madame Rose wskazała Olivii miejsce na gąbczastym zielonym krześle. Usiadła naprzeciwko, za porysowanym drewnianym stołem.

– Twój kochanek już zapłacił – oznajmiła – Ale nie powiedział, jak ci powróżyć. – Olivia się wahała, więc kobieta mówiła dalej: – Tarot? Z fusów? Z dłoni? Z kryształowej kuli? – Zachichotała. – To ostatnie, to żart.

– Hm… Tarot?

– Dobry wybór. – Zdjęła czarny szal ze stosu wielkich kart i wręczyła je Olivii do potasowania. Potem wzięła je, wyciągnęła pięć kart i położyła figurami do dołu.

– Tylko żeby nie wypadła mi Śmierć – zażartowała Olivia.

– Nie ma takiej możliwości – powiedziała madame Rose. – Zazwyczaj ją odkładam. – Zobaczyła, że Olivia unosi brwi. – Hm, niektórzy nie są w stanie zrozumieć, że to nie oznacza dosłownie śmierci, tylko po prostu koniec czegoś i początek czegoś innego.

– Mowa trawa.

– Widzę, że jesteś cyniczna. – Madame Rose się uśmiechnęła. – Cóż, twoja sprawa, czy uwierzysz kartom. One i tak mówią prawdę, czy ktoś w nie wierzy, czy nie.

Odwróciła pierwszą: trzy drzewa z liną rozpiętą między nimi; z liny zwisa człowieczek głową w dół.

– Wisielec – oznajmiła. – Poświęcasz się. Robisz coś, z czym nie jest ci dobrze, żeby zrealizować swoje pragnienia. Teraz nazywa się to zachowaniem bierno-agresywnym. Lepiej być bezpośrednim. – Odwróciła drugą kartę: trzy wielkie kamienie. W tle indygowe niebo i wielki biały księżyc, którego blask przesłania czarna maska. – Księżyc. To karta iluzji.

Albo ty zwodzisz kogoś, albo ktoś zwodzi ciebie. Sprawy są ukrywane, niejasne. Ktoś żyje schowany za maską.

– Hm, jeden z moich przyjaciół prawdopodobnie jest wściekłym mordercą – powiedziała Olivia. – Domyślam się, że tacy potrafią się nieźle maskować.

Madame Rose ściągnęła usta i odwróciła kartę numer trzy. Mężczyzna w złotej koronie na głowie siedzący na tronie. Ma szerokie ramiona, surową twarz.

– Cesarz. Przedstawia silnego i potężnego mężczyznę, który ochrania swoje królestwo. – Spostrzegła, że Olivia położyła ręce na kolanach.

Czwarta karta ukazywała mężczyznę w białych szatach, stojącego na szczycie góry z ramionami wzniesionymi do nieba.

– Szaman – wyjaśniła madame Rose. – To bardzo uduchowiona karta. Przedstawia człowieka, który idzie samotnie, ale jest na skraju objawienia. Ta osoba wkrótce ujrzy świat inaczej niż my, zwyczajni śmiertelnicy.

Sięgnęła po piątą i ostatnią kartę.

– Jeśli to Śmierć, zażądam zwrotu pieniędzy – ostrzegła Olivia roztrzęsionym głosem.

Ale karta ukazała kobietę z przewiązanymi oczami, z mieczem w jednej ręce i wagą w drugiej.

– Sprawiedliwość – powiedziała madame Rose. – Ta karta mówi mi, że czeka cię osąd sumienia. Ale najpierw musisz sobie wybaczyć. – Nachyliła się, chwyciła Olivię za ręce i ścisnęła je mocno. – Cokolwiek się zdarzy, musisz przestać się oskarżać. To nie była twoja wina. – Zaskoczyło ją, kiedy zobaczyła, że dziewczyna ledwo powstrzymuje się od płaczu.

Osoby wrażliwe zwykle bywały szczodre, ale madame Rose, po tanim płaszczu dziewczyny i jej zniszczonych butach, domyśliła się, że straci czas, próbując ją oskubać. Spojrzała na zegarek.

– Okay, kochaneczko, wystarczy.

Olivia szybko otarła oczy końcem szalika.

– Dziękuję. – Przysunęła z powrotem krzesło i ruszyła do drzwi. – Chciałabym wiedzieć, czego mam się spodziewać... co pani powiedziała mojemu chłopakowi o nas?

Madame Rose wyjęła papierosa z paczki.

– Że z waszego związku nie będzie niczego dobrego – oznajmiła, patrząc Olivii prosto w oczy. Potem nachyliła się do zapalniczki, ssąc filtr. Olivia gapiła się osłupiała, więc madame Rose puściła do niej oko. – Żartowałam. – Dmuchnęła długim pióropuszem dymu. – Powiedziałam, że dorobicie się trójki dzieci i umrzecie we własnych łóżkach, w podeszłym wieku. Żegnaj, Olivio.

Olivia bez słowa wyszła z przyczepy.

Dotarła do hangaru, kiedy zaczęły się fajerwerki.

– Widzieliście Nicka? – zapytała Sinead i Paulę, które popijały grzane wino i zauroczone patrzyły na pokaz.

– Nie – odpowiedziały, nie odrywając wzroku od fontann zielonych iskier rozświetlających niebo.

Olivia przepchnęła się przez tłum do drzwi hangaru, gdzie trzech członków klubu wioślarskiego sprzedawało po funciaku domowej roboty hamburgery.

– Chłopaki, widzieliście Nicka Hardcastle'a? – zawołała, przekrzykując trzaski eksplodujących rakiet.

Pokręcili głowami, skupieni na mięsie skwierczącym na ruszcie.

Poczuła szturchańca w bok, odwróciła się i zobaczyła za sobą Nicka. Uśmiechając się, chwycił ją za rękę i pociągnął nad sam brzeg rzeki, gdzie nic nie zasłaniało widoku na fajerwerki. Srebrnym kaskadom światła towarzyszyły ochy, achy wyrażały uznanie dla różowego pyłku eksplodującego ze złotych płatków ognia, spontaniczna owacja była na finał, kiedy fale wielokolorowych iskier zamigotały na czarnym listopadowym niebie.

– Hu, huuu! – Obok przemknął Leo, welwetowa błazeńska czapka sterczała mu na dredach. Chwycił Olivię i zakręcił nią. – No, kurczę, czy to nie fantastyczne? Te magiczne grzyby są normalnie… wspaniałe!

Odepchnęła go.

– Leo, kretynie, idź i wygłupiaj się gdzie indziej.

Pokazał jej znak V i tanecznym krokiem odpłynął w stronę kolegów ćpunów, którzy kupowali hamburgery z dodatkami. Przynajmniej oni ucieszyli się na jego widok.

– No więc, co ciekawego słyszałaś od madame Rose? – zapytał Nick, ściskając Olivię za rękę.

– Powiedzmy to sobie wprost; powinniśmy zrobić zakupy w sklepach dla młodych matek – odparła.

– Czy któreś z was wie, gdzie jest Eliza? – zapytał Godfrey.

Nigdy jeszcze nie widzieli, żeby był tak zaniepokojony.

– Nie, ale pewnie gdzieś tutaj, w pobliżu. Sprawdzałeś w hangarze?

– Tam jej nie ma. Szukam już od dwudziestu minut. Powiedziała, że przyjdzie prosto tutaj.

– Dzwoniłeś na komórkę?

– Oczywiście. Nie odbiera.

– Godfrey, na pewno nic złego się jej nie stało – powiedział Nick, żeby go podnieść na duchu.

– Tak, pewnie po drodze kogoś spotkała – dodała Olivia.

Godfrey popatrzył na nich. W oczach miał panikę.

– Tego się właśnie boję.

Rozdział 11

To SIĘ NAZYWA OSOBOWOŚĆ WIELORAKA. A dokładnie dysocjacyjne zaburzenie tożsamości, w skrócie DID.

Weathers spojrzał na niego spoza stołu. Minęły dwa lata i osiem miesięcy, odkąd spotkali się na komisariacie w Cambridge i Denison po raz pierwszy zobaczył zdjęcia zamordowanej Amandy Montgomery. Weathers miał już sporo siwych włosów więcej i kilka dodatkowych zmarszczek na twarzy. Denisonowi przybyło w pasie parę centymetrów.

– Żarty sobie robisz? – zapytał wreszcie Weathers. Przyglądał się Denisonowi jeszcze przez dłuższą chwilę, potem odwrócił się, żeby zawołać kelnerkę. – Podajecie alkohol? – zapytał. – Chciałbym podwójną szkocką.

Kelnerka popatrzyła na Denisona.

– A pan?

– Zostanę przy wodzie mineralnej, dziękuję.

Poczekał, aż dziewczyna odejdzie na tyle daleko, by ich nie słyszeć.

– Stephen, nie przesadzaj. Jeśli wydaje ci się, że panna jest zdrowa psychicznie, to co, u diabła, robiła w Coldhill przez ostatnie dwa miesiące?!

Weathers wycelował w niego palec.

– To ty. Ty wniosłeś o zastosowanie paragrafu trzeciego.

– Siedziała zwinięta jak embrion w rogu pokoju, gdzie popełniono zbrodnię. Przez cztery tygodnie nic nie mówiła. Uważasz, że powinna trafić do więzienia?

– Znaleźliśmy ją obok ciała zamordowanej. Była cała we krwi ofiary! A teraz chcesz mi wmówić, że to schizol?

Denison głęboko odetchnął.

– Stephen, jesteś doświadczonym gliniarzem. Wiesz, że powszechnie myli się schizofrenię z dysocjacyjnym zaburzeniem tożsamości.

Owszem, Weathers o tym wiedział. Aż za dobrze. Denison zawsze wychodził z filmów, na których psycholodzy beztrosko nazywali schizofrenikiem człowieka z osobowością wieloraką, klął pod nosem na hollywoodzkich producentów i prostował w myśli ich pomyłki. Weathers poczuł nieodpartą chęć, żeby dobrać się do skóry Denisonowi, który okazał się zwiastunem cholernie złej wiadomości.

– Okay, więc ta zwariowana, mała dziwka zaczęła mówić zupełnie innym akcentem i powiedziała ci, że nigdy nie słyszała o Olivii Croscadden? Doskonale.

Denison wyciągnął z kieszeni odtwarzacz mp3 i wręczył go Weathersowi. Detektyw uniósł oczy, ale włożył słuchawki i nacisnął guzik odtwarzania. Dziesięć minut później kelnerka przyniosła im porcje pizzy. Denison jadł powoli, przyglądał się wyrazowi twarzy Weathersa. Inspektor nie tknął swojej pizzy. Szybko wypił whisky i kiwnął, że chce następną.

Nagranie trwało pięćdziesiąt dwie minuty. Zanim Weathers skończył słuchać, Denison zjadł swoją pizzę, połowę pizzy przyjaciela i zasłonił się „Guardianem". Weathers wypił sześć podwójnych whisky i nadal wyglądał na trzeźwego. Ostrożnie odłożył słuchawki na stół i popchnął mp3 do Denisona.

– Trudno uwierzyć, że kłamie, prawda? – zapytał Denison.

Weathers pokiwał głową, pocierając zarost.

– Jezu, nic dziwnego, przez pół dzieciństwa była molestowana.

– To oczywiste, dlaczego chciała się dostać do szkoły z internatem. Biedny dzieciak.

– I co teraz? Ten cały Jude wydaje się totalnym zboczeńcem, ale ona ani słowem nie wspomniała o morderstwach. Potrzebne nam zeznanie, a nie autobiografia.

– Wydobywanie zeznań dla policji to nie moje zadanie, Steve. Ja mam tylko stwierdzić, czy jest zdrowa i czy może opuścić szpital po pięciu miesiącach.

– A jeśli zdiagnozujesz te zaburzenia, to co dalej? Stanie przed sądem?

Denison pokręcił głową.

– Trudna sprawa. Psychiatra powołany przez obronę pewnie będzie argumentować, że jeśli całością nie kieruje ta sama osobowość, dziewczyna może nie rozumieć sądowych procedur. Jeśli włączy się inna osobowość, Olivia nie będzie pamiętać wydarzeń z tego dnia rozprawy.

– A co na to powie psychiatra powołany przez prokuraturę?

– Może twierdzić, że ten stan nie istnieje.

Weathers się wyprostował.

– Jak to?

– Psychiatrzy nie są zgodni co do tego, czy osobowość wieloraka to prawdziwy stan psychiki.

– Uważają, że pacjenci udają?

– Niezupełnie. Twierdzą, że taki stan nie istniał wcześniej, tylko został wywołany w gabinecie psychiatry.

– Jak?

– W czasie hipnozy wyłaniają się inne osobowości. Psychiatra może na przykład spytać: „Czy jest ktoś inny, kto mógłby ze mną porozmawiać?", i pacjent natychmiast stwarza tego „kogoś innego". Od razu wyjaśnię: nie, nie zahipnotyzowałem Olivii.

– Uważasz, że osobowość wieloraka istnieje?

– Nigdy się jeszcze z czymś takim nie spotkałem, więc trudno mi mówić na podstawie własnych doświadczeń. Ale w fachowej literaturze jest mnóstwo dowodów na to, że ludzie z dysocjacyjnym zaburzeniem tożsamości mieli objawy na długo przed wizytą u psychiatry. – Denison zmarszczył brwi, widząc wyraz twarzy Weathersa. – Nie patrz tak.

– Jak?

– Jakbyś był na mnie wkurzony. Przepraszam, ale wezwany na świadka nie powiem, że ona udaje, jeśli uważam, że jest inaczej.

– Czy musi udawać, żeby uznano ją za winną?

– O co ci chodzi?

– O to, że jeśli jednak stanie przed sądem, czy DID to dobry argument dla tworzenia linii obrony w oparciu o chorobę psychiczną?

Denison zastanowił się nad tym.

– Nie, niekoniecznie. Większość ludzi z DID odróżnia dobro od zła; rozumieją naturę i znaczenie swoich czynów. To niekoniecznie osobowości psychotyczne.

– Czy może tam być osobowość, która nie wie, że odcinanie dziewczynie głowy jest złem?

Denison nachmurzył się.

– Tak, to możliwe. Bardzo młoda osobowość albo taka, która działa wyłącznie instynktownie i jest totalnie asocjalna. Ale takiej osobowości nie ujdzie na sucho nawet jedno morderstwo. Potrzebna byłaby jej pomoc innych, żeby zatuszować zbrodnię.

– Więc jeśli nawet zabójcza osobowość zostanie uznana za szaloną, pozostałe mogą być skazane za współudział w zbrodni?

Denison już miał odpowiedzieć, ale zobaczył błysk kpiny w oku Weathersa i wybuchnął śmiechem. Obaj śmieli się przez dłuższą chwilę. Przestali dopiero, kiedy kelnerka przyniosła rachunek.

Kiedy tamtej nocy Eliza nie pojawiła się przy hangarze, Godfrey sam poszedł jej szukać. Pozostali zbytnio się nie przejęli tym, że zniknęła. Wiedzieli, jakie z niej ziółko. Prawdopodobnie wpadła na starą znajomą z poprzedniej szkoły – chyba połowa z nich poszła do Cambridge – i właśnie popija koktajle z Jocastą albo Bunty w pobliskim barze. Godfrey szukał Elizy godzinę, potem przyszedł sprawdzić, czy nie ma jej w Ariel. Nie było jej ani w pokoju, ani w barze, a w skrytce na listy leżały kartki i ulotki, niezbity dowód, że nie wróciła. Wszyscy studenci sprawdzali skrytki za każdym razem, kiedy wchodzili i wychodzili z wydziału. Nabazgrał liścik, żeby wiedziała, że jej szuka.

Kiedy po trzech godzinach znów pojawił się w Ariel, skrytka Elizy nadal była pełna. Zapukał do drzwi Pauli.

– Nie teraz, Godfrey – jęknęła zaspana, przecierając oczy.

– Nie pochlebiaj sobie, szukam Elizy – mruknął.

Spojrzała na zegarek na nocnym stoliku.

– Może powinniśmy zadzwonić na komisariat – powiedziała. – Poprosimy do telefonu inspektora Weathersa. On będzie wiedział, czy należy to brać poważnie.

– Kurna, oczywiście, że należy to brać poważnie!

Zaczęła wkładać ubranie na piżamę.

– Godfrey, nie od dziś wiemy, że Eliza włóczy się po nocach.
– Ale ja mam złe przeczucie. Myślę, że coś się jej stało.

Nick jadł lunch z Olivią, kiedy zadzwoniła jego komórka. Na wyświetlaczu pojawiło się imię Pauli.
– Cześć, Paulo, co się dzieje?
Mówiła dziwnym głosem.
– Nick, mógłbyś przyjść na komisariat? Jestem tu z Godfreyem. Chyba stało się coś złego.
– Co takiego?
– Nadal nigdzie nie ma Elizy. I wydaje mi się, że gliniarze coś przed nami ukrywają. Nicky, przyjdź, proszę. Jesteśmy w Parkside.
Popatrzył na zegarek.
– Jasne, będę za dziesięć minut.
Olivia nalegała, żeby pójść z nim. Dojechali na rowerach, zostawili je przed komisariatem. Jakiś człowiek stał przed wejściem i rozmawiał przez komórkę. Kiedy ich zobaczył, urwał w połowie zdania.
– Nick? Nick Hardcastle?
Chłopak nachmurzył się.
– O co chodzi?
– Co się dzieje, Nick? Znasz ofiarę?
– Jaką ofiarę?
Jednym zgrabnym ruchem mężczyzna zamknął z trzaskiem komórkę, włożył ją do kieszeni dżinsowej kurtki i wyjął dyktafon. Podniósł go na wysokość twarzy Nicka.
– Na Jesus Green znaleziono zwłoki – powiedział, obserwując reakcję Nicka. – Dziewczyna, około dwudziestu lat, blond włosy, średniego wzrostu, szczupłej budowy ciała. Nick? Mam nadzieję, że opis nie pasuje do wyglądu żadnej z twoich koleżanek?
Olivia trzasnęła reportera w twarz, na dłoni poczuła jego zarost.
– Pieprz się, draniu. Zostaw nas, kurwa, w spokoju!
Reporter wyglądał na zszokowanego, policzek zaczął mu czerwienieć. Wskazał przez duże szyby dyżurki komisariatu na sierżanta dyżurnego, który obserwował całe zajście.
– Chryste, widziałeś to, prawda? Prawda?
Sierżant dyżurny tylko spojrzał mu w oczy i powoli wzruszył ramionami.

– A co? – mruknął.

– Ta dziwka mnie uderzyła. – Reporter zaklął, wsadził dyktafon z powrotem do kieszeni, odszedł sztywnym krokiem do samochodu i odjechał. Sierżant dyskretnie mrugnął do nich, kiedy weszli.

– Lepiej się nie wdawać z nim w bójki – mruknął do Olivii. – Nikt nie chce być oskarżony o napaść. Wystarczy powtarzać „żadnych komentarzy", to ich doprowadza do szału.

– Czy tu jest Paula Abercrombie? – zapytał Nick. – Albo Godfrey Parrish?

Sierżant przygładził wąsa.

– Tak, są. Wchodźcie.

Wezwał posterunkowego, żeby zaprowadził ich przez komisariat do Pauli. Twarz miała opuchniętą, oczy zaczerwienione, rękawy ściągnięte do koniuszków palców. Bez końca obracała w dłoniach kubek z herbatą. Zobaczyła Nicka i skrzywiła się. Podbiegła do niego. Gdy ją objął, wybuchnęła płaczem.

Olivia pogłaskała koleżankę po głowie.

– Ćśś – uspokajała. – Ćśś, będzie dobrze.

– Myślę, że coś się stało z Elizą, ale oni nie chcą nam powiedzieć. Nie wróciła ostatniej nocy, Godfrey nie mógł jej znaleźć. Ciągle tylko coś szepczą między sobą i mają grobowe miny. Jestem pewna, że ona nie żyje, tylko nam o tym nie mówią! – Wytarła nos rękawem swetra.

– Chyba znaleźli czyjeś zwłoki – powiedział łagodnie Nick. – Na zewnątrz stał reporter, coś o tym ględził, ale wiesz, jacy są ci dranie.

– O Boże... – zaszlochała Paula. – Och, Nicky. A ja wieczorem zachowywałam się wobec niej jak świnia. Wcale nie chciałam! Gdybym wiedziała...

– Czy to musi być pan? – Godfrey siedział w pokoju przesłuchań naprzeciwko Weathersa.

Inspektor spojrzał na policjantkę siedzącą obok niego, potem znów na Godfreya.

– Ma pan ze mną problem w związku z pańskim przyjacielem, Robem McNortonem, i z tą bójką w barze w Ariel?

Godfrey prawie się roześmiał. Patrzył na Weathersa zaczerwienionymi oczami.

– Nie, nie o to chodzi. Szczerze mówiąc, nie chcę, żeby facet, który kieruje śledztwem w sprawie Rzeźnika, rozmawiał ze mną o mojej zaginionej dziewczynie. Cholernie się boję.

Weathers rozparł się na krześle.

– Przykro mi, ale nie dlatego tutaj jestem. Po prostu jako starszy stopniem funkcjonariusz w tym komisariacie zajmuję się poważniejszymi przestępstwami. Do zniknięcia pańskiej dziewczyny podeszliśmy poważnie, ale to nie znaczy, że wiążemy je ze sprawą Montgomery.

Godfrey popatrzył na niego.

– Chciałbym panu wierzyć. Ale nie wiem, czy mi się uda. Niech pan pyta i miejmy to za sobą.

Weathers zajrzał do notatek.

– Może mi pan powiedzieć, kiedy Eliza zaginęła?

– Między siódmą a siódmą piętnaście wczoraj wieczorem. Przynajmniej wtedy ostatni raz ją widziałem.

– Gdzie?

– Na błoniu Midsummer.

– Czy ktoś jeszcze był z wami?

– Tak, trochę wcześniej. Nick Hardcastle, jego dziewczyna Olivia, Paula Abercrombie, Sinead Flynn. Wszyscy wpadliśmy na drinka do Fort St. George. Potem się rozstaliśmy. Ja z Elizą poszliśmy do jednej z budek na jarmarku. Niczego nie wygraliśmy. Ja na chwilę skoczyłem do przenośnej toalety, a kiedy wróciłem, Elizy już nie było.

– Mógłby pan ją opisać?

Godfrey ukrył twarz w dłoniach.

– O Boże... Blondynka, metr sześćdziesiąt siedem, niebieskie oczy.

– W co była ubrana?

– W czarną spódnicę, czarne wysokie buty, różową bluzkę i czarny płaszcz przeciwdeszczowy.

– I ostatnie pytanie. Wie pan, co jadła wczoraj wieczorem?

Godfrey zamarł. Z niedowierzaniem patrzył to na Weathersa, to na Ames.

– Znaleźliście ją, prawda?

– Proszę pana, nie wiemy.

– Ale znaleźliście zwłoki... które pasują do opisu? Inaczej, do cholery, nie próbowalibyście ustalić, co miała w żołądku!

– Proszę sobie przypomnieć, co jadła...

– Jakieś włoskie danie. A potem deser czekoladowy. Tylko do połowy. Powiedziała, że ogranicza kalorie.

Popatrzył na ich twarze. Wiedział, że to ona.

Weathers wrócił na komisariat z kostnicy, gdzie Fitzstanleyowie identyfikowali zwłoki. Pan Bertram Fitzstanley zapytał, jak do cholery ma poznać, czy ta zbita osoba ze zmasakrowaną twarzą to jego córka, ale pani Lavinia z narastającą udręką odczytywała znaki szczególne ciała: pieprzyk przy pępku, blizna na kolanie, lewa stopa o pół numeru mniejsza od prawej.

– To ona – jęknęła, a potem jakby zapadła się w sobie. Na oczach Weathersa kurczyła się i malała.

Ames czekała na inspektora w centrum operacyjnym.

– Steve, Crosby chce cię widzieć. – Była wyraźnie zaniepokojona.

– O co chodzi?

Pokręciła głową.

– Nie jestem pewna. Ale sprowadzili tu MacIntyre'a.

Zapukał do drzwi.

– Wejść! – zawołał melodyjnie superintendent Crosby. Okna pokoju wychodziły na Parker's Piece. W pomieszczeniu było widno i przewiewnie. Crosby należał jednak do ludzi, którzy wolą mniej ascetyczne gabinety, więc kazał wstawić skórzane fotele i powiesić obrazy przedstawiające polowanie na lisy. Gryzło się to z tanią wykładziną i biurowymi roletami.

Naprzeciwko Crosby'ego siedział inspektor Colin MacIntyre. Mac od dziesięciu lat był detektywem w policji Cambridge i nie miał perspektyw na awans. Powszechnie uważano, że wyżej już nie zajdzie – tylko on sam twierdził inaczej. Każdego lata urządzał barbecue dla kolegów z wydziału kryminalnego i gdy z uprzejmości podziwiali jego dom, mówił, żeby poczekali do następnego roku: „Kiedy dostanę stanowisko superintendenta, postawimy dobudówkę od południowej strony i wyremontujemy patio".

– O, Weathers, wejdź – powiedział Crosby. – Siadaj, proszę.

Jedyne wolne krzesło stało na wprost tych zajętych. Weathers poczuł się, jakby siadał przed komisją śledczą. Odruchowo poprawił krawat.

Crosby złączył dłonie na pulpicie biurka.

– Weathers, wezwałem cię, żeby porozmawiać o sprawie Fitzstanley. Wiemy, że twoim zdaniem to zabójstwo ma związek ze śmiercią Amandy Montgomery i, szczerze mówiąc, powstało wiele wątpliwości, czy powinieneś kierować śledztwem. Generalny superintendent uważa, a ja jestem skłonny z nim się zgodzić, że dochodzenie powinien przejąć inspektor MacIntyre.

– Wolno mi zapytać dlaczego? – wyrzucił z siebie Weathers, nachylając się do przodu. Mięśnie mu się napięły. – Jakie to mianowicie wątpliwości?

– Przedwcześnie założyłeś, że sprawy są powiązane. Najwyraźniej bardzo się skoncentrowałeś na sprawie Montgomery i obawiam się, że to wpływa na twój osąd odnośnie do drugiego morderstwa.

– Sir, to nie tak – zaprotestował Weathers. – Może to zbieg okoliczności, że te dwie dziewczyny studiowały na tym samym roku, na tym samym wydziale, ale to musiałby być cholernie duży zbieg okoliczności. Ile przeciętnie studentek pada ofiarą zabójcy? Jedna? Jeśli w ogóle. To jakie jest, do cholery, prawdopodobieństwo, że w ciągu dwóch lat z rzędu ginie akurat studentka z Ariel?

– Weathers, nie wykluczamy, że sprawy są powiązane, ale na litość boską, zwłoki tej dziewczyny znaleziono zaledwie dziesięć godzin temu! A ty już wyciągasz wnioski na temat zabójcy, co nieuchronnie prowadzi do pominięcia innych opcji. Nie możemy ryzykować, bo jeśli się mylisz, sprawca pozostanie wolny, a ty będziesz ścigał Rzeźnika z Cambridge, czy jak go tam te cholerne pismaki nazwały! – Superintendent Crosby wyprostował się z ciężkim westchnieniem, poczuł pulsowanie w żyle, która wystąpiła mu na skroni. – Słuchaj – podjął po chwili łagodniejszym tonem. – Próbuję ci wyjaśnić, dlaczego lepiej będzie, jeśli inspektor MacIntyre przejmie sprawę Fitzstanley. Jestem pewien, że gdyby zebrany materiał wskazywał na jednego i tego samego sprawcę, to inspektor MacIntyre z ogromną radością przekaże ci z powrotem prowadzenie śledztwa. Poza tym przy sprawie Montgomery postępy są niewielkie, więc skup się na rozwiązaniu tego morderstwa, zanim przejdziesz do następnego.

Weathers musiał dosłownie ugryźć się w język, żeby nie zakląć.

– Sir, z całym szacunkiem, jeśli sprawy są powiązane, to znacznie łatwiej by mi przyszło zidentyfikować mordercę, gdyby nie ukrywano przede mną dowodów.

– Nie bądź śmieszny! – parsknął Crosby. – Nikt nie zamierza niczego przed tobą ukrywać. Masz gwarantowany pełny dostęp do wszystkiego, co wykryje MacIntyre.

Weathers obrócił się, żeby spojrzeć w oczy MacIntyre'a.

– Mac, na pewno czytałeś mój wstępny raport. Co o tym myślisz? Nie widzisz podobieństw?

Garnitur MacIntyre'a miał już siedem lat i teraz był ze dwa numery na niego za mały. Wiercił się w nim, skrępowany, ciągnął za kołnierzyk koszuli, który wpijał mu się w obwisłą szyję.

– Według mojego doświadczenia... – najwyraźniej umierał z tęsknoty za papierosem – morderstwa w miejscach publicznych dokonują bandyci, gwałcicielie, złodzieje. Nie. Nie widzę podobieństw. Amanda Montgomery została zamordowana we własnym pokoju, prawdopodobnie przez kogoś, kogo znała, i była pośmiertnie znacznie okaleczona. Nie rozumiesz, że teraz tę dziewczynę zabito tępym narzędziem, a nie ostrym; nie okaleczono; zamordowano ją w parku, nie we własnym domu. Nie jest to równie brutalne, jak zabójstwo Montgomery. Ci dranie nie robią się łagodniejsi z każdym morderstwem; mają skłonność do coraz większej agresji.

– Co może być gorszego niż mord na Montgomery? – Weathers usiłował zachować zdrowy rozsądek. – Nie sądzisz, że być może Fitzstanley nie została tak okaleczona, jak koleżanka, bo: a) zabójca nie miał noża, b) znajdował się w miejscu publicznym!?

– Inspektorze Weathers, czy zechce pan mówić ciszej? – upomniał go Crosby. – Postanowiłem nie otwierać dyskusji. Od teraz inspektor MacIntyre prowadzi śledztwo w sprawie Fitzstanley.

– Tam gdzieś czai się seryjny zabójca – syknął Weathers, pokazując za okno, w stronę Ariel College. – Możecie go zignorować, udawać, że nie istnieje, ale to nie powstrzyma go przed zamordowaniem kolejnej dziewczyny.

– Jak pan śmie? – oburzył się Crosby. – Proszę mi wierzyć, naszym najwyższym priorytetem jest doprowadzenie przed sąd morderców tych młodych kobiet. A jeśli usłyszę, że wypowie pan słowa „seryjny zabójca" poza tym gabinetem, natychmiast wróci pan do służby mundurowej.

– Trzeba zabić pięć osób, żeby oficjalnie zostać uznanym za seryjnego mordercę – powiedział Denison przez telefon.

– Dlaczego pięć?

– Ty mi to wyjaśnij.

– Więc jak zabijesz cztery, to jesteś po prostu normalnym facetem, tylko charakterek masz okropny?

– Słuchaj, Steve, to jasne, oni się boją, że wybuchnie panika, kiedy przyznają, że ktoś morduje studentki z Cambridge. Wiesz, że na ich szczeblu połowa roboty to polityka i PR. Co, do diabła, by się stało, gdyby nagle turyści przestali odwiedzać miasto, a studenci wstępować tutaj na studia?

– Więc sądzisz, że słusznie postąpili, odbierając mi sprawę!?

– Oczywiście, że nie. Nie ma nic ważniejszego niż złapanie tego faceta. Mówię tylko, że rozumiem ich sposób myślenia.

– Tak, w tym zawsze byłeś dobry.

– Taki mam zawód.

– Powinienem wziąć książkę o Kubie Rozpruwaczu i pokazać im zdjęcie Mary Kelly. Wtedy zrozumieliby, jaka jest różnica, kiedy psychol, który chce się dowiedzieć, jak kobieta wygląda w środku, ma trochę więcej czasu i spokoju.

Denison wciągnął powietrze przez zęby.

– Hm, to przyniosłoby akurat odwrotny skutek. Kelly była ostatnią ofiarą: twój konkurent inspektor mógłby twierdzić, że postępowanie Kuby Rozpruwacza ilustruje tendencję do eskalacji, której w naszych morderstwach nie ma.

– Matt, na ile jesteś pewien, że to ten sam zabójca?

Denison się zastanowił.

– Na dziewięćdziesiąt pięć procent.

Weathers westchnął zdenerwowany.

– To co ja mam teraz, do diabła, zrobić?

– Złóż ponowne wizyty swoim świadkom i podejrzanym ze sprawy morderstwa Amandy. Pytaj ich, między innymi, o Elizę. Albo raczej pozwól, żeby pytali ciebie, bo pewnie będą. Szczególnie zabójca. Jeśli jest między ludźmi, których przesłuchiwałeś, to prawie na pewno będzie chciał się dowiedzieć, czy łączysz te morderstwa. Spróbuj się zaprzyjaźnić z MacIntyre'em. Powiedz: „Stary, bez urazy". Pozwól mu mieć własne terytorium. W końcu zmięknie i sam zacznie ci przekazywać informacje. Tymczasem spróbuj znaleźć kogoś z jego zespołu, kto będzie ci donosił, co wykryto podczas śledztwa. Dowiedz się wszystkiego, co się da o Elizie, ale tak, żeby nie wypłoszyć MacIntyre'a. Im więcej poznamy szczegółów, tym lepiej zrozumiemy, dlaczego zabójca wybrał właśnie tę dziewczynę. Przede wszystkim szukaj podobieństw między Elizą a Amandą. Wspólnych przyjaciół, cech osobowości, wrogów.

– Pojąłem. Dzięki, Matt.

– Zawsze do usług. Steve? On znowu zabije. I nie możesz z tego powodu czuć się winny. Teraz oni będą mieli krew na rękach.

Rozdział 12

ELIZA NIE CIESZYŁA SIĘ W ARIEL POPULARNOŚCIĄ. Potrafiła niechcący zrażać ludzi, a jeszcze lepiej wychodziło jej błyskawiczne odnajdowanie obolałych miejsc czyjejś psychiki. Drażniła je z ciekawością dziecka, które sprawdza, co się stanie, gdy posypie ślimaka solą. Tak czy inaczej, należała do grupy wydziałowych „osobowości"; wszyscy ją znali, przynajmniej ze słyszenia. No i była jedną z nich – studentką Ariel.

W ciągu roku po zabójstwie Amandy Montgomery na dobre ugruntowała się opinia o Ariel jako oblężonej twierdzy. Nie wiadomo czemu, powszechnie uznano, że zabójcą Amandy Montgomery jest ktoś z zewnątrz. Obcy, psychopata, zbieg z domu wariatów wdarł się do ich wieży z kości słoniowej, zamordował, a potem wtopił się w mrok. To nie mógł być jeden z nich: policja pobrała próbki DNA, prawda? I nikogo w konsekwencji nie aresztowano. Nie wiedzieli, że próbki DNA zebrano, ale na razie nie zostały przebadane. Odnotowano tylko, kto się nie zgodził na weryfikację.

Victor Kesselich snuł się teraz jak zjawa, rzadko wychodził z pokoju, nerwowo reagował na każdego, odkąd doszedł do wniosku, że wszyscy uważają go za zabójcę. Rob też się zmienił, ale o to oskarżano policję, która dokonała najścia, potraktowała ich wszystkich jak kryminalistów, aresztowała niewłaściwego człowieka i potem... nic. Co robili? Dlaczego jeszcze nie złapali mordercy? Dlaczego nawet nie powiedzieli im, co się dzieje? No i jeszcze dziennikarze, ta społeczna szumowina, która wyrywała ich słowa z kontekstu, przekręcała je, żeby wywołać pożądane wrażenie. Zrobili z Amandy świątobliwą męczennicę, potem, gdy ich to znudziło, przekształcili ją w dziwkę z Cambridge. Wreszcie, były rodziny i przyjaciele w rodzinnych stronach. Martwili się o nich, ale z dala, jak matki żołnierzy z Wietnamu, które, siedząc w przytulnych domach, wypłakiwały się w chusteczki, podczas gdy synom w każdej sekundzie groziła śmierć. I co z tego, że w odróżnieniu od żołnierzy studenci Ariel mogli wyjechać, kiedy tylko chcieli? To oznaczałoby dezercję, zdradę.

Wszyscy z Ariel założyli czarne przepaski. Mogli nie lubić Elizy, ale była jedną z nich.

Policja wydała oświadczenie. Owszem, zostało popełnione morderstwo, ale brakuje dowodów, żeby połączyć je z zabójstwem Amandy Montgomery. Funkcjonariusze dostali nakaz, żeby doprowadzać na przesłuchanie ćpunów i zarejestrowanych przestępców seksualnych.

Mimo zapewnień, że żaden wariat nie zaczaja się na studentki z Ariel, w ciągu paru tygodni niektóre na stałe wróciły do domu. Kolejnych pięć wyjechało podczas przerwy bożonarodzeniowej. Z siedemdziesięciorga studentów z roku Olivii w Ariel dwie studentki nie żyły, dziesięć wzięło urlop, siedem zrezygnowało z dalszej nauki albo zmieniło uniwersytety.

W dziale rekrutacji zanotowano dziwną tendencję. Spodziewano się znacznego spadku podań o przyjęcie do Ariel, ale okazało się, że było tylko dziesięć procent mniej niż przed morderstwami. Bliższa analiza ujawniła, że prawie wszyscy ubiegający się o wpis to mężczyźni, którzy w dodatku reprezentują poziom poniżej standardowego. Najwyraźniej morderstwa rzeczywiście wystraszyły ludzi – ale część postanowiła skorzystać z nieuchronnego spadku zainteresowania tą uczelnią. Szef rekrutacji porównywał ich do najemników, którzy pojawiają się w krajach, gdzie panuje wojna – chętni do zaryzykowania głową w zamian za okrągłą sumkę. Zwykł nazywać tych kandydatów ścierwojadami i z wielką przyjemnością wysyłał im listy z odmową. Finanse wydziału zależały od liczby studentów. Zwołano więc naradę kryzysową. Prawie wszyscy byli zgodni – nie wolno dopuścić do obniżenia standardów, więc zatem, co nieuchronne, zmniejszy się liczba przyjęć. Wydział, żeby przeżyć, musi zacisnąć pasa i zdać się na wspaniałomyślność wychowanków. Studenci nic o tym nie wiedzieli, trochę się zdenerwowali, kiedy podniesiono czesne.

– Więc teraz będziemy musieli płacić jeszcze więcej, żeby być przynętą dla psychopaty – złościła się Sinead. – Banda pieprzonych palantów.

– No i co dalej? – zapytał Weathers.

– Wyjaśnię Olivii, jak to jest z jej innymi osobowościami – odparł Denison.

Weathers odchrząknął po drugiej stronie linii.

– Okay... I co wtedy?

– Wtedy będę musiał się dowiedzieć, co inne osobowości mają do powiedzenia na temat morderstw – zamilkł.

– Skąd wiesz, że nie spodoba mi się to, co teraz chcesz powiedzieć? – zapytał Weathers.

– Tak, poddam ją hipnozie.

– Żartujesz. – Weathers się roześmiał.

– Nie. Z literatury jasno wynika, że to najlepszy sposób, żeby uaktywnić inne osobowości. To skrót prowadzący wprost do nich.

– Słuchaj, Matt, tylko postaraj się, żeby nie wywołać niczego, co zostanie przez sąd odrzucone jako syndrom fałszywych wspomnień. Jeżeli zacznie ci opowiadać, że te morderstwa były rytualnymi aktami jakiegoś kultu satanistycznego, to zasugeruj jej, żeby po hipnozie wszystko zapomniała, a potem spal swoje notatki z sesji, dobrze?

– Nie dołączę tego komentarza do notatek z tej rozmowy – powiedział Denison, wstrzymując śmiech. – Steve, wierz mi, sporo czytałem na temat syndromu fałszywych wspomnień. Przyrzekam, że co do joty zastosuję się do porad specjalistów.

– Więc żadnych pytań w stylu: „Czy zabiłaś tę dziewczynę?" albo: „Który z twoich kolesiów, czcicieli diabła, to zrobił?"

– Skoro nalegasz. – Denison podszedł do lodówki i wziął piwo.
– Przy okazji, Steve, jak się ma śliczna pani detektyw Sally Ames?

– Mówisz o ślicznej pani detektyw Sally Weathers?

– Na weselu Sally stwierdziła kategorycznie, że nie zamierza przyjmować twojego nazwiska.

– Pracuję nad nią. Uważa, że przeciętni posterunkowi nie poradzą sobie z dwojgiem detektywów o nazwisku Weathers w wydziale kryminalnym. Próbowałem ją przekonać, że jak się ma nazwisko Weathers, to dostanie się śliczny przydomek, na przykład „walnięty", ale to na nią nie podziałało. Mniejsza o to, a co u was, kochani? Jak miewa się Cass?

– Dobrze. – Denison upił łyk z butelki. – Za kilka tygodni wyjeżdżamy na Teneryfę.

– Ach, te stresujące wakacje we dwoje. Ale nie, przecież dobrze wam poszło na pierwszym wspólnym weselu.

– Tak, dziękuję, że zapytałeś ją wtedy, kiedy się pobierzemy – poskarżył się Denison, ale Weathers tylko się roześmiał.

– Powiedziała, że musi jeszcze trochę cię poszlifować, zanim będziesz zdatny do małżeństwa.

– O, naprawdę?

– Obawiam się, że tak. Wspomniała coś o świńskim zachowaniu w łóżku.

Denison cmoknął ze zniecierpliwieniem.

– Steve, jesteś zakłamanym draniem. Kończę.

Policja nie wydawała ciała Elizy prawie przez miesiąc. Rodzice postanowili urządzić uroczystości pogrzebowe w rodzinnym Richmond, więc grupka przyjaciół Elizy pojechała tam na dzień przed pogrzebem i wynajęła pokoje w hotelu.

Olivia i Nick obudzili się wcześnie. Długo leżeli obok siebie w milczeniu, oboje wpatrywali się w obraz na ścianie przedstawiający zaśnieżone sosny. Wreszcie Olivia oparła się na łokciu i pocałowała Nicka w czubek nosa.

– Wesołych świąt, kochany – powiedziała. Jej ciemne włosy były prawie czarne na tle białych ramion.

– Wesołych świąt, Liv. – Przyciągnął ją bliżej i pocałował w usta.

Z pozostałymi spotkali się w hotelowej jadalni. Sinead i Paula jadły grejpfruty; Godfrey siedział wpatrzony w filiżankę czarnej kawy.

– Dzień dobry – przywitali się przyciszonymi głosami.

– Cześć – powiedział Nick, patrząc z zaniepokojeniem na Godfreya, który nawet nie podniósł na nich oczu.

– Herbaty, kawy? – zapytała radośnie kelnerka.

– Dwie kawy, proszę – powiedziała Olivia. Usiedli przy końcu stołu.

Leo pojawił się w drzwiach jadalni w rozciągniętym podkoszulku i czarnych dżinsach.

– Ludziska, nie uwierzycie, co właśnie usłyszałem.

– Leo, co ty, do cholery, masz na sobie? – prychnął Godfrey.

– Spoko, facet. Nie pójdę w tym na pogrzeb. Przebiorę się w koszulę.

– Jezu Chryste. – Godfrey rozparł się w krześle. – Po co ty tu w ogóle przyjechałeś?

– No co? Eliza była dobrą koleżanką. – Leo wyglądał na urażonego.

– Jasne. Po prostu udawała, że cię lubi, żebyś dawał jej prochy za darmo, kutasie. Czy mógłbyś się chociaż łaskawie ogolić?

– Ogolę się później – mruknął Leo. – Jezu, to pogrzeb, a nie pokaz mody.

Godfrey z trzaskiem odstawił filiżankę. Część kawy wylała się na obrus. Wyszedł sztywno z jadalni. Z impetem otworzył drzwi, aż walnęły o ścianę.

– Mam za nim pójść? – zapytała Sinead.

– Nie. – Nick pokręcił głową. – Daj mu spokój.

– Spoko, ludziska, oskrobię się na czas – powiedział Leo. – Po prostu zadzwonił do mnie Danny i… nie uwierzycie, Suzy Marchmond nie żyje.

Suzanne Marchmond była jedną ze studentek, które wyjechały z Ariel po zamordowaniu Amandy. Z tego, co Olivia pamiętała, Suzanne udało się dostać na uniwersytet Sussex, na drugi rok. Przyjaźniła się z June, a ta opowiadała, że Suzy cieszy się ogromną popularnością wśród studentów w Sussex. Wszyscy chcieli poznać krwawe szczegóły ostatnich wydarzeń w Ariel.

– Co się stało? – zapytała Paula.

– Miała wypadek samochodowy. Wpadła na drzewo.

– Jezu – szepnęła Sinead.

– Czy policja coś podejrzewa? – zapytała Paula.

– Nie wiem. – Leo wzruszył ramionami. – A niby co mieliby podejrzewać?

– Hm, może Rzeźnik wkurzył się, że wyjechała? Chce, żebyśmy wszyscy zostali zapuszkowani w Ariel, a on będzie nas zabijać po kolei.

– Paulo, ponosi cię – powiedział Nick. – Co za pomysł! Rzeźnik biega wokół i zabija każdego, kto wyjeżdża z Ariel… to śmieszne.

– Niebezpiecznie zostać i niebezpiecznie wyjechać... – mruknął Leo.

– Leo, nie dolewaj oliwy do ognia. – Olivia stłumiła śmiech.

– To zupełnie inny przypadek – stwierdziła Sinead. – Myślisz, że Rzeźnik spychałby Suzy z drogi, skoro mógł ją dopaść i pociąć na kawałki? Nie sądzę.

– Elizy nie pociął – zauważyła Paula. – Podobno rozbił jej twarz o pień drzewa. Godfrey słyszał rozmowę policji z rodzicami Elizy.

– Nie wiemy nawet, czy to Rzeźnik ją zabił – powiedział Nick.

– Och, czyżby? – Paula zmrużyła oczy. – Tak na serio, czy ktokolwiek z was nie uważa, że Elizę zabił ten sam potwór co Amandę? – Rozejrzała się wokół stołu.

Nikt się z nią nie spierał.

Przed kościołem stała grupa fotoreporterów i dziennikarzy. Olivia zapamiętała radę sierżanta dyżurnego i powstrzymała się, żeby żadnemu z nich nie przyłożyć. Godfrey spotkał się z nimi dopiero tuż przed wyjściem. Wcześniej Olivia zastanawiała się, czy sam poszedł na pogrzeb, czy wrócił do Cambridge.

Ołtarz obsypany był liliami. Zauważyła Weathersa w eleganckim czarnym garniturze, czarnej koszuli i krawacie. Rozmawiał z niższym mężczyzną, który najwyraźniej rzadko oddawał odświętne ubranie do pralni. Guziki marynarki prawie odpadały pod naporem brzucha. Rozpoznała, że to policjant, który kieruje śledztwem w sprawie śmierci Elizy.

Zobaczył, że patrzy na niego, i ukłonił się ze współczuciem. Nie odwzajemniła uśmiechu. Pofatygował się przesłuchać włóczęgów, których wina polegała tylko na tym, że nie mieli domu, i jeszcze narzekał w prasie, jaki kłopot sprawia mu odszukanie pracowników wesołego miasteczka, żeby ich też przesłuchać. Nic dziwnego, że się nie ujawniali – łatwo byłoby zrobić z nich kozły ofiarne.

Studenci z Ariel nie rozumieli, dlaczego Weathers nie poprowadził także sprawy Elizy, dopóki nie zobaczyli, jak kilku funkcjonariuszy w eleganckich mundurach z nieco większą liczbą esów-floresów na czapkach i epoletach niż u przeciętnego krawężnika przybyło do Ariel z burmistrzem, żeby spotkać się z dziekanem. Potem wszyscy zaczęli wydawać oświadczenia, że między morderstwami z całą pewnością nie istnieje żaden związek.

„Tragiczna śmierć studentki Ariel College w ubiegłym roku była od-osobnionym wypadkiem. Sprawca na pewno wkrótce zostanie posta-wiony przed sądem", twierdziła policja. „Nasze statystyki wskazują, że Cambridge jest jednym z najbezpieczniejszych miast uniwersyteckich w kraju. Mamy nadzieję, że goście nadal będą tu przyjeżdżać, żeby po-dziwiać wspaniałą architekturę i cieszyć się przyjazną atmosferą".

Patrzyła z zainteresowaniem, jak ojciec Elizy odsuwa od siebie żonę i podchodzi do policjantów. Stała za daleko, żeby słyszeć, ale odniosła wrażenie, że z ust Bertrama Fitzstanleya popłynęły ostre słowa. Szcze-gólnie pod adresem inspektora MacIntyre'a. Weathers chyba próbował się wtrącić, niemal fizycznie, żeby bronić niższego kolegi, ale MacIntyre uniósł ręce w pojednawczym geście i wyszedł z kościoła.

Msza tradycyjnie rozpoczęła się modlitwą, potem najlepsza przyja-ciółka Elizy ze szkoły, Lucinda Franz-Hurst, przeczytała wiersz o tym, że zmarła jest teraz wiatrem w drzewach i pieśnią skowronka.

– Raczej kwakaniem kaczki – mruknęła Sinead, a Olivia z trudem za-chowała poważny wyraz twarzy. Sinead uwielbiała prowokować w naj-bardziej nieodpowiednich momentach.

Młody mężczyzna w białej koszuli nacisnął guzik przenośnego stereo – melodia *Tiny Dancer* Eltona Johna wypełniła kościół. Metaliczny dźwięk nie pasował do dostojnej budowli.

Kolejna koleżanka szkolna odczytała fragment XIX-wiecznej prozy, napisany przez mężczyznę dla swojej żony, która wkrótce miała zostać wdową. Zapewniał ją, że jest „tuż za rogiem". Pauli skończyły się chu-steczki higieniczne i musiała wziąć jedną od Olivii.

Wreszcie Olivia dostrzegła Godfreya. Spodziewała się, że będzie sie-dział niedaleko rodziców Elizy, ale on zajął miejsce kilka rzędów dalej. Właśnie podnosił do ust srebrną piersiówkę i upijał z niej łyk.

Denison, nieco speszony, wyprostował się na krześle, kiedy wpro-wadzono Olivię. Uśmiechnęła się do niego i usiadła.

– Wygląda pan na zmartwionego – zauważyła.

– Jest coś, o czym musimy porozmawiać. Szczerze mówiąc, to duża sprawa.

– Okay... – Ściągnęła brwi i pochyliła się do niego. – Nie chodzi o Nicka, prawda?

– Nie, o ciebie. Pamiętasz nasze ostatnie spotkanie?

– Jasne. W ubiegłym tygodniu.

– Nie, Olivio. Rozmawialiśmy wczoraj.

Otworzyła szeroko oczy i pokręciła głową.

– Jest pan pewien? Nie mam wątpliwości, że rozmawiałam z panem w zeszły piątek.

– Mylisz się, Olivio. Posłuchaj, przeczytam ci kilka imion. Powiedz mi, jeśli ci się z czymś skojarzą. Okay, najpierw Helen.

Skrzywiła się.

– Znałam Helen. Przyszła do mojej szkoły; zagraniczna uczennica z wymiany. Tylko tyle.

– A Vanna?

Pokręciła głową.

– Zapamiętałabym kogoś o takim imieniu!

– Christie?

– Nie.

– Mary.

– Barmanka w Ariel miała na imię Mary. I jeszcze nauczycielka muzyki w szkole. Chyba też jedna z moich ciotek.

– Kelly?

Znów zaczęła kręcić głową, ale nagle poczerwieniała.

– To trochę krępujące… jako dziecko wymyśliłam sobie przyjaciółkę o imieniu Kelly.

– Naprawdę? Ile miałaś lat?

– Mało. Trzy albo cztery.

– Jak długo trwała ta przyjaźń?

Olivia zmarszczyła czoło.

– Hm… To zabrzmi po wariacku, ale czasami czuję, że Kelly nadal jest gdzieś w pobliżu. Niekiedy słyszę jej głos. Wiem, że to tylko ja, moje myśli, ale ona zaczyna mówić, jakby musiała wtrącić swoje parę groszy. – Roześmiała się dziwacznie.

Denison popatrzył na ostatnie imię w notatniku.

– Jude?

Od razu pokręciła głową.

– Jesteś pewna?

– Oczywiście – prychnęła. Zaciskała pięści.

Denison nie chciał, żeby się zdenerwowała, bo prawdopodobnie obudziłoby to jedną z jej osobowości, więc naprowadził ją na myśli, które lubiła. Po jakimś czasie wrócił do głównego tematu.

– Olivio, wczoraj mówiliśmy o zanikach pamięci. Czy mogłabyś powiedzieć mi trochę więcej o takich przeżyciach?

Wyglądała, jakby ją na czymś przyłapał, jakby zdradziła mu niechcący jakieś tajemnice.

– Czasem spotykam się z ludźmi, którzy wydają się obcy, ale oni zachowują się tak, jakby mnie znali.

Pokiwał głową, uspokoił ją, że to nic złego i może mu o tym opowiedzieć. Ale Olivia tylko wzruszyła ramionami. Nie miała nic więcej do dodania na ten temat.

– Czy kiedykolwiek koledzy mówili ci, że coś powiedziałaś, a ty nie byłaś w stanie przypomnieć sobie rozmowy? – zapytał.

Pokiwała głową, nie patrząc na niego.

– Czy zdarzało ci się znaleźć w szafie jakieś ubrania, ale nie pamiętałaś, że je kupiłaś?

Znowu pokiwała głową, a on zauważył, że oczy zaszkliły się jej od łez.

– Czy zdarzyło ci się, że byłaś w jakimś miejscu i nie pamiętałaś, jak tam dotarłaś?

Wtedy spojrzała na niego, łzy spływały jej po policzkach.

– Pewnego razu obudziłam się i nie wiedziałam, gdzie jestem. Nie miałam przy sobie pieniędzy. Musiałam wracać pieszo na wydział i przez cały czas pytać o drogę. Powrót zajął mi dwie godziny.

– Co jeszcze, Olivio?

Przełknęła z trudem.

– Prace. W mojej skrytce na korespondencję znajdowałam prace poprawione przez prowadzącego zajęcia. Było na nich moje nazwisko. Ale nie pamiętałam, żebym je pisała! Nick pytał mnie czasem, dlaczego po raz trzeci czytam tę samą książkę. Pewnego razu... – Nabrała głęboko powietrza. – Kiedyś w szkole powiedzieli, że wagarowałam przez tydzień. A ja nie pamiętam, co robiłam, gdzie byłam. – Trzęsła się; ogarniała ją panika, jakby Denison zrobił głębokie nacięcie i uwolnił wszystkie wątpliwości. – Kiedy miałam siedemnaście lat, poszłam spać w grudniu, a obudziłam się w lutym! Przespałam siedem tygodni,

Boże Narodzenie i Nowy Rok! – przerwała nagle, zrobiła wydech. – Przepraszam. Nie chciałam podnosić głosu.

– Daj spokój, wszystko w porządku. Zdaję sobie sprawę, że to dla ciebie ciężkie przeżycie. Ukrywałaś te problemy przez wiele lat. Doskonale dawałaś sobie z tym radę. Ale Olivio, czas, żebyś pozwoliła nam sobie pomóc.

Spojrzała na niego, ocierając łzy z zaczerwienionej twarzy.

– Panie doktorze, proszę – wymamrotała. – Niech mi pan powie, co się ze mną dzieje.

Poprawił się w fotelu.

– Uważam, że masz osobowość wieloraką. – Wyglądała nijako. – Bywa to nazywane dysocjacyjnym zaburzeniem tożsamości.

– Jestem schizolem? – zapytała z niedowierzaniem.

Głęboko zaczerpnął tchu.

– Nie, schizofrenia to zupełnie co innego.

– Ale jestem wariatką?

– Olivio, masz problemy, ale możemy cię leczyć.

Pokiwała głową.

– Mówi pan, że nagle pojawia się inna osoba w mojej skórze?

– Olivio, to nie jest inna osoba. To nadal ty, tylko z zupełnie odmiennej strony. Do tego stopnia różnej, że macie odrębne pamięci, gusta, sposoby postępowania.

Oparła się i odsunęła od niego możliwe najdalej.

– Nie. To niemożliwe. Pan się myli.

Niechętnie wyjął odtwarzacz mp3.

– Chcesz, żebym odtworzył kawałek wczorajszej sesji?

Gwałtownie wciągnęła powietrze.

– Tak, proszę.

Denison już wybrał parę minut, stosunkowo neutralnych fragmentow. Choć i tak wystarczająco szokujących. Nacisnął guzik odtwarzania i popłynął głos Helen. W tandetnym głośniku brzmiał metalicznie.

„Jeśli chce mnie pan o coś zapytać, musi pan być bardziej bezpośredni. Nie zmanipuluje mnie pan tak, żebym otworzyła się bardziej niż chcę. Więc może pan być ze mną szczery.

Kto tam jest jeszcze, poza Olivią?

– Przyjrzyjmy się: Mary, ta inteligentna. Wprowadziła nas do Cambridge. Często nie chciało jej się ruszyć dupy i iść na egzaminy, więc Olivia parę razy wpadała w panikę. Kelly, chyba się pan z nią spotkał. To cicha myszka, wszystkiego się boi i w ogóle. Jest też Vanna. Chciałby pan, żeby stanęła po pańskiej stronie, gdyby mieli pana napaść. Christie jest najmłodsza, to taki szkrab. Jude. No i ja, Helen. Nie jestem najbystrzejsza, najsilniejsza ani najmłodsza. Chyba to ja trzymam wszystko w kupie i robię wszystko, żeby życie nie było dla Olivii za trudne. Widzi pan, ta biedna krowa nic o nas nie wie. Staram się, żeby przemiany przebiegały gładko, ale nie zawsze potrafię kontrolować pozostałe".

Nacisnął „Stop". Olivia była spięta; siedziała sztywno na kanapie. Oczy jej błyszczały i ni stąd, ni zowąd zrobiło się tak, jakby patrzyło się w lustro, a nie w okna czyjejś duszy. Minę miała beznamiętną, mięśnie się rozluźniły. Nagle, jakby ktoś wyregulował telewizor, dziewczyna nabrała wyrazu. Spojrzała na niego ponuro.

– Czy pan, do cholery, chce, żebyśmy dostały ataku paniki? Kurna, doktorze, czy nie mógłby pan być wobec niej trochę bardziej ostrożny? – Akcent był silny, głos twardy.

– Vanna?

– Tak.

– Wiem, że to trudne dla Olivii, ale chciałem porozmawiać o jej dzieciństwie. Helen powiedziała mi, że Olivię molestowano, kiedy była dzieckiem.

Vanna prychnęła.

– Nie ją jedną.

– Możesz mi o tym opowiedzieć?

Vanna zmrużyła oczy.

– Co, żebyś potem myślał o tym i walił konia w kiblu przy gabinecie? Kurwa, nie sądzę. A tak przy okazji, to nie twój pieprzony interes.

– Wbrew temu, co sądzisz, nie podnieca mnie słuchanie historii o mężczyznach wykorzystujących seksualnie małe dziewczynki. I nic na to nie poradzę, jeśli się przede mną zamkniesz.

Pokazała mu środkowy palec.

– Chcę już iść.

– Vanno, jeszcze nie skończyliśmy.

Wstała nagle.

– Nic mnie to nie obchodzi! Mary mówi, że chcesz się nas pozbyć. No, ja nigdzie stąd nie wyjdę, pieprz się!

– Vanno, nie chcę się was pozbyć. Chodzi o coś innego. Wszystkie zostaniecie zintegrowane, będziecie istniały razem. Połączycie się w jedną, pełną osobę.

– Chcesz mnie zintegrować z nim? – wychrypiała. – Z nim? Kurwa, nie ma mowy. Kurwa, nie ma mowy!

Rozdział 13

Śnieg padał w Cambridge przeciętnie kilka dni w roku i zawsze wtedy tabuny gorliwych fotografów krążyły po najpiękniejszych wydziałach. Najbardziej lubili utrwalać widok rowerów pokrytych białym puchem. Był mroźny dzień, w połowie stycznia, na początku przedostatniego trymestru w Cambridge. Olivia siedziała w barze Ariel z Paulą i Sinead, popijała z kubka zupę z automatu i starała się nie myśleć o rachunku za ogrzewanie. Przez drzwi wszedł, tupiąc, Danny. Buty miał całe pokryte śniegiem. Wsunął się na miejsce obok Olivii i podał jej lokalną gazetę.

„Elvis żyje!" – przeczytała. – „Do Cambridge przybędą najlepsze sobowtóry Elvisa i wystąpią 14 stycznia na Giełdzie Zbożowej".

– Nie ten kawałek! – Danny otrząsnął płaszcz. – Ten. – Wskazał tekst obok zdjęcia mężczyzny w średnim wieku, ubranego elegancko, w blezer, krawat, jak były wojskowy.

„Mortimer Grady odwiedzi w najbliższą środę Kościół spiritualistyczny przy Bailey Road. Poprowadzi wieczorek jasnowidzenia. Pan Grady jest znanym medium i odbył ponad tysiąc seansów w całym kraju, licząc od początku duchowej kariery, pięć lat temu.»Bardzo późno odkryłem, że mam ten dar«, mówi pan Grady.»Moja żona umarła siedem lat temu i krótko po jej śmierci poczułem, że nawiedza mnie jej duch. Powiedziała, gdzie znajdę jej obrączkę, która gdzieś się zapodziała. I proszę, była dokładnie tam, gdzie wskazał duch żony. Bardzo mi ulżyło, gdy się dowiedziałem, że jej dusza nadal żyje, więc kiedy zacząłem wyczuwać także inne duchy, chciałem podzielić się tą wiedzą z ich bliskimi. Nigdy się

nie spodziewałem, że takie tłumy zaczną przychodzić na moje seanse«.
Pokaz zaczyna się o ósmej wieczorem. Wejście po cztery pięćdziesiąt dla
członków Kościoła. Osiem dla pozostałych".

Olivia położyła gazetę na stole. Natychmiast chwyciła ją Paula i ponownie przeczytała artykuł.

– Chyba nie chcesz, żebyśmy poszli? – zapytała Olivia Danny'ego.

– O rany, powinniśmy – powiedziała podekscytowana Paula. – To może
być nasza szansa, żeby się dowiedzieć, jak to było z Amandą i Elizą.

Danny wzruszył ramionami.

– Jeśli się okaże, że facet to oszust, przynajmniej się pośmiejemy.

Olivia popatrzyła na Sinead.

– Nie pisnę ani słowa Nickowi, jeśli nie chcesz – powiedział rudzie-
lec i mrugnął.

Pedałowali przez śnieg, słabe reflektorki rowerów oświetlały płat-
ki opadające z czarnego nieba. Tuż przy Bailey Road Danny za szybko
wziął zakręt na śliskiej drodze i runął w sterty śmieci czekające na wy-
wóz. Taki widok, wzmocniony czterema szklaneczkami brandy, którą wy-
piły przed podróżą, sprawił, że Olivia i Sinead zaczęły chichotać, zanim
jeszcze dotarły na miejsce.

Kiedy przybyli, kościół – brzydka, betonowa budowla wzniesiona
w latach sześćdziesiątych – był prawie pełny. Usiedli na plastikowych
krzesełkach z tyłu – w ławach kościelnych nie znaleźli już miejsca – i cze-
kali, aż ukaże się Mortimer Grady. Sinead i Olivia ciągle się podśmiewały,
a Paula i obolały Danny próbowali je uspokoić.

Kiedy zaanonsowano Mortimera Grady'ego rozległy się gromkie brawa.
Ubrany był identycznie jak na zdjęciu w gazecie, nawet krawat miał ten
sam. Olivia zastanawiała się, czy dlatego, że bardzo dbał o swój wizerunek
publiczny, czy po prostu nie wziął ze sobą innego ubrania do Cambridge.

– Wyczuwam kobietę, kogoś starszego. Jej imię zaczyna się na e.
Emily... może Ethel.

Wstała jakaś pani, kurczowo ściskając torebkę.

– Znam Ethel.

Grady spojrzał na nią łaskawie.

– Tak, moja droga. Była krewną, kimś bardzo ci bliskim. Twoja matka?

Kobieta stanowczo pokiwała głową.

– Mówi, że martwi się o ciebie. Że teraz przeżywasz ciężki okres. – Znów potakiwanie. – Radzi, żeby się nie denerwować, że w końcu wszystko się wyjaśni. I żebyś nie martwiła się o pieniądze. – Kobiecie zaczął drżeć podbródek. – Tak, było mnóstwo stresu. Ale pieniądze nie są ważne według tej cudownej kobiety, która w tej chwili do mnie przemawia. Co takiego? Ethel mówi, żebyś kupiła sobie nowy płaszcz, ten, który oglądałaś. Naprawdę będzie ci pasował. Okay, okay, Ethel musi już iść. – Grady klasnął w ręce i popatrzył na córkę Ethel, całą we łzach. – W porządku?

Pokiwała głową i usiadła.

Przez kolejną godzinę Olivia patrzyła, jak Mortimer Grady urabia publiczność. Domyślała się, jak to robi. Na początku był bardzo niepewny co do imienia, dopóki nie uzyskał potwierdzenia od kogoś ze zgromadzonych. Potem patrzył na daną osobę i oceniał po wieku, wyglądzie, co mogło ją łączyć z „duchem". Przesłania były na tyle ogólne, że pasowały do każdego – kto nie ma problemów finansowych? – a bardziej szczegółowe kwestie wypływały na końcu, kiedy widz był gotów uwierzyć we wszystko, co Grady mu powie. „Nowy płaszcz? O tak, mój jest trochę za lekki na takie zimno. Jakie to podobne do mamy, że martwi się, żebym nie zmarzła". Przed dziewiątą Olivia z powodzeniem mogłaby przejąć prowadzenie.

W czasie przerwy popijali zagęszczony sok owocowy ze styropianowych kubków i rozmawiali. Danny i Olivia byli przekonani, że Mortimer Grady to oszust. Paula uważała, że jest niesamowity. Sinead wzruszyły łzy widzów i ich radość z kontaktu z zaświatami.

– Idę o zakład, że jeśli zobaczył nas na widowni, będzie wywoływał Amandę albo Elizę – stwierdziła Olivia. – Domyśli się, że to jedyny powód, żeby tu przyszli studenci.

Istotnie, od razu po przerwie przemówił do Grady'ego duch młodej kobiety w wielkich mękach.

– W jej imieniu jest dużo samogłosek. Andrea? Elizabeth? Odeszła przedwcześnie.

Nagle Paula wstała. W oczach miała łzy.

– Myślę, że to nasza przyjaciółka.

Grady pokiwał głową.

– Wita cię. Mówi, żebyś była ostrożna, że obok was czai się mroczna siła. Chce się dowiedzieć, czy pamiętasz, o czym rozmawiałyście nad rzeką.

Paula wyglądała na speszoną.

– Ale o którą przyjaciółkę chodzi?

Teraz czas, żeby okazać zdumienie.

– Nie wiesz, moja droga?

– Nie, bo nie żyją dwie nasze koleżanki. – Przez tłum przebiegła fala głośnych szeptów. – Jedna miała na imię Amanda, druga Eliza.

Odwrócił głowę w pustą przestrzeń za sobą.

– Mówi, że ma na imię Amanda. Eliza jest z nią, ale wstydzi się odezwać.

Olivia usłyszała dziwne krakanie i zobaczyła, jak Danny kładzie piegowatą rękę na ustach, próbując stłumić śmiech.

Paula pokiwała głową.

– Tak, Amando, pamiętam rozmowę nad rzeką.

Nad rzeką Cam, w centrum Cambridge było chyba z dziesięć mostów. Wydział znajdował się blisko rzeki. Ulubiony pub Pauli stał na brzegu. Olivia zastanawiała się, skąd Paula wie, o której rozmowie mówi Amanda, bo musiało ich być wiele.

– Czy mam rację, że Amanda odeszła z tego świata w gwałtowny sposób?

Paula pokiwała głową, dotykając palcami pierścionka na łańcuszku.

– Została zamordowana.

Wszystkie twarze w kościele były teraz zwrócone ku nim, ludzie wyciągali szyje, żeby popatrzeć na czwórkę studentów. Fakt, że przyjaźnili się ze zmarłą dziewczyną, najwyraźniej czynił z nich lokalnych gwiazdorów niższej klasy.

Grady zetknął palce dłoni.

– Tak, to musiała być ta mroczna siła, przed którą ostrzegała. O ile rozumiem, mordercy nie złapano?

– Nie – wyszlochała Paula. – Czy może powiedzieć, kto ją zabił?

Olivia pokręciła głową. Grady naprawdę się w to zaangażował. Zakaszlał, przytknął zwiniętą dłoń do ucha, nachylił się ku pustej przestrzeni.

– Przepraszam, kochana, tracę ją. Jest bardzo słaba. Co, Amando, co powiedziałaś? – Zrobił obolałą minę. – Przykro mi, odeszła.

– Wygodne – mruknął Danny.

Paula stała, czekała na coś.

147

Grady wyglądał tak, jakby szukał już w tłumie kolejnego celu. Nagle głowa poleciała mu do tyłu, powieki opadły. Tłum wstrzymał oddech przerażenia. Potem wszyscy pochylili się do przodu.

– Larwa, *strepsiptera* – zaskrzeczał jasnowidz.

Ułamek sekundy później uśmiechał się, jakby nic się nie stało. Wrócił do obrabiania publiczności.

Kiedy znaleźli się z powrotem na wydziale, pobiegli do biblioteki i na próżno szukali w encyklopedii hasła o larwie, która się wżera w ciało ofiary.

– Nie rozumiem, dlaczego was tak to niepokoi. – Olivia z cynicznym uśmiechem patrzyła, jak wyciągają słowniki i encyklopedie z półek. – To była tylko sztuczka, pic na wodę.

– Nie byłbym taki pewien – powiedział triumfalnie Danny, który zalogował się do jednego z bibliotecznych terminali.

Zgromadzili się wokół niego, kiedy patrzył na ekran monitora.

– „*Strepsiptera* to rząd owadów pasożytniczych. Wżerają się w ciało innego owada i tak dobrze go naśladują, że ten nie zdaje sobie sprawy, że jest stopniowo pożerany od środka. W końcu z gospodarza zostaje tylko zewnętrzna powłoka, a inne owady w ogóle nie zauważają, że nosi ją owad z rodziny *strepsiptera*".

– Myślicie, że ten straszny człowiek chciał nam coś przekazać? – Sinead gorzko się roześmiała. – Chodźmy. Muszę zapalić.

W gabinecie Denisona panował upał. Cholerne okno dało się uchylić tylko odrobinę, na wypadek gdyby jakiś zdesperowany pacjent próbował przez nie uciec. Denison z zazdrością patrzył na park naprzeciwko, gdzie na piknikowym kocu, w cieniu platanu siedziała parka, jedząc lody.

Wrócił na swoje miejsce. Koszula przylepiła mu się do pleców, kiedy rozparł się w fotelu.

– Olivio, kiedy rozmawialiśmy ostatnim razem, nie poszło tak, jak planowałem. – Uznał, że w tym przypadku najlepiej stawiać sprawy uczciwie. – Najwyraźniej przeżyłać za duży wstrząs, kiedy dowiedziałaś się, co przez całe lata wywoływało te „stany amnezji". Obawiam się, że jedna z twoich osobowości przejęła kontrolę, żeby cię chronić. Powiedz, co zapamiętałaś.

Wyglądała ładnie i schludnie, policzki miała rumiane. Zdawała się silniejsza. To dodało mu odwagi.

Rozłożyła ręce.

– Byłam tutaj. Potem z powrotem w pokoju; ból rozsadzał mi głowę. Mówił pan o… moim problemie. Pamiętam taśmę z nagraniem… rozmawiałam z panem jako jedna z moich osobowości. – Takie rzeczowe mówienie o swoim stanie sprawiało jej trudność, ale starała się być dzielna; podziwiał to. – Tyle. Leżałam w łóżku, na ramieniu miałam ślad po zastrzyku, więc doszłam do wniosku, że zrobiłam się… niegrzeczna. – Uśmiechnęła się.

Kiwnął głową.

– Myślę, że nadal byłaś bardzo pobudzona, kiedy wróciłaś do sali, więc musieli podać ci środek uspokajający. Olivio, ujawniła się jedna z twoich osobowości, Vanna. Zacząłem tłumaczyć, jakie leczenie należy zastosować w twoim stanie. Polega ono na stopniowym scalaniu wielu osobowości w jedną. Ten pomysł, zdaje się, sprawił, że wpadła w panikę. Dlaczego?

Olivia zmarszczyła brwi i wzruszyła ramionami.

– Panie doktorze, pan wie o mnie więcej niż ja.

Uśmiechnął się ze współczuciem.

– Cóż, Vanna może się nie obawiać, nie zamierzam zaczynać terapii. Ja muszę przede wszystkim…

Przerwała mu.

– Jak to?

– Olivio, moja rola nie polega na leczeniu ciebie. Jestem tutaj po to, żeby pomóc sądom w podjęciu decyzji, czy możesz uczestniczyć w rozprawie. A jeśli tak, to czy byłaś w stanie rozpoznać znaczenie i naturę przestępstwa w chwili, gdy je popełniłaś.

Otworzyła szeroko usta.

– O mój Boże – wymamrotała. – Chce pan powiedzieć, że to ja zabiłam?

Poniewczasie zrozumiał, że nie przemyślał dostatecznie swoich słów, i pośpiesznie zaczął ją uspokajać.

– Nie, Olivio, ty do niczego się nie przyznałaś. Ale są dobre powody, żeby myśleć, iż masz z tym coś wspólnego.

– Jasne – powiedziała uszczypliwie. – Bo inaczej dlaczego byłabym poddawana psychoanalizie? Tylko że nie wiedziałam, o co, do cholery, chodzi!

Tak, jest zdecydowanie silniejsza, pomyślał. Hm, no i dobrze. Odłożył długopis i notatnik, ustawił fotel naprzeciwko Olivii.

– Trzecie, ostatnie morderstwo, zdarzyło się dwa miesiące temu. Znaleźliśmy ciebie i Nicholasa w pokoju razem ze zwłokami. Oboje byliście we krwi. Nicholas miał na sobie ubranie, ale ty siedziałaś prawie naga, w szoku. Olivio, przez wiele dni nie wypowiedziałaś ani jednego słowa, nie wiedziałaś nawet, gdzie jesteś. Zajmowałem się tobą razem z innym lekarzem. Doszliśmy do wniosku, że trzeba cię zatrzymać na mocy paragrafu drugiego ustawy o zdrowiu psychicznym. Pozwala on nam monitorować stan twojego umysłu przez dwadzieścia osiem dni. W rzeczywistości minęło trzydzieści jeden dni, zanim zaczęłaś porozumiewać się z nami, samodzielnie jeść, o własnych siłach chodzić do łazienki. – Olivia siedziała sztywno, z założonymi rękami. Wyglądała, jakby nie chciała tego słuchać. Tym gorzej. – Nie pamiętałaś, jak dostałaś się tutaj i dlaczego nie możesz wyjść.

– Skoro wolno wam trzymać mnie tylko przez dwadzieścia osiem dni, to dlaczego nadal tutaj jestem?

– Po dwudziestu ośmiu dniach, w razie konieczności, pracownik opieki społecznej może odwołać się do paragrafu trzeciego. To pozwala nam przedłużyć pobyt pacjenta na kolejne sześć miesięcy.

– Nick też tu jest? – Widział, jak drżą jej ręce.

– Nie. – Poprawił okulary. – Obawiam się, że został aresztowany pod zarzutem morderstwa.

Do oczu dziewczyny natychmiast napłynęły łzy.

– Nie… – głos jej zamarł.

– Nie postawiono go w stan oskarżenia; wyszedł za kaucją, a policja nadal prowadzi dochodzenie.

– Ale on tego nie zrobił! – krzyknęła.

– Olivio, był zbryzgany krwią ofiary. Na nożu znaleziono jego odciski palców.

– Ale co on panu powiedział? Musiał mieć jakieś wytłumaczenie, nawet jeśli pan nie uwierzył!

Denison pokręcił głową.

– Stwierdził, że znalazł cię tam.

– A odciski palców?

– Powiedział, że tylko podniósł z podłogi narzędzie zbrodni. Olivio, to po prostu brzmi nieprawdopodobnie. Jest zbyt inteligentny, żeby zrobić coś tak głupiego.

– Panie doktorze, wrobili go, na pewno. Znam Nicka, on nie mógł nikogo zabić!

– Olivio, wiem, że go kochasz i chcesz mu pomóc. Ale tak naprawdę nie wiemy z całą pewnością, co wydarzyło się w tym pokoju. Chcę, żebyś mi powiedziała.

– Ale ja nie pamiętam.

– A może twoje inne osobowości pamiętają.

– Więc niech pan je zapyta!

– To nie takie proste. Nie można po prostu kazać im się ujawnić – przerwał. – Ale jest sposób.

– Jaki?

Olivia była zaskoczona, kiedy zobaczyła June za drzwiami. Otworzyła je, bo ktoś zapukał. June na tym roku przypadkiem miała pokój sąsiadujący z pokojem Nicka, ale ponieważ większość czasu Olivia spędzała ze swoim chłopakiem u siebie, widywała June zazwyczaj na wykładach.

– Cześć – powiedziała z zakłopotaniem June. – Byłam ciekawa, czy wybierasz się dzisiaj na seminarium z Szekspira.

Olivia popatrzyła na zegarek.

– Hm, myślałam o tym. Pisanie pracy dobrze mi idzie, więc może znajdę czas. Dzisiaj *Makbet*, co?

– Albo *Szkocka tragedia*. Sinead chce, żeby tak mówić. – June podniosła oczy.

Obie się roześmiały.

– Okay, zbiorę tylko swoje manele.

Olivia szerzej otworzyła drzwi, żeby June mogła wejść i zaczekać, kiedy ona zbierała długopisy, notatniki i książki. June rozglądała się po pokoju – jeszcze tu nie była. Zobaczyła zdjęcie w ramkach: Nick i Olivia wystrojeni jak stróż w Boże Ciało pozowali z kieliszkami szampana na dziedzińcu zalanym słońcem: kopię *Gwiaździstej nocy* van Gogha i plakat przedstawiający Louisa Armstronga z policzkami wydętymi jak balony przy ustniku trąbki.

– Co się stało z plakatem Mr Blonde? – zapytała.

– Och, wiesz – odparła niedbale Olivia. – Jest trochę stereotypowy. Studencki standard: jeden album Beatlesów, jeden plakat Tarantino, workowata bluza i narzekania na studenckie pożyczki.

– Teraz jesteś ponad to, co? – drażniła się z nią June.

Olivia zapatrzyła się na koleżankę, wreszcie postanowiła się uśmiechnąć.

– Tak, rozwinęłam się – odparła. – Okay, wzięłam wszystko.

Po seminarium poszły na kawę do baru w Picturehouse Cinema. Dziesięć minut dyskutowały o roli istot piekielnych – ducha Banka i wiedźm – w upadku Makbeta. Wreszcie June powiedziała, dlaczego szukała Olivii.

– Liv, proszę, nie zrozum tego źle... ale czy między tobą a Nickiem wszystko jest w porządku?

Olivia odstawiła filiżankę z kawą.

– Oczywiście. A co?

– Okay... Po prostu wczoraj wieczorem słyszałam, jak Nick wrzeszczał. Trochę się zaniepokoiłam. Darł się jak opętany.

– Więc nas podsłuchujesz.

– Nie! Oczywiście, że nie, Liv. Nic na to nie poradzę, że mieszkam z tym facetem po sąsiedzku, a ściany są cienkie. Słuchaj, wszystko naprawdę jest w porządku? Nic złego się nie dzieje?

– Nie wiem, o co ci chodzi – powiedziała Olivia z zaciętym wyrazem twarzy. – Był na mnie zły i miał do tego dobry powód. Zgodziłam się, że odbiorę jego mamę ze stacji, kiedy on miał konsultacje u swojego profesora, ale zapomniałam. Też bym się wściekła.

– Ale on naprawdę szalał, Liv. Tak się martwiłam o ciebie, że już chciałam do was zajrzeć.

– June, po prostu się pokłóciliśmy. Parom to się zdarza. – Wstała i zaczęła wkładać kurtkę. – Gdybyś miała związki, które trwają dłużej niż dwa tygodnie, to może wiedziałabyś, że kłótnie to jeszcze nie koniec świata. – Zarzuciła torbę na ramię i szybko zeszła po schodach.

Niebo miało kolor łagodnego różu, ciężkie chmury przesycała wilgoć. Olivia szła wzdłuż Backs, skręciła w prawo, w tylną bramę Ariel. Po obu stronach ścieżki, która wiodła nad rzeką do dziedzińca wydziało-wego, rosły późno kwitnące żonkile. Na ścieżce przed Olivią usiadł kos, chwycił dziobem okruszek chleba i uleciał w wieczorne niebo.

W barze Ariel tego wieczoru było spokojnie. Kolacyjny tłum najadł się i poszedł albo do pubów, albo do biblioteki, w zależności od poczucia obowiązku. Zostało tylko paru maruderów – parka pierwszoroczniaków tkwiła przyklejona przy automacie z zagadkami i zdaje się nie znała na-zwiska zabójcy Johna Lennona. Czwórka studentów z trzeciego roku stała przy stole bilardowym. Byli tam Leo i Sinead. W bilard grali jedynie Dan-ny i Nick. Leo i Sinead trzymali kije, ale bardziej nimi wymachiwali, niż popychali kule. Kiedy Olivia podeszła, Danny akurat próbował wyjaśnić Sinead, że teraz jej kolej, ale ona całkowicie go ignorowała. Nick trącił łokciem Danny'ego, żeby zajął kolejkę Sinead.

– Po prostu nie rozumiem, jak taki inteligentny, liberalny facet jak ty może być zwolennikiem kary śmierci? – spytała ostro Sinead.

Leo zgolił dredy w czasie ferii i teraz miał krótkie włosy ułożone w kolce. To uczesanie skojarzyło się Olivii ze zdjęciem powiększonych bakterii, które widziała kiedyś w jednym z podręczników Danny'ego.

– No, po kiego diabła państwo ma płacić dziesiątki tysięcy funtów na utrzymanie jakiegoś sukinsyna, który kogoś zgwałcił i zabił? – argumen-tował Leo.

– Na litość boską, Leo, wiesz, ile kosztuje egzekucja w Ameryce? Po-nad milion dolarów!

– O, to elektryczność jest taka droga? – spytał Leo z udawaną po-wagą.

Danny stłumił śmiech. Nick dał Olivii całusa i pozwolił jej upić tro-chę swojego piwa.

– To proces apelacyjny kosztuje takie pieniądze. Niektórzy z tych biedaków siedzą w celach śmierci po dziesięć lat albo i więcej.

– Więc skoro apelacja jest taka droga, to dlaczego po wyroku nie za-prowadzą ich za budynek sądu i nie strzelą im w potylicę?

– Jezu Chryste! – wybuchła Sinead. – A słyszałeś kiedyś o pomyłce sądowej?

Leo wzruszył ramionami.

– Nawet jak jeden na kilkuset jest niewinny, to może lepiej, jak bę-dzie gryzł ziemię, niż gdyby jakiś psychopata był bezkarny.

– Amen! – powiedział głos z sąsiedniego kubika.

Olivia nie zauważyła, że tam ktoś siedzi. Wychyliła się i zobaczyła Godfreya. Trzymał nogi na stole i podniósł szklankę z czymś, co wyglądało na whisky, w toaście za opinię Lea.

– Widzisz? Godfrey jest tego samego zdania – powiedział Leo, jakby to stanowiło rozstrzygający argument. – Idę o zakład, że chciałbyś, żeby stracono faceta, który zabił Elizę.

– Sam nacisnąłbym ten cholerny przełącznik – oznajmił Godfrey z obrzydliwym uśmieszkiem i wypił resztę drinka.

Sinead wolała nie rozpatrywać takich dylematów etycznych w obecności kogoś, kto miał osobiste powody do opowiadania się za karą śmierci. Dołączyła do Danny'ego i Nicka.

Olivia podeszła do Godfreya trochę dlatego, żeby mu zagrodzić drogę do baru po kolejnego drinka. Wcisnęła się na miejsce obok niego i poczuła ostry zapach alkoholu. Godfrey trzymał przy biodrze butelkę jacka danielsa. Zdjął zatyczkę i nalał sobie do pełna.

– Chcesz trochę? – zapytał.

– Nie, dziękuję. – Olivia skubnęła nitkę wystającą z obicia. – Godfrey, co z tobą? No wiem, że to głupie pytanie, ale wszyscy się o ciebie martwimy. Gdybyś kiedyś chciał z kimś porozmawiać… – głos jej zamarł; obawiała się, że może dostać reprymendę. Była zaskoczona, kiedy Godfrey w końcu zdobył się na smutny uśmiech.

– Dzięki, Olivio. Poradzę sobie. Szczerze mówiąc, jestem zaskoczony, że tak za nią tęsknię. Kiedy się spotykaliśmy, często myślałem, że ona jest dla mnie zajebistym kłopotem. – Zaręcił szklanką na stole. – Wiesz, że jankesi w kółko mówią o zamknięciu sprawy? Hm, chyba wiem, o co im chodzi. Czuję się, jakbym na coś czekał. Pewnie na to, aż złapią drania. A jeśli nie? Utkwię w tym piekle na zawsze.

Olivia zacisnęła dłonie.

– Może byłoby łatwiej, gdybyś stąd wyjechał. Z tym miejscem wiąże się dla ciebie mnóstwo wspomnień.

Godfrey skrzywił się.

– Tak. Ale jak odnaleźć się w środowisku, w którym ludzie niewiele z tego rozumieją. Tutaj jedziemy na tym samym wózku. Nie jestem pewien, czy dam radę wrócić do świata, gdzie wszyscy żyją długo i szczęśliwie i nikt nie stracił przyjaciela.

Olivia leżała na kanapie w gabinecie Denisona. Głowę oparła o poduszkę, ręce złożyła na brzuchu, skrzyżowała stopy. Denison widział, że nie jest zrelaksowana. Sam siedział z półtora metra dalej, chciał dać dziewczynie dużo osobistej przestrzeni.

– Ułóż się wygodnie, odpręż, weź tyle poduszek, ile potrzebujesz. – Z zadowoleniem zobaczył, że Olivia rozsuwa stopy, wygładzając spodnie i bluzkę.

– Okay – powiedziała.

– Zamknij oczy, rozluźnij się. Ręce połóż swobodnie wzdłuż boków – mówił łagodnym, dodającym otuchy tonem. – Skup się tylko na moim głosie. Nie zwracaj uwagi na odgłosy z zewnątrz. Czujesz się wypoczęta, zrelaksowana. Wyobraź sobie, że leżysz na wyspie, na plaży. Jest ciepło i bezchmurnie. Fale uderzają o brzeg, liście palm szeleszczą na wietrze. Ogrzewają cię promienie słoneczne. Spokój, odprężenie. Nie obchodzi cię cały świat. – Patrzył, jak oddech Olivii uspokaja się, pogłębia, dłonie się rozluźniają, stopy rozsuwają się szerzej. – Dalej na wyspie, na polanie między drzewami stoi stary kościół. Pusty, cichy, pełen spokoju. Idziesz między palmami do kościoła. Wchodzisz na gładką drewnianą podłogę. Światło wpada przez witraże, oświetla wnętrze jaskrawym błękitem, czerwienią, zielenią. Wstępujesz w różne odcienie światła. Czujesz, że skąpana w nich, za każdym razem jesteś inna. Z tyłu kościoła są ciężkie drewniane drzwi. Przechodzisz przez nie i stajesz na kręconych schodach. Zaczynasz po nich iść. Z każdym stopniem czujesz się coraz bardziej śpiąca. Ciążą ci powieki. Chcesz się tylko położyć i zasnąć. Z każdym stopniem jesteś coraz głębiej, głębiej, głębiej. Niżej, niżej, niżej.

Przerwał. Jak większość ludzi w transie hipnotycznym Olivia wyglądała, jakby spała.

– Doszłaś na sam dół schodów. Jesteś w bezpiecznym miejscu; tutaj nic ci nie grozi. Kiedy będziemy mówili o sprawach z przeszłości, będzie tak, jakbyś oglądała film na wideo. W każdej chwili możesz przerwać oglądanie albo zatrzymać film. Przewinąć do przodu lub do tyłu. Pogłośnić albo ściszyć, albo nawet wyłączyć dźwięk. Co chciałabyś pokazać mi na ekranie?

Oczy Olivii poruszyły się pod powiekami, jakby była w fazie snu REM.

– Kiedy ta dziewczyna została skrzywdzona – powiedziała ospałym głosem.

– Która dziewczyna?

– Tabhita Newland.

Denisonowi ścisnęło się serce. Kolejna ofiara, którą przeoczyli? Ktoś przed dziewczynami z Ariel?

– Pokaż, co stało się z Tabhitą Newland.

– Znęcała się nade mną. Znajdowała mnie na dużej przerwie, nawet kiedy się chowałam, i wyśmiewała mnie w obecności innych. Czasem biła po twarzy. To nie bolało, ale było upokarzające. Wiedziała, że może się na mnie wyżywać. Wyczuwała, że jestem słaba. Tamtego dnia wróciłam do domu w podartej kurtce, bo oderwała mi kieszeń. Mama wściekła się, a tata powiedział, że jestem żałosna. Nie potrafię dać sobie rady nawet z nastolatką. Pytał, gdzie ona mieszka. Powiedziałam mu, w Amhurst Park, dziesięć minut drogi.

Tabhita Newland. To pewnie ta dziewczyna ze szkoły, która złamała rękę w bójce z Olivią.

– Pojechaliśmy tam samochodem. Zobaczyliśmy, jak pali na placu zabaw i poczekaliśmy na klatce, aż będzie wracać do domu. Kiedy nas zobaczyła, próbowała uciekać. Tata złapał ją i uderzył w nos. – Olivia skrzywiła się, jakby chciała warknąć; głos stał się nagle głębszy i twardszy. – Żaden pieprzony bachor nie będzie znęcać się nad moją córeczką. Wykręcił Tabhicie rękę. Usłyszałam trzaśnięcie, jakby złamała się gałąź. Kazał jej przeprosić mnie. Kiedy to zrobiła, powiedział: „Dalej, Olivio, daj jej nauczkę". I popchnął ją w moją stronę. Ona upadła i leżała na ziemi, pochlipując. Krzyknął, żebym ją ukarała. Ale ja nie chciałam. Więc kontrolę przejęła Vanna i kopnęła Tabhitę. Potem usłyszałam, że ktoś wchodzi po schodach. Zobaczyli moją koleżankę, jak leży na ziemi i krwawi, pobiegli po pomoc. Tata uciekł. – Zaskoczyło go, że zachichotała. – To był jedyny raz, jaki pamiętam, kiedy tata mnie bronił.

Zaciekawiło to Denisona. Powiedziała: „Kontrolę przejęła Vanna". Czy to znaczyło, że Olivia była świadoma swoich innych osobowości, czy on rozmawiał z którąś z nich?

– Jak mam do ciebie mówić? – zapytał łagodnie.

– Kelly. – Ta wystraszona, która obrywała największe cięgi.

– Kelly, opowiedz mi o Olivii.

Zmarszczyła nos.

– Jest miła. Lubię ją. Niezbyt inteligentna, ale to nic, przecież my ją bronimy.

– To znaczy kto?

– Przede wszystkim Helen. Jest najstarsza, prawie dorosła. Zazwyczaj wie, co robić, co powiedzieć. Ja za bardzo się wstydzę. Mary też pomaga. Jest bardzo mądra, lubi czytać i uczyć się różnych rzeczy. Ona zabrała nas od niego.

– A Vanna?

– Potrafi być podła. Zazwyczaj wszystko pogarsza; często specjalnie wkurza ludzi. Ale czasem cieszę się, że jest pod ręką. Kiedy późno wracamy metrem. Albo kiedy jacyś bezdomni pyskują na nas, bo nie daliśmy im pieniędzy.

– A Jude? – Denison mówił łagodnym tonem, ale Olivia i tak natychmiast napięła mięśnie i zaczęła szybciej oddychać. – Kelly, nabierz głęboko powietrza i powolutku, powolutku zrób wydech... Tutaj jesteś bezpieczna. Nic ci nie grozi. Osłania cię niewidzialna bariera, przez którą nikt się nie przedostanie.

– On już jest w środku – wyszeptała Kelly. – Nie budź go.

– Chcę z nim pomówić – powiedział Denison.

– Nie – syknęła. Potem zmienił się jej wyraz twarzy; głos stał się pewniejszy, mniej melodyjny. – Panie doktorze, proszę. Niech pan nie próbuje wywołać Jude'a. To na nic. On jest... nieobliczalny.

– To ty, Helen?

Pokiwała głową.

– Mogę panu powiedzieć to, czego chciałby się pan dowiedzieć.

– Helen? Czy to Jude zabił te kobiety?

Zignorowała pytanie.

– Co mamy panu pokazać w tym filmiku o umieraniu, który oglądamy? Amandę? Elizę?

– Amandę – odparł po chwili.

Helen-Olivia zrobiła długi wydech.

– To było potworne, panie doktorze. Koszmar. Naprawdę chce pan tego wysłuchać? Jest pan pewien, że to pomoże?

– Tak. – Przygotował się na najgorsze.

Rozdział 14

MacIntyre jadł jajka z frytkami w ulicznym ogródku miejscowej kawiaren-
ki, jednocześnie palił drugiego z trzech papierosów, na które pozwolił
sobie podczas przerwy na lunch. Weathers usiadł naprzeciwko niego.

– Cześć, Steve – powiedział MacIntyre z pełnymi ustami.

– Cześć, Mac. Jak sprawy? Poproszę kawę – zwrócił się Weathers do
kelnerki. Było chłodno, ciaśniej otulił się płaszczem i przysunął do ogrze-
wacza stojącego na patio niedaleko stolika.

– Niedobrze, niedobrze. – MacIntyre nadział ostatnie cztery frytki,
wepchnął je do ust i z westchnieniem odsunął talerz. Podniósł palącego
się papierosa. – A u ciebie?

Weathers wzruszył ramionami.

– Zależy, czy pytasz o sprawy osobiste, czy zawodowe. Zawodowo,
moja sprawa leży i kwiczy. Osobiście jest doskonale. Sally zamierza zrobić ze mnie porządnego męża.

MacIntyre zdobył się na uśmiech.

– To wspaniale, Steve. Moje gratulacje. Oświadczyłeś się wtedy na
wspólnym wypadzie?

– Ej, to były romantyczne wakacje z narzeczoną, a nie weekendowy
wyskok.

– Tak czy siak, na pewno nieźle się zabawiliście. – MacIntyre wy-
dmuchał obłok dymu.

Kilka obrazów przemknęło przez głowę Weathersa razem z przela-
tującym obok dymem: Sally jęczy z rozkoszy w wielkiej, hotelowej wan-

nie; wilgotne włosy, ześlizgujące się ze skóry bąbelki piany; Sally liże mu ucho w gondoli, gondolier odwraca oczy z wszystkowiedzącym, włoskim uśmieszkiem; Sally owinięta miękkim białym prześcieradłem pochrapuje cichutko.

Kelnerka przyniosła kawę.

– A sprawa Montgomery? – MacIntyre wyglądał, jakby mu ulżyło, że nie tylko jego śledztwo utknęło w miejscu.

– Hm, przeprowadziliśmy gruntowne śledztwo, ale nie było znaczącego materiału dla badań kryminalistycznych. Mało znaleźliśmy. Jestem pewien, jak wszyscy diabli, że to jeden z tych kutafonów z Ariel, ale oni zwarli szyki. Zrobili podział na „my i oni". Gdyby się dowiedzieli, kto to zrobił, pewnie sami utworzyliby straż obywatelską i udusili drania.

MacIntyre parsknął, wypalił papierosa do samego filtra.

– Hm, ja to mam aż za dużo tych cholernych śladów. Wiesz, ile kondomów znaleźliśmy na metrze kwadratowym wokół ciała? – Zgasił niedopałek i zapalił następnego papierosa.

Weathers popijał kawę. Smakowała podobnie jak świństwo, które wypływało z automatu na komisariacie.

– Ale i tak na żadnym nie było DNA Fitzstanley.

– A mogło być?

– Mhm. Powiedziano mi, że nie wszystkie da się zbadać, tylko te najświeższe. Twierdzą, że to ewidentne marnotrawstwo dowodów. Ale zebrałem jeszcze około pięćdziesięciu niedopałków i dziesięć puszek po napojach gazowanych i piwie. Na trzech było DNA kobiet. Porównaliśmy DNA mężczyzn z próbkami, które pobraliśmy od paru z marginesu, ale nic z tego. Nie wiem, w każdym razie to był za daleki strzał. Po pierwsze nie sądzę, żeby zabójca palił papierosa albo popijał wodę gazowaną, kiedy wykańczał dziewczynę. A po drugie, nawet jeśli znajdziemy pasujące DNA, wystarczy, że koleś powie: „Tak, włóczyłem się tam przedwczoraj, wyrzuciłem peta w krzaki, no i co?" I nici z aktu oskarżenia.

– Zaczynam rozumieć, dlaczego zdaniem techników to marnotrawstwo dowodów – zgodził się Weathers. – Więc sądzisz, że zabójcą jest jeden z facetów, których przyskrzyniłeś?

MacIntyre popatrzył gniewnie, odsłonił pożółkłe od tytoniu zęby.

– Kto wie? Każdy z nich zatłukłby własną matkę, gdyby doszedł do wniosku, że zarobi na tym parę funtów. A paru z tych gości na haju rzuciłoby się na człowieka.

– Ale gdzie masz motywy? – zapytał Weathers. – Twierdziłeś, że chodziło o pieniądze. Jeśli już byli na haju, to po co mieliby szukać gotówki? Ci goście nie myślą dalej niż dziesięć minut do przodu.

– No to powiedzmy, że zrobili się napaleni. I zatłukli dziewczynę, kiedy im odmówiła.

– Myślisz, że ona dałaby się zwabić w zarośla takim żulom?

MacIntyre roześmiał się, dym buchnął mu z nozdrzy.

– O, wybacz, Steve, chcesz szluga? – Przesunął do niego paczkę dunhillów.

Weathers pokręcił głową.

– Nie, dziękuję. Próbuję się odzwyczaić.

MacIntyre skinął głową.

– Jak my wszyscy. Tak czy inaczej uważam, że poszła z nimi, bo myślała, że mają towar na sprzedaż. Najwyraźniej panna Fitzstanley lubiła kokę. Hm, nieudany gwałt to jedna z teorii. Rabunek to druga. Broniła się, kurczowo trzymała torebkę, więc się wściekli i zmiażdżyli jej twarz.

– Ale znów, Mac, jak to się stało, że znalazła się w krzakach?

– Może zachciało się jej siusiu.

– Taka dziewczyna poszłaby w krzaki? Skoro tuż obok było z pięć pubów?

MacIntyre wstał, rzucił parę monet na fornirowany blat.

– Ty nadal uważasz, że to był ktoś, kto ją znał, co?

– Daj spokój, Mac, to najlepsze wyjaśnienie, dlaczego zginęła taką śmiercią.

– A torebka? – Torebkę i buty pięć godzin po odkryciu zwłok w rzece Cam znaleźli wioślarze z łodzi należącej do wydziału. Brakowało tylko gotówki.

– Próbowano to upozorować na rabunek. Mac, wiesz, że chodziło o sprawy osobiste.

MacIntyre nagle znowu usiadł, miał skupiony wyraz twarzy.

– Steve, tracisz wątek. Zdecyduj się, czy to seryjny zabójca, czy nie? Seryjni zabójcy nie znają swoich ofiar. To nie jest dla nich sprawa osobista.

– Nie zawsze, Mac. – Weathers pokręcił głową. – Fred West znał niektóre ze swoich ofiar. Jedną z nich była jego córka! John Wayne Gacy zabijał dzieci, które u niego pracowały. Ed Kemper zamordował matkę i jej najlepszego przyjaciela.

– Widzę, że się naczytałeś – mruknął MacIntyre. – Ale nie pozwolimy, żebyś się zagalopował. Złapanie seryjnego zabójcy nie jest powodem do chwały. Nie daje splendoru. Po prostu robimy swoje i nieważne, czy chodzi o Kubę Rozpruwacza, czy o faceta, który zatłukł żonę, bo pieprzyła się z mleczarzem.

Papieros numer trzy dołączył do poprzednich w aluminiowej popielniczce i Weathers został sam, a ci, którzy siedzieli wokół niego, zastanawiali się, co takiego powiedział, że jego towarzysz odszedł w złym humorze.

Brzeg rzeki przy Ariel College usiany był jaskrawymi ręcznikami, turkusowymi, różowymi, jasnozielonymi, granatowymi. Większość studentek opalała się w szortach i kamizelkach, te bardziej pewne siebie w bikini.

June i Danny leżeli obok siebie. Olivia i Nick rzucili podręczniki na trawę i usiedli przy nich.

– Cześć – powiedziała June. Dla ochłody włosy zaplotła sobie w warkocz. – Mam wrażenie, jakbym was, ludziska, od wieków nie widziała. Jak egzaminy?

– Byłoby łatwiej, gdyby od czasu do czasu popadało – stwierdził Nick. – *Interpretacje kultur* Geertza przegrywają z tym słońcem.

– Mnie to mówisz? – June wyciągnęła ręce w górę, ciesząc się słonecznym ciepłem. – Nie zajrzałam do notatek z Chaucera od poniedziałku.

Danny naciągnął czapkę do krykieta niżej na twarz.

– O rany, czuję, jakbym płonął – powiedział cierpko.

June podała mu krem z filtrem.

– Hej, widzieliście Lea? – zapytała, uśmiechając się.

– Ostatnio nie, a co?

– Gdzieś tu się kręci. Prezentuje swoją nową fryzurę.

Dziesięć minut później od Mathematical Bridge nadpłynęła pychówka. Sterował nią energiczny młody człowiek ostrzyżony na jeża, w białej koszuli. Łódź była w kolorach Ariel, purpurze i bieli, więc towarzystwo przyjrzało się dokładnie sternikowi i pasażerom.

– O mój Boże, to on? – zapytał Nick.

Pychówka podpłynęła do brzegu. Facet stojący z tyłu zdjął okulary słoneczne Armaniego i uśmiechnął się do nich. Z taką porządną fryzurą, w klasycznej białej koszuli, Leo mógłby spokojnie uchodzić za bankiera z City na urlopie.

– Cześć, ludziska – zawołał. – Piękny dzień, prawda?

Godfrey siedział na poduszkach w łodzi; jedną ręką obejmował blondynkę, w drugiej niedbale trzymał skręta. Olivia rozpoznała pozostałych pasażerów – trzech chłopaków z włosami do ramion, w eleganckich butach – byli to koledzy Godfreya z Trinity College.

– Właśnie zabrakło nam pimmsa – powiedział Goffrey, przeciągając sylaby. – Macie ze sobą jakiś alkohol, co?

– Za piątaka sprzedam ci mocne piwo – zakpiła June.

Godfrey nie zwrócił na nią uwagi.

– Leo, podrzuć nas tam, gdzie ten fajny gość serwuje drinki.

– Czemu sam nie popłyniesz, mądralo – odparł przyjaźnie Leo i podał Godfreyowi drąg. – Złapię was w Grantchester.

Godfrey wymierzył drąg w jednego ze swoich kolegów.

– Rupert, łap.

Chłopak wziął drąg i wskoczył na tył łodzi. Mocno odepchnął pychówkę od brzegu. Popłynęli dalej. Godfrey uśmiechał się do nich błogo, znikając w gromadzie łódek pełnych francuskich i hiszpańskich nastolatków z pistoletami na wodę.

– Liv, może chciałabyś do nich dołączyć? – zapytała June. – Chyba zakumplowałaś się z Godfreyem.

– Nie mów tak – powiedział nachmurzony Nick. – Wcale go nie znasz. Zmienił się od śmierci Elizy.

– Jasne – prychnęła June. – Dlatego tak się kleił do tej blondynki.

– Ale nie widziałaś, jak się upił i czytał wiersze, które napisał o Elizie. – Nick mówił rozgniewanym głosem, ale June nie ustępowała.

– Pisał wiersze? – Roześmiała się. – Kurczę, bardzo bym chciała tego posłuchać.

Nick wstał i chwycił swoje książki.

– Idę do biblioteki – powiedział do Olivii i odszedł brzegiem rzeki.

Patrzyli, jak się oddala.

– Co ty w nim widzisz? – zapytała June.

– Słucham? – Olivia uniosła brwi.

– No, daj spokój, to grzeczny chłopczyk z prywatnej szkoły. Jakoś nie mogę sobie wyobrazić, jak dumnie kroczy Dalston High Street. Bałby się, że go obrobią dealerzy.

Danny odwrócił wzrok, skupił się na jakichś turystach po drugiej stronie rzeki, czuł się skrępowany tą wymianą zdań.

– Dlaczego uważasz, że miałby w ogóle zbliżać się do Dalston High Street? – odparowała Olivia z londyńskim akcentem, który jakoś zawsze wychodził na wierzch przy June. – Nie wrócę tam. Kurwa.

– Więc dokąd się udasz, panno Dolittle? Do Hampstead? Do Mayfair?

– Możemy zamieszkać w Oksfordzie – powiedziała Olivia. – Albo w Brighton, jeśli Nick zdobędzie kasę na magisterium.

– A co ty planujesz robić? Pytam o pracę.

Olivia wzruszyła ramionami.

– Jeszcze nie wiem. Poczekam i zobaczę, jak mi pójdą egzaminy końcowe.

– Więc w zasadzie twoje życie będzie zależało od tego, co zrobi Nick – wywnioskowała June.

– Ty zawsze masz problem w zrozumieniu, na czym polega istota związku. – Olivia uśmiechnęła się gorzko. Wstała, zebrała książki i poszła brzegiem tam, gdzie siedziała Sinead w wielkim kapeluszu z opadającym rondem i w bluzce z długimi rękawami. Na jej ręczniku leżał krem przeciwsłoneczny.

– W taką pogodę rudzielcom nie jest łatwo. – Zerknęła na Olivię spod zmrużonych powiek. Zobaczyła jej wyraz twarzy i się nachmurzyła. – Dobrze się czujesz, kochanie? – zapytała.

– Świetnie. Po prostu June to świnia.

– Nic nowego – mruknął Leo.

Sinead wyjęła butelkę oranginy z torby chłodniczej i podała Olivii.

– Napij się.

Wyciągnęli się na trawie, popijali mrożone napoje, kąpali się w promieniach słonecznych. Kiedy zbliżył się czas lunchu, Leo poszedł do sklepu po bagietki. Najwyraźniej zapomniał, że umówił się z Godfreyem. Czytali Miltona, Szekspira, Dostojewskiego i Homera. Kiedy ich to znudziło, sięgnęli po Jackie Collins, Johna Grishama i Stephena Kinga.

Olivia, leżąc na brzuchu, podparta na łokciach, zatopiona w *Mrocznej połowie* Kinga, usłyszała gwizd uznania. Odwróciła się. Wzdłuż brzegu przechadzała się Paula w jaskrawym bikini i powłóczystym sarongu. Dzwoneczki przy jedwabnych sandałkach podzwaniały za każdym krokiem, akompaniując falującym piersiom.

Podeszła do nich i okularami słonecznymi zgarnęła do tyłu lśniące czarne włosy.

– Coś wam pokażę. – Odwróciła się i odsłoniła pośladek. Przyklejony był do niego wielki biały opatrunek.

– Już ci mówiłem, Paulo, że musisz skończyć z tymi sesjami, jeśli chcesz, żebyśmy kiedykolwiek ze sobą chodzili – upomniał ją Leo.

Paula zignorowała go; odkleiła bandaż, żeby zaprezentować motyla wydzierganego na zaognionej skórze.

– Masz tatuaż! – pisnęła Sinead. – O mój Boże!

– Podoba się wam? Zajebiście boli.

– Jest śliczny – powiedziała Olivia.

– Wspaniały. – Leo omal nie zaczął się ślinić. – Gdzie ci to zrobili?

– W tym nowym salonie tatuażu przy Downing. Facet był naprawdę milutki, wziął tylko połowę ceny. Fajna buda, wcale nie obskurna. Mają drewnianą podłogę i pachnie tam jak w salonie piękności.

– Też sobie zrobię – zdecydował Leo.

– Papuga – zadrwiła Paula.

– Hej, w ubiegłym roku też chciałem sobie zafundować tatuaż, pamiętacie? Znalazłem ten salon w książce telefonicznej. Ale jak tylko przestąpiłem próg, powiedziałem: nie ma mowy. Ohydna, brudna nora. Ile zapłaciłaś?

– Dwadzieścia funtów; oferta specjalna. – Paula mrugnęła do Olivii.

– Dlaczego specjalna? – zapytała Olivia.

– Bo zrobił jej to na tyłku, idiotko – prychnęła Sinead. – No, to gdzie to jest?

– Niedaleko Oddbins, naprzeciwko Parker's Place. Też chcesz?

– Może. – Sinead się roześmiała. – Zależy, jakie mają wzory. Podobałoby mi się coś na cześć mojego irlandzkiego pochodzenia.

– Na przykład biała trójlistna koniczyna! – zażartował Leo. – Albo mały zielony krasnoludek.

– Odpieprz się! – zachichotała Sinead. Trąciła łokciem Olivię. – A ty, Liv? Walniesz sobie tatuaż?

– Myślisz, że Nickowi to by się spodobało? – zapytała nieśmiało Olivia.

– A co się przejmujesz? To twój chłopak, a nie twój ojciec.

– Na pewno mu się spodoba – stwierdził Leo. – Tatuaże są bardzo sexy.

– Możesz sobie zrobić serce z jego imieniem – podpowiedziała Sinead, spoglądając figlarnie. – Wtedy będzie szczęśliwy.

Salon tatuażu wyglądał przyjemnie: dużo światła, wypastowana drewniana podłoga i czyste białe ściany. W rogach, po obu stronach czarnej skórzanej kanapy stały drzewka kauczukowe. Recepcjonistka próbowała właśnie wyjaśnić czworgu niemieckich dzieci, że muszą mieć szesnaście lat, żeby się wytatuować, ale bariera językowa okazała się nie do przełamania.

– *Hallo* – zwrócił się do nich Leo. – *Sie sind nicht alt genug. Zurück in drei Jahren.* – Dzieciaki zrozumiały jego łamaną niemczyznę i rozczarowane odeszły, wydymając wargi. – *Tschüss!* – zawołał za nimi.

Włączone były cztery wentylatory, ale w salonie i tak panował upał. Paula, nie mogąc usiąść na obolałej pupie, wachlowała się egzemplarzem „Vogue'a", reszta szperała w katalogach z wzorami.

– Zmieniłaś zdanie? – zapytała Olivię, która zajęła miejsce tuż przy wentylatorze.

– Nie. Już znalazłam sobie wzór. – Podniosła kawałek papieru z orientalnymi znakami.

– Skąd to masz?

– Z ciasteczka z wróżbą – zażartowała Olivia, zamykając oczy. W podmuchu zatrzepotał jej kosmyk włosów.

Pojawił się mistrz tatuażu, trzydziestoletni facet w obcisłym szarym T-shircie, gładko ogolony, bez żadnych kolczyków. Wyglądał raczej na projektanta mebli dla IKEA niż na kogoś, kto znakuje ludzi płonącymi czaszkami. Mrugnął do Pauli.

– Za późno na zwrot kosztów, kotku!

Pierwsza poszła Sinead, bo bała się, że stchórzy, jeśli nie zrobi tego natychmiast. Kazała sobie wytatuować na kostce celtycki „wieczny węzeł", chociaż wiedziała, że im bardziej kościste miejsce wykłuwania tatuażu, tym zabieg boleśniejszy. Przez całe czterdzieści pięć minut z oczu ciekły jej łzy.

Lea do studia w piwnicy zaprowadziła kobieta pokryta tatuażami. Kiedy wrócił, wokół pępka miał wzory przedstawiające dyski i błyskawice. Udawał, że go nie boli, ale Olivia słyszała, jak klął, kiedy szedł korytarzem do toalet.

Mistrz tatuażu uśmiechnął się do Olivii, kiedy Sinead, kulejąc, szła w stronę kanapy.

– Następna ofiara – powiedział.

Usiadła w specjalnym krześle. On tymczasem podszedł do recepcjonistki i wręczył jej ulotkę z menu.

– Zadzwoń do Jade of the Orient, zamów 21, 17, 8 i co tam jeszcze chcesz. – Wrócił do Olivii. – W porządku, co szanowna pani sobie życzy?

Podała mu kartkę.

– Chciałabym to mieć na lewym ramieniu. Tej samej wielkości jak tutaj.

– Nie ma problemu. – Skopiował rysunek na specjalny papier i przeniósł go na skórę za pomocą purpurowego atramentu. Pokazał jej to w lustrze.

– Gotowa na kłucie?

– Zaczynajmy – powiedziała. Bolało jak przy wbijaniu szpilki. Bywało gorzej. Nawet nie mrugnęła.

– Olivia usłyszała Amandę. Kiedy mówiła o niej, na dziedzińcu.

– To było tego wieczoru, kiedy Amanda umarła?

– Tak. Rozmawiała z Sinead Flynn, opowiadała o konsultacjach, na których Olivia zrobiła z siebie idiotkę. Mary wszystkiego się wykuła, ale nie była w stanie przejąć kontroli, kiedy należało odpowiadać na pytania. A Olivia wpadła w panikę, a co gorsza, zbłaźniła się w obecności Amandy. A ta potem pożaliła się Sinead, że to zepsuło reputację wszystkim studentkom i że niektórzy wykładowcy tylko utwierdzili się w przekonaniu, że kobiety nie nadają się do Cambridge.

– I to rozzłościło Olivię?

– Nie. – Olivia-Helen roześmiała się, nadal leżąc na kanapie w gabinecie Denisona. – Uraziło. Sprawiło, że poczuła się gorsza. A to właśnie budzi Jude'a. – dodała niemal szeptem. – Olivia pozostała jeszcze z pięć minut, potem on przejął kontrolę. Prawie grzmotnął Nicka butelką i uciekł. Zobaczył, jak Amanda wraca z Porters' Lodge. Nie wiem, po co tam poszła. Może szukała czegoś w swojej skrytce na listy. Mniejsza o to, ruszył za nią do Hicks, do pokojów nad barem. Zapukał do jej drzwi. Otworzyła; nie wiedziała, że tak naprawdę wpuszcza potwora. Miał w ręku nóż; nawet nie mam pojęcia, skąd go wziął. Amanda uprzątała rzeczy z łóżka, notatki z wykładów i książki, żeby iść spać. Próbowałam przejąć kontrolę, panie doktorze, przysięgam, ale on zawsze jest taki silny! Nie cofnie się, dopóki nie dopnie swego. Byłam tam uwięziona... musiałam patrzeć, co on robi. – Helen zaciskała zęby, podbródek jej drżał. – Amanda odwróciła się, a Jude po prostu się na nią zamachnął. Krew... wszędzie... pryskała na ściany. Amanda upadła na łóżko. Rozciął na niej sukienkę i rzucił za siebie. Potem usiadł na nagim ciele i dźgał, dźgał, dźgał. Pragnął widzieć krew, unicestwiać. To jego obsesja, rozrywanie na kawałki. – Helen z trudem przełknęła. – Na pewno chce pan tego słuchać?

Denison odchrząknął.

– Przepraszam, Helen, ale muszę.

Westchnęła.

– Kiedy skończył dźgać, szał mu trochę minął. Widział jaśniej. To właśnie wtedy odciął jej piersi i rozszarpał uda.

– Dlaczego?

– Żeby pozbawić ją płci. Żeby była odrażająca. – Przełknęła gwałtownie, nozdrza miała rozdęte, ciężko oddychała. Denison poczekał chwilę. Wreszcie znów się odezwała: – Wbił nóż w ranę na szyi, zaczął przecinać skórę i wszystko, aż dotarł do kręgosłupa. Potem wbił nóż między kręgi i... i... – Helen nagle odwróciła się na bok i zwymiotowała na podłogę.

Sprzątaczki zrobiły, co mogły, ale pod mocnym zapachem płynu do wykładzin nadal wyczuwało się lekki odór wymiocin.

– Matt, zechciałbyś otworzyć to cholerne okno? – zapytał Weathers.

Denison pokręcił głową.

– Jest zablokowane. Żeby nikt nie wyskoczył.

– Na przykład ja. – Weathers trochę pozieleniał. – Nie powiedziała, co zrobiła z głową?

Denison wytarł okulary o krawat.

– Mówi, że wtedy udało się jej uciec od Jude'a i żadna z jej osobowości nie wie, co działo się między tamtą chwilą a przebudzeniem po paru godzinach.

Weathers spojrzał na przyjaciela, zaskoczony jego bezbarwnym tonem.

167

– Słuchaj, Matt, wydobyłeś zeznanie. Powinieneś być zadowolony.

– Z czego? – prychnął Denison, poprawiając okulary. – Biedne dziecko, które ojciec puszcza w obieg pedofilom, a między jednym a drugim sam je bije i gwałci. A kiedy dziewczyna dorasta, chce krzywdzić ludzi. No, to jest dla mnie cholernie oczywiste, jakbyś pytał.

– No dobrze, to co, puścimy ją? Powiesz, okay, zabiłaś troje ludzi, ale miałaś takie przesrane dzieciństwo, że my ci wybaczamy?!

– Przestań, Steve. Mówię tylko, że kiedyś ona też była czyjąś ofiarą. Nie sprawia mi przyjemności, że pomagam ci ją zamknąć.

– Hm, partnerze, czeka nas jeszcze długa droga. Musi powtórzyć to zeznanie wobec mnie i zrozumieć swoje prawa, dopiero potem zostanie skazana. O ile zgodzisz się, żeby stanęła przed sądem.

– Jeśli o to chodzi, Steve, to nie wiem...

– Matt, to jest porąbana psychopatka!

– Jest chora. Powinna przebywać w szpitalu, a nie w więzieniu, i taki będzie wynik, bez względu na to, czy stanie przed sądem, czy nie.

– Skąd taka pewność? Przysięgli mogą nie być tak łatwowierni jak ty.

Denison wydawał się zaszokowany.

– Nie wierzysz mi?

Weathers przesunął się na fotelu.

– Bo ja wiem? Matt, dla mnie to totalna świruska.

– Była molestowana. Mówiła o tym.

Teraz Weathers naprawdę wyglądał nieswojo.

– Tak, znaleźliśmy u niego mnóstwo dziecięcej pornografii.

– Jak to?

– Zrobiliśmy nalot na sklep i mieszkanie Croscaddenów pod pretekstem poszukiwania skradzionych rzeczy. Nie znaleźliśmy egzemplarzy dziecięcej pornografii, ale w komputerze miał około siedmiu i pół tysiąca zakazanych zdjęć z dziećmi. Pójdzie siedzieć na długo.

Denison był przerażony.

– Po prostu wpadłeś tam, nie konsultując się ze mną? Czy ty w ogóle zdajesz sobie sprawę, co zrobiłeś?

Weathers wreszcie spojrzał na niego.

– Tak, zamknąłem sadystycznego pedofila, który gwałcił dzieci przez dwadzieścia lat. Do diabła, co w tym złego?

– Zrobiłeś to, bo Olivia mi o tym powiedziała. Nawet nie ona, ale jedna z jej osobowości! Steve, to nie to samo co zgłoszenie przestępstwa! Chryste, Olivia nawet sobie nie uświadamia, że ojciec ją molestował. Powinniśmy jej o tym najpierw powiedzieć i uzyskać pozwolenie, zanim się tam wpakowałeś. To nie w porządku, odebrałeś tym dzieciom możliwość podejmowania decyzji!

– Ona nie jest dzieckiem, Matt, to dorosła kobieta. I co? Rodzice się obrażą, przestaną się do niej odzywać? Cholera, jaka szkoda!

– A co z jej niepełnoletnimi siostrami? Myślisz, że pozwolą Olivii jeszcze się z nimi widywać?

– W tej sprawie chyba niewiele będą mieli do powiedzenia. Te zdjęcia wrobiły też panią Corscadden. I to wystarczająco, żeby oddać córki opiece społecznej.

– No to wspaniale, prawda? Wszystko dobre, co się dobrze kończy.

– A co? Lepiej zostawić je pod opieką pary zboczeńców?

– Olivia powiedziała, że nie tknął innych dzieci. – Weathers nie odzywał się, więc Denison naciskał. – No? Znalazłeś jakieś zdjęcia z siostrami Olivii? Znalazłeś?

Inspektor pokręcił głową.

– Nie.

– Ale za to mnóstwo z Olivią?

– Tak – powiedział cicho Weathers, patrząc Mattowi prosto w oczy. – Mimo wszystko to jej nie tłumaczy, Matt.

– Nie zamierzam jej tłumaczyć – zaprotestował Denison. – Po prostu potrafię współczuć tej dziewczynie. Nie znasz tego uczucia?

Weathers gwałtownie wstał i podszedł do okna. Był gorący, letni dzień. Widział ludzi spacerujących po ulicach za grubymi szpitalnymi murami. Niektórzy się uśmiechali. Nie wiedzieli, jacy są szczęśliwi. Pomyślał, że gdyby większość ludzi zobaczyła to, co on widział, świat zatrzymałby się w miejscu.

– Wiele dzieci jest maltretowanych i nie wyrastają z nich mordercy – powiedział, stojąc plecami do Denisona. – Większość. Dają sobie z tym radę. Stają się przyzwoitymi, dobrymi ludźmi. Najczęściej nie odreagowują na innych krzywd, których sami doświadczyli. Nie możesz stwierdzić, że nie ponosi odpowiedzialności za morderstwa. Istnieje coś takiego jak wolna wola.

Denison pokręcił głową.

– Nie rozumiesz. Jest takie miejsce w wolnej woli, że jak cię do niego zagnają, to robi ci się już wszystko jedno. Zadawanie bólu i cierpienia staje się dla ciebie ważniejsze niż to, czy społeczeństwo cię za to potępi. Możesz wiedzieć, że to zło, bo ci tak powiedziano, ale nie czujesz tego. I trudno cię za to winić.

– Mówisz, że Olivia nie ma sumienia? – Weathers odwrócił się od okna.

– Na pewno nie ma go osobowość, która zabiła te dziewczyny. Możliwe, że jest zlepkiem funkcji motorycznych i manii zabijania.

Olivia włóczyła się bez celu w czarnym topie, w którym widać było jej świeży tatuaż. Nick z początku podchodził do niego z lekką dezaprobatą, ale kiedy powiedziała mu, że chińskie znaki symbolizują wieczność i że zrobiła to z myślą o nim, poczerwieniał i mocno ją ucałował.

W Cambridge nastał dzień Strawberry Fair. Fani New Age, hipisi, nastolatki i studenci zjechali się ze wszystkich stron, żeby uczestniczyć w festiwalu rockowym. Błonia Midsummer były pełne stoisk, namiotów do tańca, koców ze srebrną biżuterią i psów. Nęcący zapach hamburgerów i solonych chipsów unosił się nad polami.

Nick i Olivia spacerowali po jarmarku. Tu i ówdzie zatrzymywali się, żeby Olivia mogła popatrzeć na kolczyki i kolorowe T-shirty, a Nick obejrzeć płyty kompaktowe, muchołówki amerykańskie i kaktusy.

– Słyszałaś, że Leo wybrał się na giełdę pracy? – zapytał Nick Olivię, która kupowała przycisk do papieru w kształcie żółwia.

– Nie mów! – Roześmiała się. – Myślałam, że zamierza w nieskończoność doić skarb państwa. Chyba że poszedł tam, bo dają darmowe jedzenie. Najwyraźniej muszą mieć niezły bufet.

– Nie, myślę, że naprawdę szuka pracy. Zrozumiał, że sprzedawanie narkotyków na wydziale to jedno, ale ten zły, wielki świat to zupełnie inna para kaloszy.

– Przestraszył się, że gliny go zastrzelą, co? – zachichotała Olivia.

– Cóż, nie sądzę, żeby się ktoś zmartwił, że będzie miał konkurenta w postaci Lea.

– A zastanawiałaś się, co sama będziesz robić? – zapytał Nick, starając się, żeby pytanie zabrzmiało swobodnie.

Olivię odrzucały takie rozmowy.

– Hm, zobaczymy, do czego przydaje się dyplom z literatury angielskiej. Może będę zarabiała na życie, analizując dzieła Szekspira? Albo pisząc rozprawy o wpływie emancypacji na literaturę XX wieku?

Nick wyminął pijaczka śpiącego na trawie z napełnionym helem balonikiem w kształcie diabła tasmańskiego przywiązanym do lewego ucha.

– Nie bądź złośliwa. Mogłabyś zostać na uczelni. Albo pisać recenzje do czasopism i dzienników.

– Albo zrezygnować już teraz i pójść do pracy w Burger Kingu. Nick, proszę, nie chcę rozstrzygać w środku Strawberry Fair, co będę robić przez resztę życia. Może lepiej najpierw zobaczmy, jak mi poszły egzaminy, a potem podyskutujemy. – Objęła go w pasie i uśmiechnęła się. – Okay?

– Okay. – Pocałował ją w czoło. – Masz ochotę na makaron?

– Jasne. Ale potem już wróćmy; muszę powtórzyć swoją Virginię Woolf przed jutrzejszym egzaminem.

Denison miał roztargnione spojrzenie, które jego dziewczyna Cass dobrze znała. Nazywała to miną „zagubionego w Lalalandii". Jej ulubionym sposobem, żeby sprowadzić Matta na ziemię, do realnego świata, było klapnięcie mu na kolana. Nieodmiennie podskakiwał zaskoczony, a ona śmiała się przez dobre pięć minut.

Ale wiedziała, że ciężko mu idzie z przypadkiem Olivii Croscadden i tym razem się nad nim zlitowała. Usiadła na kanapie, wzięła jego rękę, gładziła go po palcach.

Denison westchnął, potarł oczy pod okularami.

– Ciężki dzień? – zapytała Cass.

– Koszmarny. Nie uwierzyłabyś.

– Spróbuję.

Uniósł się i odwrócił, żeby na nią popatrzeć.

– Nie mówiłabyś tak, gdybyś wiedziała, co ci powiem.

Poszła do kuchni, wyciągnęła korek z butelki merlota i nalała dwa kieliszki. Wróciła i jeden wręczyła Mattowi. Potem zapaliła trzy wielkie świece zapachowe na stoliku i włączyła jakiś spokojny utwór fortepianowy. Zawsze uważał, że Cass byłaby dobrą terapeutka od relaksacji.

– Spróbuję – powtórzyła.

Złamał więc zasadę tajemnicy lekarskiej i opowiedział jej, jak zahipnotyzował Olivię, żeby dowiedzieć się, co się działo tego wieczoru, kiedy Eliza Fitzstanley została zamordowana. Ani on, ani Weathers nie byli na sto procent pewni, czy Elizy nie zabił ktoś inny niż Rzeźnik z Cambridge. Obawiał się, że Olivia opisze zwyczajny wieczór z fajerwerkami i wyprawą do wesołego miasteczka, i nawet nie napomknie o śmierci koleżanki. Najpierw opowiedziała mu o wizycie u wróżki.

– Wszystkie karty jakby mówiły o moim dzieciństwie – wyznała z zamkniętymi oczami, leżąc bezwolnie na kanapie. – Powiedziała mi, że jestem gotowa do poświęceń i zbyt uległa. Wspomniała mojego ojca, to, jaki był potężny. Stwierdziła, że muszę sobie wybaczyć.

– Co, według ciebie, powinnaś sobie wybaczyć? – zapytał Denison.

– To, że byłam takim niewdzięcznym bachorem dla rodziców. Że uważałam się za lepszą od nich, lepiej ustawioną w życiu. – Potem przeszła do opisywania fajerwerków, ogniska i Godfreya, który szukał Elizy.

– Więc to nie ona zabiła tę drugą dziewczynę? – zapytała zaskoczona Cass.

– Hm, zrozumiałem, że daleko nie zajdę, rozmawiając z Olivią. Inne osobowości zawsze dbały, żeby niczego się nie dowiedziała, łącznie z tym, że molestowano ją jako dziecko. Poprosiłem więc, żeby pojawiła się Helen.

– Dziękuję Olivio. Teraz chciałbym skontaktować się z Helen. Helen, proszę, żebyś wyszła i porozmawiała ze mną. Kiedy będziesz gotowa, podnieś prawą rękę.

Po chwili sztywna ręka Olivii uniosła się nad poduszkami.

– Dzień dobry, Helen.

– Witam, panie doktorze.

– Olivia właśnie opowiadała mi o święcie Piątego Listopada. Słuchałaś jej?

Dziewczyna się roześmiała.

– Tak, biedna krowa. Wyobraża pan sobie: poczuła wyrzuty sumienia, że źle traktowała rodziców! Tarot mocno ją wystraszył, ale nie miała nawet pojęcia dlaczego. Kobieta dotknęła bolesnego miejsca kartą z cesarzem. Nasz ojciec, władca swojego imperium. I my, zwisające z drzewa jak ofiara rytualna. Potem wyjęła kartę szamana, osoby, która widzi inaczej niż „zwykli śmiertelnicy". Miała szczęście, że wtedy nie ujawnił się Jude – przerwała. – Karta sprawiedliwości znaczyła dla nas tyle, że nie powinnyśmy się obwiniać za to, co zrobił Jude.

– A potem?

– Olivia wpadła w panikę. Uciekła z przyczepy, jakby jej ktoś rozpalił ogień pod tyłkiem. Nie powinna znajdować się w takim stanie. To ją odsłania wobec nas, wobec Jude'a. Zwłaszcza że to zwariowane babsko powiedziało jej: „Z waszego związku z Nickiem nie będzie niczego dobrego". To zadziałało jak detonator. Pojawiła się Kelly. Nie wiedziała, gdzie jest, panował hałas, wokół było mnóstwo ludzi. Kelly nie lubi tłumu. Chciała wrócić do pokoju, na wydział. Ale wpadła na Elizę, na Jesus Green.

Przy tych słowach Denison jeszcze bardziej się wyprostował. Olivia oczywiście opowiedziała o tym, że pili w pubie i że wtedy po raz ostatni widziała Elizę.

– Co się stało?

– Eliza była pijana. Pytała, gdzie Godfrey i powiedziała Kelly, że ma ochotę się pieprzyć. Kelly nie rozumiała, o czym mowa. Eliza trąciła ją łokciem i zapytała, czy nie sądzi, że Godfrey wyglądał w Prada na podjaranego. Kelly, biedne dziecko, zapytało: „Gdzie jest Prada"?, jakby to był kraj, do którego jeździli na wakacje. Eliza popełniła ten błąd, że wybuchnęła śmiechem. Ten śmiech hieny sprawił, że Jude wyskoczył ze swojej ciemnej jaskini. Powiedział Elizie, że chce jej coś pokazać i zabrał ją między drzewa. Wskazał na pień. Ale ona nic szczególnego nie widziała. Poradził, żeby przyjrzała się bliżej, jeszcze bliżej. Była kilkanaście centymetrów od pnia, kiedy złapał ją za głowę i rąbnął jej twarzą o korę. Wydała taki śmieszny dźwięk, jakby skowyt. Z nosa pociekła krew. On nadal trzymał ją za włosy, znowu trzasnął nią o pień. Myślę, że wtedy zemdlała, bo już się nie opierała. Uderzył nią o pień jeszcze z pięć razy. Kopał, kiedy leżała na ziemi. Jej twarz wyglądała jak miazga z krwi, skóry i mięsa.

Spod prawej powieki Helen wypłynęła łza. Upadła na kanapę, zabarwiła materiał na ciemno.

– A kto wpadł na pomysł, żeby zabrać buty i torebkę? – zapytał Denison, kiedy wydawało się, że Helen nie ma już nic więcej do dodania.

Wykrzywiła usta.

– Ja. Znowu nas zmusił, żebyśmy mu pomogły. Zaproponowałam, żeby zabrać torebkę i buty. Chciałam, żeby policja uznała, że ktoś zabił Elizę, bo potrzebował pieniędzy. Mieliśmy zakrwawione ręce, więc je wytarliśmy o płaszcz Elizy i zostawiliśmy ją tam. Po drodze do hangaru, gdzie umówiliśmy się z Nickiem, wrzuciliśmy torebkę i buty do rzeki. I pozwoliliśmy Olivii wrócić. Nie zdawała sobie sprawy, że straciła świadomość, nawet wtedy, kiedy znalazła w kieszeni więcej pieniędzy. Panie doktorze, ta karta sprawiedliwości kłamała; jesteśmy równie złe jak on, prawda?

Cass odstawiła kieliszek z winem. Nadal był pełny.

– Matt, nie rozumiem, jak ty to robisz. – Nadal trzymała go za rękę. – Jak możesz znieść to wszystko, co usłyszysz?

– Dzięki tobie; mam do kogo wrócić do domu. – Pocałował ją w dłoń. Miał ściśnięte gardło. – Ty odsuwasz na bok ciemność i zło. Sprawiasz, że wiem, iż na świecie istnieje światłość i dobro.

Przyciągnęła go blisko, objęła miękkimi, obleczonymi w kaszmir ramionami. Położył głowę na jej łonie i zamknął oczy. Świece płonęły, płomyki odbijały się w odstawionych kieliszkach z winem.

Co rano studenci ostatniego roku z Ariel zbierali się na śniadanie w wielkiej sali i dzielili się koszmarami, które ich prześladowały.

Tego ranka przyszła kolej na Danny'ego.

– No i śniło mi się, że już po egzaminach, a ja jestem na wakacjach, na południu Francji, i cieszę się wolnością. Opalam się, czytam książkę, piję wino, jem chleb z serem. Postanawiam popływać w basenie, więc idę do pokoju po ręcznik. Wyciągam go z torby, a razem z nim wypada kartka. Spoglądam, a to mój rozkład egzaminów. I wtedy widzę, że ostatni egzamin jest wyznaczony na dzisiaj rano. Myślałem, że zdałem wszystkie, że już po robocie, a tu jeszcze jeden! I wtedy się obudziłem.

Leo rozejrzał się wokół stołu z uniesionym długopisem, żeby zanotować wynik.

– Sześć – powiedziała Paula.

– Siedem – zagłosowała Sinead. – Podobało mi się okrucieństwo wakacyjnej oprawy.

– Dwa. Brak realizmu – stwierdził Godfrey.

– Sześć – powiedziała Olivia. – Mój sen o tym, jak zostałam aresztowana za kradzież długopisów z sali egzaminacyjnej był bardziej kafkowski.

– Nie, sen o długopisach, które przemieniają się w chrząszcze, byłby kafkowski. – Danny pokazał Olivii język.

– A gdzie twój kochaś podziewa się dzisiaj rano? – zapytała June, która wstrzymała się od głosu.

Olivia zauważyła, że smak jej soku grejpfrutowego i głos June mają ze sobą wiele wspólnego.

– Wczoraj zdał ostatni egzamin, więc pewnie leży gdzieś w rynsztoku, twarzą do ziemi. Albo odsypia w swoim pokoju.

– Szczęściarz – mruknęła Paula. – Jak on śmie mieć za sobą ten koszmar, kiedy przede mną jeszcze cztery egzaminy?!

– Zaczął tydzień wcześniej – zauważył Leo.

Po swoim złym śnie Olivia zwykła nosić na każdy egzamin sześć długopisów, paranoicznie zakładając, że inaczej będzie musiała pożyczyć coś do pisania od któregoś z egzaminatorów.

Egzaminy okazały się trudne. Na ostatnim roku studiów opracowywano część tematów egzaminacyjnych. Nie było gwarancji, że te pytania pojawią się na testach i zawsze istniała możliwość, że trafi się na coś, o czym nie ma się zielonego pojęcia.

To przydarzyło się Danny'emu podczas przedostatniej sesji. Próbował improwizować; na próżno mozolił się nad napisaniem wypracowania z ledwie zapamiętanego wykładu. Wyszedł zrozpaczony, udał się do najbliższego pubu, wypił osiem dużych piw, dowlókł się do Ariel i zwymiotował do fontanny.

– To nie w porządku – wymamrotał do June, która znalazła go pół godziny później, nadal wiszącego nad brzegiem fontanny. – Napisałem pracę. Zaliczyłem. A ten cholerny system egzaminacyjny kopnął mnie prosto w dupę.

Po ostatnim egzaminie Olivia poczuła się dziwnie przybita. Wiedziała, że powinna szaleć z radości, mieć ochotę na świętowanie. A jednak gdyby ktoś dał jej maszynę czasu i możliwość cofnięcia się o trzy lata, na pewno rzuciłaby się na tę szansę.

– Wszyscy mówią, że to dołuje – pocieszała ją Sinead, która miała przed sobą jeszcze dwa egzaminy. – Ciężko pracowałaś przez trzy lata i wszystko sprowadziło się do kilku testów. Oczywiście są one ukoronowaniem całych studiów, ale ty tego tak nie odbierasz.

– Dajcie spokój, chodźmy, wypijemy po koktajlu – zaproponowała Paula, już pijana i na pewno daleka od depresji, o której mówiła Sinead.

– A może po prostu jest ci smutno, że dobiegł końca ten etap twojego życia – zasugerowała Sinead. – Bywało ciężko, jeden Bóg wie, jak bardzo, ale nawiązaliśmy przyjaźnie na całe życie. Z drugiej strony pomyśl, jak dobrze będzie uwolnić się od tego miejsca. Żadnego chodzenia parami po zmierzchu, żadnych urządzeń alarmowych po kieszeniach. Ani obaw, że jakiś psychol wedrze się do pokoju w środku nocy i rozszarpie cię na strzępy. Liv, całe życie przed nami.

Valerie Hardcastle zawsze robiła się nerwowa, kiedy Nick wyjeżdżał z domu. Stawała przy neotudoriańskim oknie wychodzącym na podjazd, skubała bawełnianą chusteczkę i czekała, aż syn wróci.

Geoff położył żonie rękę na ramieniu, żeby ją uspokoić.

– Nie martw się, Val, zaraz będzie. Może pójdziesz do oranżerii, a ja zrobię ci herbaty?

– Pojechał tylko do sklepu – powiedziała. – Do tej pory powinien już być z powrotem.

– Oj, przestań. Wiesz, że idzie się tam co najmniej dziesięć minut. Daj spokój, kochanie. Jak on się poczuje, kiedy wróci i zobaczy, że wypatrujesz go jak jastrząb?

Pozwoliła zaprowadzić się do oranżerii; czarne i białe kafelki posadzki nagrzały się od słońca.

– No to co chcesz, earl greya czy english breakfast? – zapytał Geoff.

– Proszę earl greya.

– Zaraz przyniosę.

Valerie spojrzała na ogród i trawnik zieleniejący w słońcu. Skakał po nim kos, szukając robaków. Popatrzył na nią oczami jak paciorki, ale kiedy się pochyliła, żeby lepiej się przyjrzeć, odleciał i zniknął. Nasłuchiwała odgłosów przy drzwiach wejściowych.

Tydzień wcześniej zwerbowała Nicka do pchania wózka w sklepie ogrodniczym. Ktoś go rozpoznał: wielki mężczyzna z bokobrodami i czerwoną twarzą – najwyraźniej czytał w brukowcach sensacyjne reportaże o ostatnim morderstwie w Ariel. Splunął na Nicka, ślina ześlizgnęła się po dżinsowej kurtce chłopaka.

– Powinno się ciebie zastrzelić – wycedził z ciężkim akcentem z Oxfordshire. – Niepotrzebnie znieśli karę śmierci.

To przemądrzałe, bańczuczne oburzenie tylko rozdrażniło Valerie.

– Uważaj no. – Wycelowała wymanikiurowanym palcem w twarz mężczyzny.

Nick chwycił ją za ramię.

– Daj spokój, mamo.

Mężczyzna z czerwoną twarzą powiedział swoje i skierował się do drzwi, jego nadęta żona mruknęła w ich stronę coś o hańbie i poszła za wielkoludem. Valerie zacisnęła pięści tak mocno, że złamała sobie paznokieć. Geoffa nie było przy tym, nie widział nienawiści w oczach tego człowieka, więc nie potrafił zrozumieć, dlaczego Valerie niepokoiła się o syna. A co, jeśli jeszcze ktoś go rozpozna i zechce zrobić coś więcej, niż tylko na niego napluć?

Geoff wrócił do oranżerii z herbatą. Wtedy właśnie usłyszała krzyki przed domem. Skoczyła tak szybko, że wytrąciła kubek z ręki Geoffa; porcelana roztrzaskała się o posadzkę.

Valerie z rozmachem otworzyła drzwi, zobaczyła Nicka, jak stawia czoło innemu młodemu człowiekowi, ciemnowłosemu, średniego wzrostu. Dziewczyna z długimi, kręconymi, rudymi włosach stała między nimi, próbując powstrzymać Nicka, żeby nie uderzył tamtego. Wyglądało na to, że Nick zadał już parę ciosów – koszula przeciwnika była rozerwana; lewy policzek płonął mu czerwienią. Otwarty pojemnik z aerozolem leżał na żwirze.

– Nick, dzwonię po policję! – zawołała Valerie w panice.

– Nie trzeba, mamo – odparł. – Oni już sobie idą.

Pojawił się Geoff, przecisnął się obok żony, on nie potrzebował wsparcia.

Chłopak odsunął się bez słowa. Dziewczyna ustawiła się między nim a Nickiem, na wypadek gdyby chcieli dokończyć walkę. Już przy furtce zatrzymała się.

– Powiedz prawdę, Nick, do cholery – zawołała z irlandzkim akcentem.

Oboje wsiedli do samochodu zaparkowanego dalej, przy drodze i ruszyli.

– Nic ci się nie stało, Nicholasie? – zapytała Valerie.

– Jest w porządku. – Przeszedł sztywno obok ojca i chwycił dwie torby z zakupami, które zostawił przy końcu podjazdu. W drodze powrotnej do domu nachylił się i podniósł pojemnik z aerozolem.

– O co, do diabła, poszło? – zapytał Geoff. I wtedy spojrzał na ścianę frontową. Na cegłach, obok drzwi wejściowych, napisali jasnoniebieskim sprayem pierwsze pięć liter słowa morderca.

– Nie martwcie się – mruknął Nick, nie patrząc na rodziców, kiedy wchodził do środka. – Zmyję to.

Rozdział 15

Wyniki ogłoszono w dniu balu absolwentów. Sinead, Paula i Olivia po drodze do fryzjera zatrzymały się przy gmachu senatu i sprawdziły listy nazwisk wywieszone w oszklonych gablotach na zewnętrznej ścianie budynku.

– O rany! – zawołała Paula, szturchając Sinead w ramię. – Dostałam najlepszą lokatę!

– Moje gratulacje! – Sinead pocałowała ją w policzek. – Cholera, dostałam 2:1.

– Nie wygłupiaj się, to fantastyczna ocena – powiedziała Paula.

Obie spojrzały na Olivię stojącą dalej, przy murze. Wzruszyła ramionami.

– Przepisowo, 2:2.

– Najlepsi mają 2:25. – Danny pojawił się niespodziewanie. Objął ją ramieniem i uściskał.

– Ty też dostałeś jeden? – zapytała.

– Tak. Tyle, jeśli chodzi o magisterium w Bristolu.

– Przykro mi.

Zrobił kwaśną minę.

– Jak poszło Nickowi?

– 2:1. Ucieszył się.

– A co z resztą anglistów?

Olivia z trudem przełknęła zazdrość i ponownie przejrzała wyniki, jakby nie była w stanie ich zapamiętać.

– June i Leo mają najlepsze lokaty.

179

Paula postukała w zegarek.

– Spóźnimy się. Chodź, ty dwa do dwóch.

– Wychodzisz dzisiaj wieczorem? – zapytała Olivia Danny'ego.

– Tak. Spotkamy się. Przekaż Nickowi gratulacje ode mnie.

– Jasne.

Fryzjerki układały ich włosy w łagodne fale, robiły loki, podpinały. Olivia poczuła się, jakby miała zagrać główną rolę w jakimś biblijnym eposie. Nick roześmiał się, kiedy zobaczył ją z wytworną fryzurą, ale nadal w T-shircie z Garfieldem. Skręcało ją, gdy miała mu powiedzieć, że dostała tylko 2:2.

Objął ją mocno.

– Po prostu za bardzo się zestresowałaś na egzaminach. To nic nie znaczy.

– Poza tym, że jestem tępa.

– Wcale nie! Twoja praca roczna była świetna. Po prostu nie idą ci egzaminy. A przy okazji, sprawdziany też. – Sprawił, że się roześmiała. Poszedł za ciosem. – Przynajmniej wypadłaś lepiej niż Laurence Merner. Zarobił dostateczny.

– Żartujesz! Co się stało?

– Kto wie? Rob rzucił go w ostatnim semestrze. Najwyraźniej Laurence mocno to przeżył.

– Jak poszło Godfreyowi?

– Nie jestem pewien. Nie słyszałem. A Leo?

– Dostał najlepszą lokatę. Jak mu się to, do cholery, udało? Przez trzy lata chodził naćpany.

– Ale ostatnie trzy miesiące spędził w bibliotece. Olivio, tutaj nie ma głupich. Pamiętaj, że do Ariel trafiają najinteligentniejsi dwudziestojedno-latkowie w kraju. Dzielą ich setne procent. Jak sądzisz, jaka to jest różnica jakościowa?

– Żałuję, że tak nie myślę – powiedziała cicho. – Ale wydaje mi się, że nawet między inteligentnymi umysłami istnieje przepaść. – Wyszarp-nęła się i wyjęła suknię balową z szafy. – Cholera, dlaczego nie robią nam po prostu testów na inteligencję?

Nick się roześmiał.

– Bo oczekują, że się czegoś nauczymy, głuptasie. Dyplom to do-wód, że jesteś wykształcona, a nie, że masz IQ powyżej 120. Hej, jaka piękna kreacja.

– Oglądanie jej przed balem przynosi pecha – powiedziała sarkastycznie Olivia. – No, zmiataj. Wróć o wpół do ósmej.

Wzięła długą kąpiel. Zignorowała pięć osób, które pukały do drzwi, niecierpliwie czekając na swoją kolej. Włosy ostrożnie trzymała z dala od gorącej wody, ale pod wpływem pary loki zakręciły się jeszcze bardziej. Usiadła owinięta w ręcznik przy biurku i zaczęła się malować. Złocista szminka podkreślała opaleniznę.

Brązowa suknia balowa – mocno wycięta, z odkrytymi plecami i paskiem wokół szyi – obnażała gładkie ramiona i niedawno zagojony tatuaż. Pasowała świetnie. Nikt nie miał pojęcia, ile za nią zapłaciła.

Przyszedł Nick i razem wybrali się na bal.

Złamana na pół kredka do oczu została na biurku.

Był balsamiczny czerwcowy wieczór. Łagodne i ciepłe powietrze pachniało jaśminem kwitnącym na głównym dziedzińcu. Przemienieni na jeden wieczór w czarujące istoty studenci Ariel przechadzali się po terenie wydziału w smokingach, w jedwabnych i satynowych sukniach.

W Carriwell Court jarzyły się chińskie lampiony. Kolorowe lampki mrugały na brzegach wielkich białych markiz ustawionych na trawnikach przed kaplicą. Na głównej scenie swingowała kapela, a ci studenci, którzy już byli podpici, skakali na gumowym zamku.

Nick wręczył Olivii kieliszek szampana, stuknęli się.

– Za koniec epoki – zawołał radośnie i spostrzegł, że pobielały jej kostki palców. – Coś nie tak powiedziałem? – zapytał, kiedy nie chciała spojrzeć mu w oczy.

Spróbowała się uśmiechnąć.

– Nie, oczywiście, że nie. Chodź, poszukamy Godfreya. Zakładam się o dychę, że włożył biały smoking.

Godfrey świsnął ich żetony, wygrał w ruletkę i podzielił się z nimi wygraną. Był już pijany, robił się nieznośny, więc go zostawili. Słońce zachodziło, zostawiając różowe i pomarańczowe smugi na horyzoncie. Poszli na diabelski młyn, śmiejąc się na myśl, że będą podziwiali Ariel z lotu ptaka. Potem wpadli na Sinead i Lea. Dostali ataku chichotu, próbując zderzyć się elektrycznymi samochodzikami.

– Chodźcie na archersa i lemoniadę – zaproponowała Sinead i zaciągnęła ich do straganu z lekkimi trunkami. Spotkali tam June, gawędziła z koleżanką, włosy miała splecione w długie warkocze.

– Wyglądasz fantastycznie. – Olivia z podziwem patrzyła na jasnożółtą suknię June.

– Ty też. Skąd wytrzasnęłaś tę niesamowitą kieckę?

– Jest od Debenhamsa – oznajmiła radośnie Olivia.

– Naprawdę? – June zmarszczyła brwi. Wślizgnęła się za Olivię i mimo jej protestów wyciągnęła metkę z sukni. – Jezu, Liv, szyta na zamówienie. Myślałam, że jesteś spłukana.

Nick też zmarszczył brwi. Wiedział, że Olivia nie dostawała pieniędzy od rodziców. Żyła ze studenckiego kredytu i hojności overdraftu na koncie.

– Kupiłam na kartę kredytową – wyjaśniła.

– Na jaką kartę kredytową? – zapytał.

Wszyscy popatrzyli zdziwieni; rozmowa stała się nieprzyjemna.

– Nie informuję cię o szczegółach mojej sytuacji finansowej – powiedziała Olivia ściszonym głosem, a Sinead próbowała zacząć z Dannym nowy temat, udając, że nie zauważyła sprzeczki.

– Wielkie długi na karcie to ostatnia rzecz, jakiej potrzebujesz – oburzył się Nick. – Dlaczego mi nie powiedziałaś? Pożyczyłbym ci pieniądze.

– Nie chcę twojej cholernej forsy! – prychnęła Olivia.

– Doskonale! – Zniecierpliwiony uniósł ręce. – Idę poszukać Lea. Na razie. – I poszedł w stronę markiz.

– Dzięki, June – wycedziła Olivia z sarkazmem. – To było wspaniałe. – Odwróciła się i podeszła do straganu. Poprosiła faceta za ladą o podwójnego drinka, bez mieszania.

– Przepraszam! – powiedziała June. – Nie wiedziałam, że w oczach Nicka ta suknia wygląda, jakby była ze szmateksu.

– Chrzań się – warknęła Olivia, wypiła alkohol i pokazała, że chce jeszcze.

– Liv, na litość boską, daj spokój! – krzyknęła June. – Wiem, jak bardzo pragniesz uszczęśliwić Nicka, dopasować się do niego i jego kolegów. Tylko po co? To nie dla ciebie! To kretyni z prywatnej szkoły, rozpieszczani przez całe życie, a ty jesteś dziewczyną z East Endu. Tatuś ma sklep ze starzyzną, a mamusia nie wiedziałaby, jakich sztućców użyć, gdyby nie były, cholera, oznakowane. I nie ma w tym nic złego! Ale tu jest problem! Bo ci dranie chcieliby, żebyś wstydziła się swojego pochodzenia. A tak naprawdę zaszłaś dalej niż oni, Liv. I powinnaś być z tego dumna.

Wszyscy umilkli. Sinead spurpurowiała, patrzyła w dół na trawę między nowymi butami. Prawdopodobnie ona jedna wiedziała, jak wierny był opis rodziców Olivii. Koleżanka June położyła jej rękę na ramieniu.

Olivia nie odwróciła się. Opierała się o ladę z napojami, dłonie trzymała płasko na mokrej powierzchni, ramiona miała przygarbione. Kelner przyglądał się jej, czuł się niezręcznie. Wzięła szklankę z alkoholem, odchyliła głowę i połknęła zawartość jednym haustem.

– Jeszcze jeden, proszę.

Nalał, nie chciał odmawiać i jeszcze bardziej denerwować dziewczyny.

– Liv? – odezwała się June spoza namiotu. Jej ciemna skóra błyszczała w promieniach zachodzącego słońca.

Olivia przełknęła trzeciego podwójnego drinka. Nadal stała tyłem do innych.

– Okay, w porządku – powiedziała June roztrzęsionym głosem, odwróciła się na pięcie i odbiegła. Koleżanka zakasała suknię i potruchtała za nią.

Sinead i Danny wymienili spojrzenia.

– Pójdę poszukać Nicka – mruknął i ruszył w stronę markizy. Sinead odetchnęła głęboko i stanęła obok Olivii.

– Tylko lemoniadę poproszę – zwróciła się do zdenerwowanego kelnera, który z ulgą przyjął zamówienie i udawał, że nowe zadanie całkowicie go pochłonęło.

Sinead dotknęła ramienia Olivii.

– Liv? Nie złość się. Nick to miły facet, ona po prostu tego nie widzi. Chciała, żebyś była szczęśliwa.

Olivia zaczęła dygotać. Nie patrzyła na Sinead.

– Uważa mnie za szumowinę – wymamrotała; podbródek bardzo się jej trząsł.

– Och, oczywiście, że nie. June pochodzi z takiego samego środowiska jak ty, nie patrzy na ciebie z góry. To tę bandę elegancików uważa za szumowiny!

Olivia ostrożnie wytarła kąciki oczu, żeby nie rozmazać makijażu.

– Antysnobizm jest równie zły, jak sam snobizm – powiedziała.

– Tak, ale o antysnobach nigdy nie piszą w „Tatlerze" – zauważyła Sinead i z zadowoleniem stwierdziła, że udało się jej wywołać uśmiech na twarzy Olivii. – Chodź, znajdziemy Nicka i wyjaśnimy mu, ile możesz zarobić na tej sukni jutro rano na eBayu.

Zegar na kaplicy wybił północ. Leo i Sinead tańczyli powoli na tylnym trawniku. Przygrywał im kwartet smyczkowy. Biała poświata z kul zawieszonych między starymi żelaznymi latarniami tworzyła romantyczną atmosferę. Sinead oparła głowę o ramię Lea i westchnęła z rozkoszą, czując zapach jego wody po goleniu. Leo zsunął dłonie wzdłuż jej pleców i napawał się dotykiem szczupłego ciała pod satynową suknią.

– Może poszlibyśmy w jakieś ustronne miejsce? – wymruczał jej w ucho.

Podniosła wzrok, udając oburzenie.

– Czemuż to, panie Montegino? Och, no dobrze. Tylko nie mów Pauli ani słowa. Denerwuje się, kiedy któryś z jej adoratorów bierze wolne od robienia do niej maślanych oczu.

– Nie robię maślanych oczu! – zaprotestował Leo, ale Sinead tylko roześmiała się i pociągnęła go w stronę swojego pokoju w Carriwell Court. Po drodze chwyciła do połowy wypitą butelkę veuve clicquot.

Na dziedzińcu minęli całującą się parę. Chłopak ukradkiem przesuwał rękę po nodze dziewczyny do miejsca, gdzie kończyły się pończochy. Na dole klatki schodowej, na pierwszym stopniu siedział Godfrey. Przyglądał się zakochanym i popijał szampana.

– Dobrze się bawisz? – Leo mrugnął do niego, zadowolony, że ktoś się dowie, jak bardzo mu się dziś wieczór poszczęściło.

– Niezbyt – odparł Godfrey z akcentem wyższych sfer. – Moja partnerka trochę się zmęczyła. – Poszli za jego wzrokiem i spojrzeli na dziewczynę, którą kilka tygodni wcześniej obściskiwał w łódce. Wymiotowała w krzaki; była tylko w jednym bucie. – To kara za umawianie się na randki z licealistkami. Po prostu nie umieją pić.

Sinead, przechodząc obok, poklepała go po głowie.

– Znajdź trochę kawy. Może wytrzeźwieje, zanim będzie musiała wrócić do mamy i taty.

Leo poszedł za nią po schodach. Czuł narastające podniecenie. Wyjął spinkę. Bursztynowe loki opadły na blade gołe plecy. Na piętrze Sinead zdjęła klucz do pokoju z ramy nad drzwiami. Wkładając go do zamka, uśmiechnęła się uwodzicielsko do Lea. Nachylił się, żeby pocałować te słodkie różowe usta, ale nagle jej palce go powstrzymały.

– Słyszałeś? – wyszeptała.

– Nie. – Odsunął dłoń Sinead, ale znowu przerwała mu zaloty.

– Ćśś.

Oboje nasłuchiwali. Leo wyłonił cichy szloch.

– To chyba Liv – powiedziała.

Pokiwał głową.

– Tak, wieczorem miała awanturę z Nickiem.

– Sprawdzę, czy z nią wszystko w porządku – stwierdziła zaniepokojona Sinead.

– Nie, nie – jęknął Leo i przytrzymał Sinead przy drzwiach. – Zostań. Na pewno nic jej nie jest.

– Leo, odsuń ode mnie genitalia. Możesz wejść i poczekać, ale ja pójdę zobaczyć, co z Olivią.

Ustąpił, potem poszedł za nią na drugie piętro. Wiedział, że jeśli zostawi ją z koleżanką, to będą gadały całymi godzinami.

Najpierw uderzył ich zapach. Smród żółci i fekaliów. Sinead i Leo zwolnili, nagle wystraszeni. Szloch zrobił się głośniejszy, ale dochodził z pokoju June, a nie Olivii. Zwalczyli chęć, żeby zbiec ze schodów i popędzić do wyjścia. Ostrożnie minęli róg i stanęli jak rażeni piorunem, w drzwiach do pokoju June.

Olivia, cała we krwi, tylko w staniku i majtkach, siedziała skulona na podłodze. Po zakrwawionej twarzy strumieniem płynęły jej łzy. Obok niej leżała June Okeweno – rozpruta, pocięta w stu miejscach. Czerwone mięso ostro kontrastowało z gładką brązową skórą.

Nick, nadal w smokingu, klęczał, wpychając wnętrzności z powrotem do brzucha martwej June.

Niewiele trzeba było, żeby Olivia poddała się hipnozie. Wizualizacja plaży wystarczyła; Denison mógł sobie darować kościół i witraże. Leżała zrelaksowana na kanapie, policzki miała zarumienione, lekko rozchyliła usta. Wyglądała jak śpiące dziecko.

– Cześć, doktorze – mruknęła ospale. – Tu Helen.

– Jak się masz, Helen?

– Nie najlepiej. Wiem, że dzisiaj chce pan porozmawiać o June.

– Zgadza się. Powiedz mi, co się stało tamtego wieczoru.

Westchnęła, przez dłuższą chwilę milczała. Denison zaczął się zastanawiać, czy aby naprawdę nie zasnęła; czasem się tak zdarzało podczas sesji hipnotycznych. Aż się przestraszył, kiedy nagle zaczęła mówić.

– To dlatego, że skrytykowała rodziców Olivii. Sprawiła, że Olivia poczuła się... nikim. Gorsza. Udało mi się opanować Jude'a, bo wtedy była jeszcze całkiem trzeźwa. Sytuacja nawet trochę się uspokoiła. Mary czuła się kiepsko z powodu stopnia na dyplomie, więc ją pocieszałam, mówiłam, żeby się nie winiła, skoro nie zdołała się ujawnić podczas egzaminów. Może powinnam się bardziej postarać, nie pozwolić się rozproszyć, ale Olivia wróciła do pokoju, więc pomyślałam, że jest bezpiecznie. Potem June zapukała do drzwi. Zaczęły się kłócić. A Jude tam był, czekał. June walczyła, ale... Olivia jest znacznie silniejsza fizycznie, kiedy kontroluje ją Jude. Zabił dziewczynę. A ona cierpiała... – Helen nagle wybuchła łzami. – Naprawdę cierpiała! Inne nie rozumiały, co się dzieje. Dla nich wszystko potoczyło się za szybko. Ale June zrozumiała. Biedna, nieszczęsna dziewczyna.

– Co jej zrobił? – zapytał Denison. Kręcił długopis w palcach. Brało go obrzydzenie, że musi skłaniać dziewczynę do takich wspomnień. Pomyślał, że chętnie przyniósłby z domu kij do krykieta; wywołał Jude'a i trochę się zabawił z tym małym gówniarzem. Ciekawe, jaki zrobiłby się brutalny, gdyby parę razy dostał w głowę kawałkiem wierzbowego drewna. Oczywiście, takie pragnienie miało podstawową wadę: rozbiłby głowę Olivii.

– Wywlókł z niej jelita. A potem tylko dźgał i dźgał i nie mógł się powstrzymać. Ja nie mogłam go powstrzymać. Wbiegł Nick i to jest ostatnia rzecz, jaką pamiętam. Nie wiem, co się potem stało, gdzie byłyśmy przez ten czas, gdy Olivia wpadła w katatonię.

Denison położył długopis na notatniku.

– Okay, wybudzę cię z transu.

Dziesięć minut później odświeżona, zrelaksowana dziewczyna popijała wodę i patrzyła na Dennisona.

– Olivio… pamiętasz coś z tamtego dnia? Jak się dowiedziałaś o stopniu na dyplomie? Jak przygotowywałaś się na bal? Sam bal?

Pokiwała głową.

– Wszystko pamiętam.

– Nie masz żadnych białych plam?

Znowu napiła się wody.

– Może. Jest taki moment, w którym był Danny, a potem zniknął. Ale myślę, że to nie trwało długo.

Denison zrobił notatkę.

– Pamiętasz, jak wróciłaś do swojego pokoju?

– Tak. Byłam kompletnie pijana i ospała. Nick doszedł do wniosku, że powinien położyć mnie do łóżka. Musiał mi rozpiąć suknię. Poszłam spać w bieliźnie; czułam się bardzo zmęczona.

– A pamiętasz, czy wtedy wyszedł, czy został w pokoju?

Pokręciła głową i upiła długi łyk wody.

– Urwał mi się film. To tak, jak wtedy, kiedy powiedział pan, że poszłam do Brown's w wieczór walentynkowy albo że zabrałam Sinead do pubu, gdzie oglądano ćwierćfinały. Potem byliśmy w pokoju June. Ale to wiem od pana.

Denison pisał szybko niebieskim długopisem, ale nagle ręka mu zamarła nad kartką.

– Co powiedziałaś? – Oddech utknął mu w płucach.

– Bez obrazy. Przyjmuję na wiarę to, co mi pan mówi. Mógłby pan kłamać. Po prostu nie wiedziałabym o tym.

Denison odchrząknął.

– Nie okłamuję cię, Olivio. Daję słowo. Słuchaj, zrobiło się późno. Skończmy na dzisiaj.

– Myślę, że ona udaje – oświadczył Denison. Zdjął okulary, wytarł je o krawat i znów założył. Wpatrywał się w Weathersa.

Inspektor nie spuszczał wzroku.

– Co się stało?

– Ludzie z osobowością wieloraką mają białe plamy, stany zawieszenia, amnezji dotyczącej przeszłości i własnej tożsamości bez istotnych zmian zachowania. Główna osobowość nie pamięta niczego, co zaszło, kiedy kontrolę przejęła inna tożsamość.

– Okay – powiedział niecierpliwie Weathers.

– Tamtego popołudnia, kiedy Sinead Flynn odwiedziła Olivię w Londynie, podobno nastąpił ten stan zawieszenia. Olivia stwierdziła, że wiedziała o oglądaniu ćwierćfinałów w pubie tylko dlatego, że ja jej o tym powiedziałem.

Weathers popatrzył na przyjaciela i zdenerwowany uniósł ręce.

– I co?

– Ale mówiłem tylko, że transmitowano Puchar Świata – wyjaśnił Denison. Wyglądał, jakby zbierało mu się na wymioty. – Skąd wiedziała, że to był mecz ćwierćfinałowy?

Weathers odrzucił głowę do tyłu i zapatrzył się w sufit.

– O czym właściwie rozmawiamy?

– Może symuluje, udaje wszystkie objawy osobowości mnogiej. Okay, więc będzie przetrzymywana na oddziale zamkniętym, aż zostanie cudownie uleczona, ale to lepiej niż dostać dwadzieścia lat do dożywocia.

– Ale po co, do cholery, udawać osobowość mnogą? Z tego, co mówiłeś, to wcale nie gwarantuje, że skończy się w wariatkowie, a nie w więzieniu. Dlaczego nie wybrała schizofrenii paranoidalnej? Co do tego wszyscy się zgadzają, że istnieje.

Denison wzruszył ramionami.

– Nie wiem. Może boi się leczenia farmakologicznego z psychozy. Choć nie zawsze jest konieczne. Ponadto nie zdradzała objawów psychozy podczas tych trzech lat w Ariel, więc czy byłoby wiarygodne, gdyby zaczęła teraz twierdzić, że jest Napoleonem i że CIA próbuje ją kontrolować przez telewizor?

– Matt, istnieje inne wyjaśnienie. – Weathers prawie się roześmiał. – Jeśli miała ogólne pojęcie, kiedy Sinead Flynn ją odwiedziła, mogła założyć, że rozgrywano wtedy ćwierćfinały. Chryste, na pewno jej nie powiedziałeś?

– Przesłuchałem taśmy. Mówiłem tylko o Pucharze Świata. Chyba nawet nie powiedziałem, że to był czerwiec.

– Hm, musimy znaleźć coś bardziej znaczącego, żeby się przekonać, czy ta cała osobowość mnoga jest prawdziwa, czy nie.

Denison omal nie parsknął śmiechem. Poluzował krawat, trochę się odprężył.

– Wiesz, gdybym potrafił to udowodnić, wtedy ten stan nie byłby tak kontrowersyjny. W literaturze przedmiotu pełno dywagacji, czy pacjenci naprawdę posiadają różne, wyraźne osobowości. Bada się to na przykład za pomocą testów Rorschacha albo rezonansu magnetycznego.

– Świetnie. Więc nie można dowieść, że ona to ma albo nie ma? – Weathers odsunął krzesło i podszedł do okna. – Zapaliłbym.

– Myślałem, że rzuciłeś – powiedział Denison.

– Rzuciłem. Masz fajkę?

– Tak. – Denison stanął obok niego, oparł się o framugę. – Ale i tak ci nie dam.

Weathers się zaśmiał.

– Ty draniu.

– Nie jestem przygotowany do roli pomocnika w rozwijaniu nałogu. – Denison starał się zachować poważny wyraz twarzy. – Słyszałeś o Kennecie Bianchim?

Inspector skinął głową.

– Tak. Jeden z morderców ze wzgórz. Kalifornia, lata siedemdziesiąte.

– Hm, zrzucał winę za morderstwa na inną osobowość. Oskarżeniu udało się dowieść nie to, że udawał istnienie innej osobowości, ale że kłamał w stanie hipnozy.

Zielone oczy Weathersa zapłonęły.

– Więc jeśli udowodnimy, że Croscadden zmyśla w stanie hipnozy, znaczyłoby to, że prawdopodobnie udaje wszystko? Matt, jesteś geniuszem. – Chwycił Denisona za głowę i cmoknął go w czoło. – Zróbmy to.

– Masz coś przeciwko filmowaniu, Olivio?

Dziewczyna z niezadowoleniem przeniosła wzrok z soczewek kamery na Denisona.

– Chyba nie, jeśli pan uważa, że to konieczne.

– Myślę, że przydałby się nam zapis wizualny, a nie tylko dźwiękowy. – Denisonowi było przykro, że ją zwodzi; nie tak wyobrażał sobie wykonywanie swoich zawodowych obowiązków. Nastawił kamerę na autofocus i skierował na kanapę, gdzie leżała Olivia.

Zrobił pełne wprowadzenie do hipnozy: plaża, kościół, klatka schodowa. Olivia wyglądała, jakby znalazła się w głębokim hipnotycznym transie.

– Olivio – powiedział Denison. – Chcę, żebyś pozostała w tym bardzo zrelaksowanym stanie, kiedy usiądziesz i otworzysz oczy.

Wygładziła sukienkę na biodrach i usiadła prosto, plecami opierając się o poduszki. Dopiero kiedy skierowała twarz dokładnie na wprost kamery, otworzyła oczy. Były szkliste, niewidzące.

– Olivio, zadam ci parę pytań. Nie martw się, gdybyś nie znała odpowiedzi. Po prostu powiedz, że nie wiesz, nie musisz zgadywać. Okay?

– Okay.

– Jak nazywa się stolica Anglii?

– Londyn.

– Na amerykańskiej fladze są trzy kolory. Jakie?

– Czerwony, biały i niebieski.

– Jak się nazywał pierwszy astronauta, który wylądował na Księżycu?

– Neil Armstrong.

– Ametyst to purpurowoniebieski kamień szlachetny. Jakiego koloru nabiera, kiedy się go ogrzeje?

Prosta, podłużna zmarszczka pojawiła się na jej czole.

– Nie wiem.

– Ogrzany ametyst robi się żółty. Jak miała na imię dziewczyna Myszki Miki na kreskówkach Disneya?

Zmarszczka znikła.

– Minnie.

– Bardzo dobrze. A teraz podejdę i usiądę obok ciebie. – Denison zajął miejsce na przeciwległym krańcu kanapy, starając się zostawić dziewczynie dużo przestrzeni. – Proszę, wyciągnij lewą rękę.

Wykonała polecenie, nadal patrzyła przed siebie, nie na niego.

– Narysuję palcem okrąg na grzbiecie twojej dłoni – powiedział. – Kiedy już to zrobię, skóra w środku zdrętwieje, a ty nie będziesz w stanie poczuć niczego, co dotykałoby tego obszaru. Rozumiesz?

Olivia kiwnęła głową. Denison czubkiem palca nakreślił okrąg o średnicy jakichś pięciu centymetrów.

– Teraz będę dotykał różnych miejsc na twoim ramieniu i dłoni. Jeśli coś poczujesz, powiedz „tak". Jeśli nie poczujesz, powiedz „nie". Rozumiesz?

Olivia znowu kiwnęła głową.

– Okay, zamknij oczy.

Gdy mocno zacisnęła powieki, Denison lekko dotknął jej przedramienia.

– Tak – powiedziała.

Znowu dotknął, tym razem kciuka.

– Tak.

Dotknął ją w obrębie wyimaginowanego okręgu. Żadnej odpowiedzi. Dotknął łokcia.

– Tak.

Znowu dotknął w obrębie okręgu. I znów nic nie powiedziała.

– Dobrze, Olivio, możesz otworzyć oczy.

Otworzyła i zamrugała. W popołudniowym słońcu jej włosy wyglądały tak, jakby się żarzyły.

Denison wstał i przyciągnął puste krzesło bliżej kanapy.

– Janey, moja sekretarka, siedzi na tym krześle. Widzisz ją?

Dziewczyna pokiwała głową.

– Cześć – zwróciła się do pustego krzesła.

– Możesz powiedzieć, w co jest ubrana?

Olivia wydawała się zaskoczona.

– A co, pan jej nie widzi?

– Chcę tylko wiedzieć, co ty widzisz, Olivio.

Przechyliła głowę.

– Niebieska bluzka. Czarna spódnica.

– Chcesz z nią porozmawiać?

Olivia się speszyła.

– Nie wiem, co powiedzieć.

– Może zapytasz o jej sprawy osobiste?

Dziewczyna zamrugała.

– Hm... masz chłopaka? – Po chwili kiwnęła głową.

– Co ona mówi?

– Że jeszcze niedawno miała, ale rozstali się w ubiegłym miesiącu.

Było to zaskakująco bliskie prawdy, ale Denison nie zamierzał teraz oceniać psychicznych zdolności Olivii. Poprosił, żeby znów zamknęła oczy. Wstał, podszedł do drzwi, w milczeniu kiwnął na Janey, żeby do nich dołączyła. Kobieta wydawała się prawie równie zażenowana, jak Olivia, ale posłusznie weszła do gabinetu. Denison poprosił Olivię, żeby otworzyła oczy, a Janey uprzejmie skinęła do niej głową na powitanie.

Ale Olivia jakby jej nie widziała. Nadal skupiała się na wyimaginowanej Janey siedzącej na krześle.

– Olivio – powiedział Denison. – Popatrz, kto właśnie przyszedł. To Janey.

Wzrok skonsternowanej dziewczyny przeskakiwał od pustego krzesła do stojącej Janey i z powrotem.

– Panie doktorze, co się dzieje?! – wyszeptała. – To naprawdę dziwaczne, nie podoba mi się to, proszę przestać!

– Coś nie tak, Olivio?

– Chyba mam halucynacje. Czy to bliźniaczka? Widzę je dwie! Jak może być w dwóch miejscach naraz?!

– Olivio, proszę, odpręż się. To nic takiego. – Odwrócił się do Janey. – Dziękuję, możesz wrócić do siebie.

Janey zakłopotana opuściła gabinet i zamknęła za sobą drzwi. Dziewczyna wyraźnie się rozluźniła.

– Olivio, Janey wstaje z krzesła i wychodzi. Już jej nie widzisz.

– Dokąd poszła? – zapytała zaniepokojona.

– Proszę, połóż się na kanapie, chcę cię wyprowadzić z transu. Obudzisz się i będziesz się czuła całkowicie odświeżona i zrelaksowana, ale zapomnisz wszystko, co działo się podczas transu, rozumiesz?

– Tak. – Ułożyła się na poduszkach i znów upewniła się, czy jest przyzwoicie zakryta sukienką.

Denison stopniowo wyprowadzał ją z transu.

– ...i jeden. Teraz jesteś całkowicie przebudzona. Jak się czujesz?

Olivia podparła się i usiadła. Przejechała rękami po włosach i uśmiechnęła się do Denisona.

– Zaskakująco dobrze, dziękuję, doktorze.

– Świetnie, chcę ci zadać parę pytań. Przepraszam, gdyby niektóre zabrzmiały dziwnie.

Kiwnęła głową, żeby go zachęcić do dalszego badania.

– Na amerykańskiej fladze są trzy kolory. Jakie?

– Niebieski, czerwony, biały.

– Jak miała na imię przyjaciółka Myszki Miki z kreskówek Disneya?

Uśmiechnęła się.

– Minnie.

– Jak się nazywał pierwszy astronauta, który wylądował na Księżycu?

– Neil Armstrong.

– Ametyst to purpurowoniebieski kamień szlachetny. Jakiego koloru nabiera, kiedy się go ogrzeje?

Olivia się roześmiała.

– Pan ze mnie żartuje. Studiowałam literaturę angielską, nie geologię.

– Więc nie wiesz?

– Nie.

– W porządku. A jak się nazywa stolica Anglii?

– Dzięki Bogu, łatwe pytanie! Londyn, oczywiście.

Dziesięć minut później, kiedy Olivię odprowadzano do jej sali po drugiej stronie gmachu, Denison z ponurą miną usiadł do telefonu.

– Steve, tu Matt. Masz swój dowód.

Rozdział 16

OLIVIA BYŁA W SWOJEJ SALI. Przebrała się w dżinsy i T-shirt. Siedziała na łóżku, czytała książkę, podśpiewywała sobie pod nosem. Kiedy przez zbrojoną szybę w drzwiach zobaczyła Denisona, rozpromieniła się i wyszła mu naprzeciw.

Sanitariusz otworzył drzwi, a Olivia poszarzała na twarzy. Za doktorem stał Weathers.

– Co on tutaj robi? – zapytała.

Inspektor zrobił kilka kroków naprzód. Towarzyszyli mu detektyw John Halloran i dwóch umundurowanych policjantów.

– Olivio Croscadden, aresztuję panią pod zarzutem zamordowania Amandy Montgomery, Elizy Fitzstanley i June Okeweno. Ma pani prawo zachować milczenie. Wszystko, co pani powie, zostanie zaprotokołowane.

Olivia szarpała się, kiedy Halloran odwrócił ją, popchnął na ścianę i zakuł w kajdanki.

– Nie musi pan być taki brutalny – pożalił się Denison.

– Proszę, niech pan im nie pozwoli tego robić! – krzyczała Olivia. – Błagam, musi mi pan pomóc! Niech im pan powie o Judzie! Ja tego nie zrobiłam! Ja tego nie zrobiłam!

Halloran wywlókł ją z pokoju i pod eskortą dwóch mundurowych poprowadził dziewczynę korytarzem. Inni pacjenci, dla bezpieczeństwa pozamykani w salach, usłyszeli krzyki i sami zaczęli ryczeć, walić w drzwi, wrzeszczeć.

Na końcu korytarza Halloran wywlókł dziewczynę za drzwi. Została jej ostatnia szansa, żeby spojrzeć Denisonowi w oczy.

– Matthew, pomóż mi! – poprosiła, zanim zniknęła z pola widzenia.

Denison odetchnął głęboko, sanitariusz stojący obok niego pokręcił głową, przebieg wydarzeń nie zrobił na nim większego wrażenia.

Weathers zabierał z sali buty Olivii.

– Skarpetki też będą potrzebne – powiedział Denison, stając w progu. Zaczął przeszukiwać rzeczy pacjentki. – I sweter. – Wcisnął to Weathersowi w ręce.

– Matt, nie żałuj jej. Zabiła trzy dziewczyny.

– Ten dupek nie musiał tak nią pomiatać. Ona nadal jest człowiekiem.

Weathers wzruszył ramionami.

– Wątpię. Słuchaj, nie martw się o resztę rzeczy do ubrania. Każę je stąd zabrać, kiedy sędzia zadecyduje, gdzie ją tymczasowo osadzić.

– Zabierasz Olivię na przesłuchanie z powrotem do Cambridge?

Weathers pokręcił głową.

– Nie, skorzystamy z posterunku w Newington Park. Możliwe, że przeniosą dziewczynę do Holloway, więc nie ma sensu wywozić jej z Londynu.

– Chcę tam być. Podczas przesłuchania.

– Świetnie – odparł inspektor. – Ja też chcę, żebyś tam był. – Wetknął skarpetki do butów i ruszył do drzwi. W połowie drogi odwrócił się, nadal idąc. – Za kilka godzin przyślę po ciebie radiowóz. Daj jej szansę, niech się trochę napoci. – Znów się odwrócił i wypadł za drzwi.

Denison usiadł na łóżku. On to wszystko uruchomił. Podpisał oświadczenie, że nie ma już powodów, aby zatrzymywać Olivię Croscadden na mocy ustawy o ochronie zdrowia psychicznego. Przypominał sobie wyraz twarzy dziewczyny, kiedy wciągano ją z powrotem do realnego świata. Męczyło go koszmarne poczucie winy.

Na ścianie przy łóżku Olivii wisiało zdjęcie Nicka, przypięte niebieskimi pineskami. Miał potargane włosy; stał uśmiechnięty z dwoma kolegami w ogrodzie szkoły. W tle widniał XVII-wieczny budynek. Chłopak wyglądał na szczęśliwego, zrelaksowanego. Denison zastanawiał się, czy Nicholas Hardcastle jeszcze kiedykolwiek w życiu będzie taki beztroski.

Newington Park było jedną z gorszych części wschodniego Londynu. Denison, jadąc nieoznakowanym radiowozem, zobaczył grafficiarza – na ścianie wieżowca oznajmiał swoje poparcie dla Arsenalu. Pijak sikał na wiatę przystanku autobusowego, w lewej ręce trzymał reklamówkę Sainsbury's. Podejrzany typ, może dealer kręcił się przed klubokawiarnią. Jak zwykle tuż przy komisariacie nie było ani mętów, ani grafficiarzy. W zewnętrzną ścianę dopiero co wyremontowanej dyżurki wsadzono kuloodporną szybę, żeby sierżant dyżurny bez przeszkód mógł widzieć, co się dzieje na zewnątrz. Zbliżała się dziewiąta wieczór, zachodzące słońce rzucało ostatnie promienie różu na sierpniowe niebo.

Funkcjonariusz wydziału kryminalnego, który wiózł Denisona, gwałtownie skręcił w boczną uliczkę, nie włączając kierunkowskazu, i wjechał na parking za komisariatem w Newington Park. W drodze z Coldhill wymienił z pasażerem może dwa zdania.

W holu zostawił doktora samego. Denison chodził w tę i z powrotem, aż wreszcie pojawił się detektyw sierżant Halloran i coś do niego mruknął.

– Jak ona się czuje? – zapytał Denison, kiedy szli po schodach na pierwsze piętro, do sekcji kryminalnej.

– Uspokoiła się po drodze. Teraz trochę pochlipuje, ale to typowe. Jeszcze nie zdarzyło mi się aresztować kobiety, która nie płakałaby po paru godzinach w celi.

– Czy Steve, to znaczy inspektor Weathers, już z nią rozmawiał?

– Nie. Czekał, aż pan przyjedzie.

– Prosiła o adwokata?

– Na szczęście nie. Ale pytała o pana. Najwyraźniej nie ma pojęcia, że to pan ją wrobił, głupia dziwka. Chodźmy, to już tutaj. Przyjechał cały zespół z Cambridge.

– Detektyw Ames też?

– Ma pan na myśli panią Weathers? – Halloran mrugnął. – Nie, jest w Balham. Ponownie przesłuchuje jedną z najbliższych przyjaciółek Croscadden; ta akurat miała szczęście, że nie została wypatroszona. Tędy.

W sali operacyjnej Weathers rozmawiał z dwoma mężczyznami, których Denison nie znał. Jeden nosił workowaty garnitur, a drugi mundur. Kiedy Halloran otworzył drzwi, inspektor podniósł wzrok i natychmiast podszedł.

– Matt, dzięki, że przyjechałeś – powiedział. – To jest superintendent Walker. Uprzejmie pozwolił nam skorzystać z komisariatu w Newington Park, żeby tu osadzić Croscadden.

Denison podał rękę mężczyźnie w czarnym mundurze ze srebrnymi guzikami i ozdobnymi epoletami. Weathers wskazał mężczyznę w workowatym garniturze. Facet, nieogolony, dawno niestrzyżony, wyglądał niechlujnie.

– A to detektyw inspektor Colin MacIntyre. Prowadził śledztwo w sprawie Elizy Fitzstanley.

Aha, pomyślał Denison, to on nie wierzył w istnienie Rzeźnika z Cambridge. Uścisnął MacIntyre'owi rękę.

– No, powodzenia, Weathers – powiedział superintendent Walker i odszedł energicznym krokiem, żeby zająć się pilniejszymi sprawami policyjnymi. – Informuj mnie na bieżąco.

– No, to jaki jest plan, Steve? – zapytał Denison.

– Właśnie – wtrącił się MacIntyre. – Też chciałbym wiedzieć.

– Najpierw musi zeznać, że symulowała dysocjacyjne zaburzenie osobowości. A potem dowiemy się dlaczego. Właśnie powiedzieliśmy Macowi o teście z logiki hipnotycznej, który przeprowadziłeś. Nie jestem pewien, czy wszystko zrozumiał. – Weathers spojrzał na Denisona i znacząco uniósł brew.

– No bo, co to, kurwa, za historia z tym drętwym kółkiem? – zapytał MacIntyre, wycierając czoło chusteczką. – Zasugerował pan, że nic nie będzie czuła, więc oczywiście milczała, kiedy ją pan tam nacisnął. Dziewczyna przeszła przez Cambridge, więc najwyraźniej nie jest opóźniona w rozwoju.

– Bo jest różnica między logiką hipnotyczną a normalną logiką – próbował wyjaśnić Denison. – Nie można ekstrapolować normalnego zachowania na zachowanie pod hipnozą. Po prostu ludzie nie reagują tak samo.

– A to z żółtym ametystem? Powiedział jej pan, żeby zapomniała wszystko, co zdarzyło się podczas transu, więc oczywiście nie pamiętała, że ametyst robi się żółty.

– To nie tak… – zaczął Denison.

– Zapomnij – przerwał mu Weathers. – Ważne, żeby Croscadden zrozumiała. Mac, na litość boską, zamknij gębę na kłódkę na czas przesłuchania.

Pokój przesłuchań w komisariacie Newington Park był większy i lepiej wyposażony niż w Cambridge Parkside, ale tak jak wszystkie pachniał tanimi środkami do czyszczenia. Okno znajdowało się wysoko na ścianie, żeby nie rozpraszało podczas przesłuchania; nawet kiedy się stało, można było zobaczyć jedynie wielopiętrowy budynek mieszkalny. Punkciki światła ukazały się w jego oknach, kiedy słońce przekazało obowiązek oświetlenia miasta milionom żarówek.

Wzdłuż jednej ściany pomieszczenia biegło wielkie lustro weneckie. Po drugiej stronie, w przyległym pokoju obserwacyjnym znajdowało się biurko, a na nim stał mikrofon do przekazywania informacji i sugestii funkcjonariuszowi prowadzącemu przesłuchanie. Tu weszli Halloran i Denison. Lekarz usiadł za biurkiem. Żeby powiedzieć coś przez mikrofon, musiał nacisnąć guzik i dlatego martwiło go, że ma spocone ręce.

– Próba, próba, jeden, dwa, trzy – wychrypiał do mikrofonu.

Weahers, który siedział w pokoju przesłuchań tyłem do lustra, odwrócił się na krześle, uniósł kciuk i uśmiechnął się zachęcająco.

MacIntyre chodził z kąta w kąt i obgryzał paznokcie.

– Patrz pan na tego idiotę – powiedział Halloran. – W tym swoim garniturze wygląda jak jakaś cipa, co?

– Myśli pan, że powinien być raczej tutaj? – zapytał Denison.

Halloran ostro na niego spojrzał, nie spuszczając oka z pokoju przesłuchań.

– Jasne, że tak. Gdyby te dupki z szefostwa nie straciły zimnej krwi i nie uznały morderstwa Elizy za odrębny przypadek związany z narkotykami, tego błazna w ogóle by tu nie było. To ja powinienem być ze Steve'em. Znam sprawę na wylot.

– To co tu robi MacIntyre? Teraz już chyba zrozumieli, że te morderstwa są powiązane.

Halloran wzruszył ramionami.

– Uważają, że jest ekspertem od sprawy Fitzstanley. Dupki, banda durniów.

Drzwi do pokoju przesłuchań otworzyły się nagle. Denison, bardzo spięty i zdenerwowany, aż podskoczył na krześle. Umundurowana funkcjonariuszka wprowadziła Olivię, podeszła z nią do krzesła, potem stanęła przy zamkniętych drzwiach.

Dziewczyna nadal miała włosy związane w kucyk, ale długie pasma oswobodziły się i przylepiły do zalanej łzami twarzy. Oczy miała czerwone i trochę podpuchnięte. W szarej bluzie wyglądała na bardzo małą.

– Cześć, Olivio – powiedział Weathers.

– Dzień dobry – odpowiedziała nerwowo.

– Włączę teraz taśmę, dobrze?

– Dobrze. – Ledwie było ją słychać.

Weathers nacisnął guzik nagrywania w sprzęcie wideo, podał datę, dokładny czas i tożsamość obecnych. Potem powtórzył Olivii jej prawa, a ona potwierdziła, że je rozumie. Nadal nie poprosiła o adwokata, Halloran sapnął z ulgą.

– Olivio, trzymano cię w szpitalu psychiatrycznym w Coldhill przez ostatnie dziesięć tygodni, czy to się zgadza?

Skinęła głową.

– Tak mi się wydaje.

– Tak ci się „wydaje"?

– Nie wszystko pamiętam. Powiedziano mi, że na dłuższy czas zapadłam w katatonię.

– Ale od chwili odzyskania świadomości odbywałaś sesje psychiatryczne z panem Matthew Denisonem, jednym z lekarzy w Coldhill?

Znów skinęła głową.

– Stwierdził, że mój stan to dysocjacyjne zaburzenie osobowości.
– Trochę zająknęła się na tej nazwie.

– Możesz mi coś powiedzieć o tym zaburzeniu?

Olivia poprawiła się na krześle.

– W zasadzie to jest wiele osobowości. Ja… ja nie wiedziałam, że je mam. Ale doktor Denison mówił czasem, że kiedy ze mną rozmawiał, to nie byłam ja, tylko ktoś inny. Ta inna osobowość najwyraźniej wiedziała o morderstwach. – Zaczęła cicho płakać. – Wiedziała, że to ja zabijałam koleżanki.

Halloran zacisnął pięści. Denison spojrzał na niego i zrozumiał, że to wyraz triumfu. Olivia po raz pierwszy przyznała się wobec policji.

– Co powiedziałaś doktorowi Denisonowi o zabójstwach przyjaciółek?

– Podobno mówiłam mu, że jedna z tych innych osobowości, Jude, zawładnęła moim ciałem i je zabiła.

– „Je", czyli kogo?

– Amandę, Elizę i June.

Weathers nie mógł przekroczyć pewnych granic, wyciągając od Olivii zeznania. Szczegóły morderstw pochodziły od Helen i innych wytworzonych osobowości, dlatego zeznanie Olivii nie byłoby niczym innym, jak powtarzaniem informacji, które jej przekazał Denison. Nigdy nie powie „zabiłam Amandę", tylko: „Według doktora wyznałam, że zabiłam Amandę".

Mogliby „przywołać" Helen, spróbować nakłonić ją do zeznań i nagrać je na taśmę, ale Denison wątpił, czy hipnotyzowanie podejrzanej – choćby nawet nieskuteczne – zostałoby uznane przez prokuraturę za dopuszczalną praktykę.

– Jak doktorowi Denisonowi udało się porozmawiać z innymi osobowościami?

– Zahipnotyzował mnie.

– Nie objawiały się same?

Wyglądała na speszoną.

– Domyślam się, że tak.

– Czy teraz mógłbym porozmawiać z którąś z nich?

Patrzyła na niego wzrokiem pozbawionym wyrazu.

– Mógłbym porozmawiać z Helen? – powtórzył.

Po dłuższej chwili wzruszyła ramionami.

– Nie sądzę, żeby to tak działało.

– Nie jesteś Helen.

– Nie. – Uśmiechnęła się nerwowo.

– To może udałoby się porozmawiać z Mary? Albo z Vanną?

– Nie wiem, jak się na nie przełączyć, przykro mi.

– A co z Jude'em?

Olivia objęła się ramionami.

– Nic z tego. Chyba nie zdoła pan do nich dotrzeć, po prostu wymieniając ich imiona.

– A gdybym cię wkurzył? Czy wtedy by się ujawniły? Gdybym nazwał cię głupią, upartą, małą dziwką, czy Jude podniósłby głowę?

Po twarzy dziewczyny wzdłuż nosa stoczyła się łza i skapnęła z wargi na rękaw.

– Domyślam się, że nie – kontynuował inspektor. – To dość wygodne, że wychodzi tylko wtedy, kiedy jesteś z kimś sam na sam, a w pobliżu nie ma policji, co?

Olivii drżał podbródek.

– Czy mogłabym porozmawiać z doktorem Denisonem? – zapytała.

Denison nie potrafił stłumić poczucia winy, kiedy patrzył, jak Olivia płacze. Czuł się tak, jakby ją zdradził.

– Nie – odparł stanowczo Weathers. – Powiedz, dlaczego ty i twoje „inne osobowości" tak beztrosko otwierałyście się przed doktorem Denisonem?

– Przy nim czułam się bezpieczna. – Olivia patrzyła w dół, na biurko. – Ufałam mu.

– Myślisz, że cię lubił?

– Myślę, że się o mnie troszczył.

– Sądziłaś, że jest naiwny?

Niespodziewanie podniosła wzrok.

– Nie. Co pan ma na myśli?

– Hm, zmyśliłaś tę skomplikowaną bajeczkę o złych osobowościach, a on to łyknął, prawda? Z radością podpisał się pod twoją linią obrony, że jesteś obłąkana.

– Wcale go nie okłamałam.

– Niestety, potknęłaś się. I zrobił się podejrzliwy. Zaczął myśleć, że tylko udajesz, że jesteś zahipnotyzowana. A tak naprawdę to chciałaś zachować kontrolę, więc nie zamierzałaś odpłynąć. Słyszałaś o logice hipnotycznej? Nie? Ja też nie, dowiedziałem się dopiero kilka dni temu. Okazuje się, że logika hipnotyczna jest trochę wypaczona. Różni się od tej, jaką wykorzystujemy na co dzień. Doktor Denison właśnie to chciał sprawdzić podczas dzisiejszej sesji: czy naprawdę jesteś zahipnotyzowana.

Olivia znieruchomiała. Żadnych łez, nerwowych gestów. MacIntyre podtoczył stolik na kółkach, na którym stał odtwarzacz DVD i telewizor. Weathers wziął pilota z biurka i nacisnął guzik startu. Olivia patrzyła, jak jej postać pojawia się na ekranie. Cichy głos Denisona dobiega spoza kadru. Doktor pyta o astronautę, flagę i kreskówki Disneya. Weathers odczekał, aż Denison powie jej, że ametyst robi się żółty pod wpływem temperatury, i zatrzymał obraz.

– Poprosił, żebyś o tym zapomniała. I zapomniałaś. Rzecz w tym, że ludzie naprawdę zahipnotyzowani później znaliby odpowiedź na to pytanie, tylko nie potrafiliby sobie przypomnieć, skąd to wiedzą.

Olivia spojrzała na niego.

– Nie wiem, co według pana miałabym powiedzieć. Nie znałam tej odpowiedzi. Nie pamiętałam. Nadal nie przypominam sobie, żeby mi coś takiego mówił!

Weathers w milczeniu nacisnął przycisk pilota. Na ekranie, w kadrze, pojawił się Denison. Usiadł na końcu kanapy, z dala od Olivii. Narysował okrąg na grzbiecie jej dłoni. Patrzyli, jak dotyka palcem różnych miejsc na ramieniu dziewczyny. Potem z surową miną wstaje i znów wychodzi z kadru.

Weathers zatrzymał obraz.

– Doktor zasugerował ci, że w okręgu skóra jest zdrętwiała. Poprosił, żebyś mówiła „nie", kiedy nie poczujesz dotknięcia. Miałaś zamknięte oczy, więc skąd mogłaś wiedzieć, że cię dotknął, jeśli tego nie czułaś? Więc nic nie powiedziałaś. Ale jak mówiłem, logika hipnotyczna jest dziwna. Zahipnotyzowane osoby mówią „nie", kiedy dotyka się je wewnątrz drętwego okręgu. Chcesz coś wyjaśnić?

Olivia w milczeniu pokręciła głową.

– Właśnie, teraz próba numer trzy.

Weathers znów uruchomił odtwarzanie. Olivia rozmawia z niewidzialną Janey, potem z prawdziwą. Wygląda na zakłopotaną. Weathers nacisnął „Stop". Ekran zrobił się niebieski.

– A więc, wywołane halucynacje – podjął inspektor po chwili. – Doktor Denison poprosił, żebyś wyobraziła sobie, że jego sekretarka Janey siedzi z tobą w pokoju. Potem wprowadził prawdziwą Janey. Udawałaś, że nie widzisz prawdziwej Janey. Jakżebyś mogła, skoro miała siedzieć na krześle przed tobą, a nie stać przy drzwiach? Ale zahipnotyzowane osoby widzą obie i w przeciwieństwie do ciebie nie potrzebują, żeby ktoś wskazywał im prawdziwą wersję. I wiesz, co jeszcze? To, że widzą obie, nie sprawia im problemu. To jest do zaakceptowania. A ty się wystraszyłaś. „Czy to bliźniak?" „Jak może być

202

w dwóch miejscach naraz?!" Według doktora Denisona tak nie reagują ci, którzy są naprawdę zahipnotyzowani.

Olivia wyglądała na załamaną, pokonaną. Zakryła twarz rękami i zaczęła szlochać.

Weathers nachylił się do niej. Zmienił ton z mentorskiego na zatroskany, niemal uspokajający.

– Olivio, udawałaś od dawna. To musiało być bardzo męczące. Ale już dobrze, możesz przestać. Odpręż się. Nie trzeba już oszukiwać doktora Denisona. Wywoływać różnych głosów i gestów i nie trzeba zapamiętywać, która co wie i która co powiedziała. Po prostu opowiedz nam, co wtedy się stało. My zrozumiemy.

Pokręciła głową, łzy płynęły jej z oczu.

– Tak mi było wstyd. Nie chciałam, żeby doktor Denison źle sobie o mnie pomyślał. Sinead miała dużo książek o osobowości wielorakiej, uczyła się z nich na ćwiczenia z psychologii...

– Więc wymyśliłać całą tę historię, żeby zyskać współczucie doktora Denisona? – spytał Weathers. – Więc to nie ma nic wspólnego z linią obrony opartą na zaburzeniach psychicznych?

Halloran parsknął z sarkazmem.

Olivia otarła rękawem oczy.

– Tak czy inaczej, trafię pod klucz na całe życie, prawda? – powiedziała niemal wyzywająco. – Więc co to dla mnie za różnica, czy jestem kryminalistką, czy wariatką?

– Olivio, nie możesz na poważnie wmawiać mi, że udawałaś to wszystko, żeby doktor Denison nie myślał o tobie aż tak źle.

Spojrzała gniewnie na Weathersa zaczerwienionymi oczami.

– To naprawdę nie ma znaczenia, co pan sądzi – powiedziała. – Dopóki Matthew mi wierzy.

– Jesteście więc po imieniu?

Halloran trącił Denisona łokciem i uśmiechnął się chytrze.

– Niech mi pan przypomni, doktorze, jak to się nazywa, kiedy pacjent zakochuje się w swoim psychologu? Przeniesienie?

– Czy on tu jest? – zapytała Olivia.

– Kto?

– Matthew – odparła.

Denison poczuł, że serce chce mu wyskoczyć z piersi z bólu, że ją porzucił.

Weathers pokręcił głową.

– Nie – skłamał.

Chociaż Denison miał ogromną ochotę wejść do pokoju przesłuchań i pocieszyć dziewczynę, wiedział, że Weathers dobrze zrobił, kłamiąc. Olivia mogłaby się cenzurować, gdyby sądziła, że jej lekarz słucha zeznań. Prawda musiała wyjść na jaw.

– Olivio, może uda nam się to tak zorganizować, że Denison tu wpadnie i cię odwiedzi. Ale najpierw trzeba uporządkować sprawy. Musisz być wobec nas uczciwa, wyrzucić to z siebie.

Spuściła wzrok, zapatrzyła się na stół, ręce trzymała złożone. Powoli pokiwała głową.

– Wiem – powiedziała. – Wiem.

– Więc będziesz z nami rozmawiać? Powiesz prawdę?

Podniosła głowę, twarz miała dziwnie spokojną.

– Tak.

Posterunkowy przyniósł picie do pokoju przesłuchań. Olivia otoczyła dłońmi kubek z gorącą herbatą. Najwyraźniej ciepło przynosiło jej ulgę.

– Okay – zaczął Weathers. – A więc co się stało wieczorem, kiedy zginęła Amanda Montgomery. Dlaczego ją zabiłaś?

– Nie wiem. – Ukryła usta za brzegiem kubka. – Chyba byłam na nią zła. Próbowała zepsuć stosunki między mną a Nickiem.

– Jak?

– Przede mną Nick chodził z Paulą. Nie wiedziałam o tym, a Amanda powiedziała mi to, żeby mnie skłócić z Nickiem.

– Więc dlaczego nie Paula?

– Słucham? – Napiła się trochę herbaty.

– Dlaczego zamordowałaś Amandę, a nie Paulę? Gdybym ja tak szalał z zazdrości, to zabiłbym byłego kochanka, a nie kogoś, kto mi o nim powiedział.

Olivia tylko wzruszyła ramionami, nie potrafiła się wytłumaczyć. Denison nachylił się do lustra weneckiego i zmarszczył brwi.

– No to jak ją zabiłaś?

Dziewczyna wymamrotała coś do kubka.

– Olivio, musisz mówić głośniej.

– Zabiłam ją nożem.

– Przyniosłaś go z sobą czy należał do Amandy?

– Myślę, że był jej. Naprawdę, nie pamiętam.

– Kłóciłyście się?

– Pytałam, dlaczego chce, żebyśmy rozstali się z Nickiem. Powiedziała, że jestem paranoiczką. Wtedy ją dźgnęłam.

– Gdzie?

– Wszędzie. Kiedy przestała oddychać, odcięłam jej głowę.

Halloran obserwował Denisona.

– Skąd ta mina, doktorze?

– Och, to tylko… prawdopodobnie nic takiego… ale widzi pan, jak ona trzyma kubek? Zakrywa usta? Hm, mowa ciała wskazuje na to, że Olivia kłamie.

– A panu też kłamała, że zabiła Amandę?

– Nie.

– Hm, teraz mówi to samo. Jeśli wtedy nie kłamała, to nie może kłamać teraz.

– Co zrobiłaś z jej głową? – zapytał Weathers.

– Jak już mówiłam doktorowi Denisonowi, nie pamiętam. To wszystko jest takie zamglone. – Upiła długi łyk herbaty.

– Powiedziałaś doktorowi Denisonowi, że nie pamiętasz, bo Jude przejął kontrolę. Skoro jednak przyznałaś, że wymyśliłaś Jude'a, miałem nadzieję, że poprawi ci się pamięć.

– Kiedy je zabijałam, byłam jak w transie. Podnosi się czerwona mgła, a ja ledwie rozpoznaję, co robię. Nie pamiętam, co się stało z głową Amandy. Nie widziałam jej od tamtego czasu, więc musiałam się jej gdzieś pozbyć. Może wrzuciłam do rzeki, nie wiem.

Denison pokręcił głową.

– Coś tu nie gra. Mówi zbyt ogólnikowo.

Halloran przewrócił oczami.

– Chryste, doktorze, nie twierdzi pan chyba, że to naprawdę schizol?

– Nie, nie, nie o to chodzi. – Denison był oszołomiony. – Po prostu nie rozumiem, dlaczego tak kluczy.

– Czuła się bezpieczna, kiedy rozmawiała z panem. A teraz wie, że wpadła w gówno. Na jej miejscu też nie wdawałbym się zbytnio w krwawe szczegóły, bo sędzia będzie czytał te zeznania.

Denison po raz pierwszy skorzystał z interkomu.

– Steve, zapytaj ją o June. Była z nią bliżej, to może wywołać wyraźniejszą reakcję.

Weathers nie dał poznać Olivii, że ktoś odezwał się do niego przez słuchawkę. Nachylił się bliżej.

– Okay, zostawmy na chwilę Amandę. Porozmawiajmy o June.

Twarz Olivii natychmiast pociemniała. Dziewczyna podniosła kubek i oparła o niego czoło. Płakała. To była jedyna tarcza, która broniła ją przed oskarżycielami. Dennisonowi po raz kolejny ścisnęło się serce.

– Zawsze nalegała, żebym rzuciła Nicka – załkała. – Mówiła, że nie jest dla mnie. Nie mogłam już tego słuchać. Liczyłam się z jej zdaniem. Dlatego tak bolało, że go nienawidziła. Tamtego wieczoru miałam po prostu dość. Zepsuła mi już całą imprezę, objechała mnie na balu, a potem, kiedy wróciłam do pokoju, znowu się pojawiała i znowu na mnie skoczyła! Ja tylko chciałam, żeby się odczepiła.

– Co się zdarzyło, Olivio? – zapytał łagodnie Weathers.

– Wbiłam jej nóż i rozprułam brzuch. Wnętrzności wyszły na zewnątrz. A ja dźgałam i dźgałam. Wbiegł Nick i próbował mnie powstrzymać. Wyrwał mi nóż z ręki.

Nawet z pokoju obserwacyjnego Denison widział, jak Weathers się spina.

Mimo to inspektor odezwał się obojętnym tonem.

– Więc większość ran od pchnięć powstało po tym, jak ją wypatroszyłaś?

– Cholera – mruknął Halloran. Jego oddech zasnuł parą skrawek weneckiego lustra.

– Co? – zapytał Denison, ale w odpowiedzi usłyszał ostre „ćśś".

Olivia też zauważyła napięcie Weathersa.

– Chyba tak – odpowiedziała ostrożnie. – Szczerze mówiąc, to wszystko jest jakby za mgłą. Mówiłam, tam jest...

– Czerwona mgła, tak, wiem. Ale musisz przecież pamiętać, czy jelita June Okeweno wylewały się z jej ciała, kiedy dźgałaś ją raz po raz.

Palce Olivii zatrzepotały przy kubku.

– Chyba tak.

Weathers nagle wstał, nogi krzesła zaszurały po wykładzinie.

– Przesłuchanie przerwane o dwudziestej drugiej piętnaście – powiedział, zatrzymując nagrywanie. Po drodze do drzwi pokazał palcem na MacIntyre'a. – Miej na nią oko.

Denison i Halloran usłyszeli, jak zatrzaskują się drzwi, a kilka sekund później Weathers wszedł do ich pokoju.

– Ona kłamie – stwierdził Halloran, a Weathers przytaknął.

– Nie rozumiem – powiedział Denison.

Inspektor spojrzał na niego. Jego oczy były zimne jak zmrożone dwa odłamki zielonego szkła wyrzucone na brzeg Tamizy.

– Patolog ustalił, że wielokrotne rany kłute powstały przed wypruciem wnętrzności. Większość została zadana podczas obrony. June walczyła jak diabli. To wypatroszenie doprowadziło do śmierci. Nie zadano żadnej rany post mortem.

– Może Olivia naprawdę źle to zapamiętała – zasugerował Denison. – Znajdowała się pod wpływem ogromnych emocji. To mogło zniekształcić jej wspomnienia.

– Myśli pan, że tak samo było z głową Amandy Montgomery? – prychnął Halloran. – Po prostu „zapomniała", co zrobiła z odciętą głową? Jezu, wiem, że kobiety ciągle zapominają, gdzie położyły kluczyki do samochodu, ale to naprawdę jest niezłe.

Rozległo się pukanie do drzwi i Halloran poszedł otworzyć. To była Ames, nie zdjęła jeszcze płaszcza; miała pytający wyraz twarzy. Weathers nawet nie zwrócił na nią uwagi.

– Matt, czy powiedziała ci coś, co wiedziałby tylko zabójca? – zapytał.

– Hm, wiedziała, jak były rozmieszczone rany Amandy i że ofiara miała odciętą głowę. Ta informacja nie została podana do publicznej wiadomości.

– Matt, Nick widział ciało. Mógł jej wszystko opisać.

– Buty i torebka Elizy. – Denison pstryknął palcami. – Tego też nie rozgłoszono.

– Masz rację. – Weathers pokiwał głową. – Ale kolega Olivii, Danny, był jednym z wioślarzy, którzy znaleźli te rzeczy.

– Chryste, czy ona nie powiedziała panu niczego, czego nie mogła wyciągnąć od tych swoich cholernych kolegów? – jęknął Halloran z obrzydzeniem.

– Muszę sprawdzić taśmy.

– Ale dlaczego kłamie? – zapytał Halloran. – To nie ma sensu. Dlaczego, do diabła, przyznała się, jeśli jest niewinna?

– Myślę, że znam odpowiedź – wtrąciła się Ames.

Zeznanie zostało spisane na oficjalnym, policyjnym kwestionariuszu. Denison przeczytał nazwisko przesłuchiwanego napisane drukowanymi literami, ładnym stylem Ames: Danny Armstrong.

– Mieszka teraz na południu Londynu – powiedziała Ames. – Trochę niechętnie ze mną rozmawiał. Wiesz, ludzie z Ariel przyjęli tę cholerną zasadę wyciszania spraw związanych...

– Co mówił? – przerwał jej Weathers, kartkując zeznanie.

– Powtórzył coś, o czym powiedziała mu June na miesiąc, dwa miesiące przed śmiercią. Mieszkała po sąsiedzku z Olivią i najwyraźniej podsłuchała jej kłótnię z Nickiem. Tyle że według June ryczał tylko Nick. Olivia próbowała go uspokoić. Potem krótka cisza i trzaśnięcie drzwiami. June wyszła, żeby zobaczyć, czy z Olivią wszystko w porządku. Zobaczyła, jak tamta biegnie po schodach w dół, pod prysznice, ściskając się za ramię, a potem trzyma rękę pod kranem z zimną wodą. Na wewnętrznej stronie ramienia widać było świeże oparzenie. Podobno takie jak od papierosa.

Denison spojrzał przez weneckie lustro na dziewczynę, która siedziała na krześle zgarbiona jak zepsuta lalka.

– Czy Olivia powiedziała jej, co się stało? – zapytał Weathers.

– Nie. Krzyknęła tylko, żeby June zajęła się własnymi sprawami. Danny uważa, że potem Olivia po prostu unikała June.

– Powinniśmy sprawdzić kartę zdrowia Olivii – stwierdził Denison.

– Jadę do Addenbrooke's – powiedziała Ames i wyszła z pokoju.

Zapadła długa cisza. Wszyscy trzej patrzyli na siebie, potem na Olivię. Teraz siedziała z łokciami opartymi o stół, złączonymi dłońmi zakrywając usta i nos.

Denison ciężko opadł na krzesło.

– To zrobił Nick. Chryste, nie wierzę, że mogłem być taki głupi.

– Chwileczkę – zaprotestował Halloran. – Dowiedzieliśmy się, że chłopak trochę jej dołożył i nagle ona stała się niewinna, a on okazał się zabójcą?

– Wie pan, jak rzadko zdarzają się kobiety wśród seryjnych morderców? – zapytał Denison. – Szczególnie wśród takich, którzy zabijają dla przyjemności, a nie dla pieniędzy?

– Nie tak rzadko, do cholery! – powiedział Halloran. – A co z Rose West? A Myra Hindley?

Denison pokręcił głową ze zbolałym uśmiechem.

– Właśnie pan potwierdził moje spostrzeżenie. Obie zabijały do spółki z dominującymi mężczyznami. Wątpię, czy same stałyby się seryjnymi morderczyniami, gdyby znalazły sobie innych kochanków.

– Więc mówi pan, że Croscadden i Hardcastle działali razem?

– Nie wiem. Bo skoro rzeczywiście współuczestniczyła w tych morderstwach, to jak wyjaśnimy fakt, że nie potrafi podać nam żadnych szczegółów? – zauważył Denison. – Dlaczego nie może powiedzieć, gdzie jest głowa Amandy, i dlaczego uważa, że June była dźgana po wypruciu jelit?

Weathers nie wyglądał na przekonanego.

– Jeśli nie jest w to zamieszana, po co, do diabła, go osłania? Ba, nawet bierze na siebie całą winę.

Denison próbował znaleźć jakieś wytłumaczenie.

– Zauważyłeś może, że są przestępcy, którzy ledwie gdzieś wejdą i już wiedzą, kogo mogą oszukać, kogo oskubać, kogo zastraszyć?

Halloran pokiwał głową.

– Jak lwy... te zawsze rzucają się na słabe antylopy. Łatwy łup.

– Hm, niektórzy mężczyźni tak samo namierzają kobiety z jakimiś słabościami. Szukają takich, które będą mogli zdominować. Potem przejmują nad nimi całkowitą kontrolę. Wiedzą, kim można manipulować pod pretekstem miłości. Wyobraź sobie, że przez całe życie jesteś torturowany, molestowany, pogardzany, aż wreszcie znajdujesz kogoś, kto cię kocha i troszczy się o ciebie. Mówi, że jesteś miłością jego życia. Wybaczyłbyś mu, że czasami da ci szturchańca? Chroniłbyś go bez względu na to, co zrobił?

– Tak, ale ta zmyślona choroba psychiczna? – zastanawiał się głośno Halloran. – Udawanie warzywa?

– Nie wierzę, że udawała katatonię. Jeśli weszła do pokoju i zobaczyła, co on robi z June, to taki wstrząs wystarczył, żeby wywołać stupor.

– A ta cała szopka z osobowością wieloraką? Dlaczego to robiła?

– Możliwe, że co do jednego nie kłamała – odezwał się Weathers. – Naprawdę zaczęło ją obchodzić, co Matt myśli, i nie była w stanie wziąć na siebie całej winy bez żadnego usprawiedliwienia. Może przez cały czas chciała mu powiedzieć: „Ja tego nie zrobiłam".

Rozdział 17

OFICJALNA ODPOWIEDŹ SZPITALA ADDENBROOKE'S na pytanie detektyw Ames brzmiała: „Przykro nam, nie możemy ujawniać kartotek medycznych pacjentów bez nakazu sądowego". Ale Ames przyjaźniła się z jedną z pielęgniarek z izby przyjęć.

– A to złamany palec, a to pęknięte żebro i klasyczna wymówka: „spadłam ze schodów" – powiedziała kobieta.

– Ale żadne z jej przyjaciół nic nie wiedziało o tych urazach – zauważyła Ames.

– Palec miała złamany tuż po zakończeniu semestru. Prawdopodobnie szybko wyjechała do domu, żeby nikt nie pytał, co się stało. A co do pękniętych żeber... Cóż, bandaże nosi się pod ubraniem.

– Jeśli to on był sprawcą, to nie powiedziała o tym personelowi w szpitalu – relacjonowała Ames po powrocie.

– Musimy wyciągnąć z niej prawdę – oznajmił stanowczo Weathers. – Matt?

– Niełatwa sprawa – odparł Denison. – Będzie go bronić instynktownie. To jej najsilniejszy odruch. Dlatego obawiam się, że musisz wykorzystać go przeciwko Olivii. Zaryzykuj i sprowokuj dziewczynę, żeby stanęła w obronie Hardcastle'a.

Weathers wrócił do pokoju przesłuchań z drugim kubkiem herbaty dla Olivii, postawił go przed nią, a obok położył szarą kopertę. Nie otworzył jej. Znów włączył nagrywanie.

– Eliza Fitzstanley – powiedział. – Prawie wszystkie jej rany pochodziły od ciosów tępym narzędziem. Poza jedną. Miała ranę kłutą na prawym pośladku. – Olivia tylko popatrzyła na niego, więc mówił dalej: – Możesz mi wyjaśnić, dlaczego ją tam dźgnęłaś?

Odchrząknęła.

– Broniła się, walczyłyśmy. Nie dźgnęłam jej tam specjalnie.

– Czym to zrobiłaś?

– Nożem.

– Jakim? Scyzorykiem? Nożem kuchennym?

– Scyzorykiem.

– A dlaczego nie użyłaś scyzoryka, żeby ją zabić? Dlaczego tylko ta jedna, mała rana?

Upiła trochę herbaty.

– Wytrąciła mi go z ręki. Upadł w liście.

– Więc tam go zostawiłaś?

– Tak.

– Ale my go nie znaleźliśmy, kiedy szukaliśmy odcisków palców w tym miejscu.

Olivia wzruszyła ramionami.

Weathers otworzył szarą kopertę i wyjął duże zdjęcie. Olivia udawała, że jest trochę rozluźniona, ale patrzyła na niego jak mysz na jastrzębia. Przesunął fotografię w jej stronę. Nagie ciało dziewczyny leżało twarzą do dołu na stole prosektoryjnym. Na plecach widniały siniaki, ale gołe pośladki były gładkie, bez ran.

– Olivio, to jest Eliza. Popatrz, żadnych okaleczeń ostrym narzędziem. Więc dlaczego mówisz mi, że ją dźgnęłaś?

Szybko przebiegała wzrokiem fotografię. Denison rozpoznał zewnętrzne oznaki wskazujące na to, że jej mózg próbuje skonstruować jakieś wiarygodne wytłumaczenie błędu.

– Wydawało mi się, że to zrobiłam – mruknęła. – Miałam scyzoryk, a pan powiedział, że została zraniona. Pomyślałam, że to się zdarzyło podczas walki.

– Nie miałaś scyzoryka, Olivio – Weathers ciężko westchnął. – Wiemy, że te dziewczyny zabił Nicholas Hardcastle. A ty go chronisz. Dlaczego? Ten człowiek to sadysta. Co ty, do diabła, wyprawiasz?

– To ja je zabiłam! To ja zrobiłam! – krzyknęła, trzaskając obiema dłońmi w stół. – Na litość boską, to byłam ja!

211

– Olivio, rozumiem, myślisz, że on się o ciebie troszczy. Ale tacy ludzie nie są zdolni do miłości. Pragną tylko zadawać ból. Jak możesz kochać kogoś takiego?

Pokręciła głową.

– On taki nie jest. Myli się pan. On naprawdę troszczy się o mnie.

Weathers wysilał się jeszcze przez godzinę i dwadzieścia minut, aż wreszcie zrezygnował i zakończył przesłuchanie. Olivię odprowadzono do celi.

– No to co teraz? – zapytała Ames.

– Przeprowadzimy kolejną pogawędkę z Nicholasem Hardcastle'em – odparł Weathers.

Zostawili Maca na posterunku Newington Park i pojechali do Oksfordu. Ruch był niewielki, więc dotarli w dwie godziny. Ames wcześniej zadzwoniła i załatwiła dla nich lokal w jednym z oksfordzkich komisariatów. Dojechali do miasta o drugiej nad ranem, a kiedy zatrzymali się na podjeździe domu Hardcastle'ów blokowanym przez dwa radiowozy, dochodziła już trzecia. Denisonowi powiedziano, żeby został w samochodzie Weathersa. Dwóch umundurowanych funkcjonariuszy pobiegło na tyły domu, na wypadek gdyby Nick próbował wymknąć się kuchennymi drzwiami. Weathers załomotał do frontowych drzwi.

– Otwierać! – krzyknął. – Policja!

Kilka sekund później w jednym z okien na piętrze zapaliło się światło. Weathers usłyszał człapanie. Ktoś schodził ze schodów. Potem w holu ukazała się niska krępa sylwetka.

Geoff Hardcastle w kraciastym szlafroku na niebieskiej piżamie otworzył na oścież drzwi.

– Czy wie pan, do cholery, która godzina?

– Gdzie Nicholas? – zapytał Weathers.

– To niewiarygodne. – Geoff wpatrywał się w inspektora zaczerwienionymi oczami.

Valerie Hardcastle, bez makijażu, pojawiła się w drzwiach obok męża. Miała na sobie kremową satynową podomkę. Obejmowała się, jakby to był środek zimy, a nie jedna z najgorętszych nocy w roku.

– Nie ma go tutaj – powiedziała łamiącym się głosem. – Jest u swojej dziewczyny.

Denison czekał na tylnym siedzeniu auta Weathersa i wachlował się mapą wschodniej Anglii. Wreszcie rozległ się chrzęst żwiru. Weathers, Halloran i Ames wrócili do samochodu. Wsiedli, zatrzasnęli drzwi, siedzieli w milczeniu.

– Gdzie on jest? – zapytał Denison.

– Nie uwierzy pan – powiedział Halloran.

– Co? Uciekł?

– Nie. Wyjechał do swojej dziewczyny, do Cambridge.

– Swojej dziewczyny? – powtórzył w zamyśleniu Denison.

Weathers odwrócił się w fotelu, żeby spojrzeć na przyjaciela. Denison nie potrafił rozstrzygnąć, czy błysk w oku Steve'a to objaw rozbawienia, czy irytacji.

– Pauli Abercrombie.

– Chryste – wymamrotał Denison. – Więc od jak dawna są ze sobą?

– Bóg jeden wie. Jego matka dowiedziała się o tym dwa miesiące temu. Wracamy do Cambridge. Paula zaczyna tam studia magisterskie i znalazła sobie ładne małe lokum niedaleko Grafton Centre.

Zatrzymali się w połowie drogi do Cambridge przy barze całodobowym; wzięli lurowatą kawę i czerstwe rogaliki. Halloran zamówił kanapkę.

– Dasz radę? – zapytał Weathers Denisona, który ziewnął po raz trzydziesty.

– Nie wiem. Nie mogę powiedzieć, żebym był u szczytu formy.

– Halloran?

Stary glina wzruszył ramionami.

– Jestem wykończony, ale ten mały gnojek też dostanie wycisk. Lepiej wziąć go z zaskoczenia.

– Jeśli pani Hardcastle już nie zadzwoniła, żeby ostrzec syna – zauważył Denison.

– Myślisz, że odbierze komórkę o tej porze? – zapytała Ames.

– Kto wie?

– Kazałem postawić ludzi przed mieszkaniem Pauli – powiedział Weathers. – Nie zaobserwowali żadnych śladów aktywności. Kurczę, jest niedziela rano. Prześpijmy się parę godzin, a potem zwiniemy chłopaka. Ja jak miałem dwadzieścia jeden lat, wylegiwałem się do południa.

Weathers i Ames wynajmowali dom z tarasem przy Holland Street, tylko kawałek spacerem od rzeki. Na strychu stała wersalka. Ames wyjęła pościel z suszarki i pościeliła łóżko dla Denisona.

– W apteczce jest kilka zapasowych szczoteczek do zębów – powiedziała. – Nierozpakowane. U Weathersów znajdziecie najlepszą obsługę. Chcesz coś jeszcze? Szklankę wody?

– Może wódki – zażartował Denison, rzucając marynarkę na prześcieradło. Pocałowała go na dobranoc i zostawiła ze Steve'em.

Denison podziwiał wystrój pokoju. Widać było kobiecą rękę – fotografie w ramkach na ścianach, monstera wonna w rogu, misa z pot-pourri na stoliku nocnym.

– Wszystko tu jest bardzo zadbane.

– Poczekaj tylko, jak kupimy sobie własne lokum. – Weathers się roześmiał. – Sally będzie mnie gnała do IKEA i Homebase co drugi weekend. Już postanowiła, jak urządzi łazienkę.

Denison pokiwał z uśmiechem głową.

– Cass jest taka sama. Miesiąc po tym, jak się wprowadziła, moja sypialnia i salon zmieniły się nie do poznania. Ostatnio próbowała mnie namówić na kupno kanapy i dwóch foteli.

– Więc dobrze wam ze sobą? – zapytał Weathers.

– Tak, naprawdę dobrze.

– Rozmawiasz z nią o pracy?

– Masz na myśli moje ściśle poufne sesje psychiatryczne? Z reguły nie.

– To znaczy czasami tak. – Weathers uśmiechał się, więc Denison domyślił się, że przyjaciel go nie potępia.

– Kiedy mam naprawdę ciężki dzień, tłumaczę jej, dlaczego jestem w kiepskim nastroju. To pomaga.

– Mówiłeś jej o Olivii Croscadden?

– Wspominałem o dziewczynie z osobowością wieloraką – przyznał Denison. – Ale nie martw się, nie piśnie nikomu ani słowa. Nie powiedziałbym, gdybym nie był pewien, że tego nie powtórzy.

214

– Wie, co czujesz do Olivii?

Denison zmarszczył brwi, widząc poważną minę Weathersa.

– Nie rozumiem...

– Daj spokój, Matt. To oczywiste, że masz do niej słabość.

Denison zaczął szarpać węzeł krawata.

– Chyba to nic dziwnego, że czuję sympatię do dziewczyny, której rodzice urządzili piekło, a potem spotkało ją to nieszczęście, że znalazła sobie chłopaka sadystę i mordercę. – Nie patrzył na Weathersa, zdejmując krawat.

– Ale żałowałeś jej nawet wtedy, kiedy myślałeś, że popełniła te zbrodnie – zauważył Weathers.

– Czy wiesz, jak rzadko socjopaci mają szczęśliwe, normalne dzieciństwo? – sapnął Denison. – Z reguły od małego są wypaczani psychicznie. Gdyby się okazało, że jest agresywna, pozbawiona sumienia, to jej rodzice byliby w równym stopniu odpowiedzialni za te śmierci jak ona. Chryste, dobrze, że jej ojciec siedzi teraz w więzieniu, bo inaczej bardzo by mnie kusiło, żeby złożyć mu wizytę z kijem do krykieta. – Denison natychmiast dostrzegł błysk w oczach Weathersa. – Co? O co chodzi, Steve?

Inspektor skrzywił się.

– Nie siedzi w więzieniu. Wyszedł za kaucją.

– Dlaczego, do cholery? Powiedziałeś, że w komputerze ma pełno dziecięcej pornografii!

– Bo to prawda. Ale jego nie było na żadnym ze zdjęć, nawet tych z Olivią. Twierdzi, że komputer to część partii towaru, którą sprzedawał z drugiej ręki, a nie jego osobisty sprzęt. Ponieważ był jednym z trzydziestu pięciu, które zarekwirowaliśmy, adwokatowi udało się udowodnić, że tylko w sądzie można orzec, czyja to własność.

– Ale znaleźliście tam zdjęcia jego córki! Czy to nie dostateczny dowód?

– Według sądu to zdjęcia niedojrzałej płciowo dziewczynki, która jest podobna do jego córki. Nie miałem zeznań Olivii, prawda? Jeśli nie złoży na ojca skargi i nie stwierdzi, że te zdjęcia ją przedstawiają, niewiele zdołam zrobić.

– Och, na litość... – Denison usiadł na łóżku i złapał się za głowę.

– Przykro mi, Matt. Ale Barry jest za sprytny, żeby podpaść przed terminem rozprawy, szczególnie odkąd wie, że dobraliśmy się do niego. – Weathers spostrzegł, jak bardzo to zdenerwowało Denisona. – Matt, gdybyś nie powiedział nam o Olivii, to nawet nie wiedzielibyśmy, że trzeba mieć go na oku.

Denison podniósł wzrok na przyjaciela.

– Steve, ona nawet nie wie, że jej ojciec został aresztowany. Jak ma złożyć skargę, kiedy dowie się o tym wszystkim?

Weathers skrzyżował ramiona.

– Croscadden nie podejrzewa, że wsypała go córka. Myśli, że chodziło nam o handel skradzionymi rzeczami i po prostu przypadkiem wpadliśmy na dziecięcą pornografię.

– Obyś się nie mylił. Jezu, przynajmniej powiedz mi, że masz mnóstwo dowodów do sprawy o paserstwo.

– Wystarczy, żeby go posadzić, przynajmniej na półtora roku.

– To wszystko?

Weathers wzruszył ramionami.

– Chcesz, żebym szepnął słówko, kiedy go zdejmiemy, że to pedofil? Nie ma sprawy. Wtedy będzie miał przerąbane.

– Kumple z celi załatwią sprawę za ciebie, co?

Weathers uśmiechnął się smutno.

– Idę już do łóżka. Śpij smacznie, Matt.

Miał wrażenie, jakby dopiero co zamknął oczy, kiedy nagle światło zalało pokój, a nad nim stanął Weathers z kubkiem gorącej kawy. Denison nie miał ze sobą ubrania na zmianę, więc musiał włożyć ten sam wygnieciony garnitur i koszulę, w której pocił się poprzedniego dnia. Dochodziła dopiero ósma, ale już czuło się, że dzień będzie upalny.

Zszedł do kuchni. Weathers wręczył mu talerz z grzanką. Sam wziął już prysznic, ciemne włosy miał wilgotne i sczesane do tyłu. Ubrany był w ciemny garnitur i białą koszulę. Denison pozazdrościł mu tej świeżości.

– Więc ja już nie zdążę się przekąpać? – poskarżył się.

– Myślałem, że wolisz dłużej pospać. Jedz, za pięć minut wychodzimy.

Zatrzymali się na Sturton Street, przed samochodem Hallorana. Chociaż zaledwie kilka przecznic dalej znajdowało się jedno z najbardziej tłocznych centrów handlowych Cambridge, była to spokojna, podmiejska uliczka. Wiktoriański domek Pauli sąsiadował z małym parkiem. Tylko frontowe drzwi oddzielały salon od chodnika.

Halloran wysiadł z samochodu i popędził do wozu Weathersa. Denison nie mógł ocenić, czy Halloran skorzystał z dobrodziejstw prysznica – miał mało włosów i już zaczynał się pocić; malutkie kropelki zraszały mu czoło.

– Chłopaki mówią, że w domu był spokój, odkąd przyjechali wczoraj wieczorem – poinformował Halloran.

– Do roboty – powiedział Weathers.

Znowu zostawili Denisona i długimi krokami poszli do domu, dwóch innych funkcjonariuszy wysiadło z samochodu stojącego dalej przy ulicy i przyłączyło się do nich. Jeden przelazł nad drewnianą furtką, prowadzącą do miniaturowego ogródka na tyłach.

Drzwi frontowe pomalowane były na jasnoczerwono. Weathers chwycił za kołatkę z żelaza i mocną nią zastukał.

– Policja, otwierać! – krzyknął, nie przestając łomotać kołatką.

Kobieta z wózkiem spacerowym, która szła w ich stronę, spojrzała tylko i pospiesznie przeszła na drugą stronę ulicy. Kilkoro dzieci grających w koszykówkę w parku przystanęło i patrzyło. Jedno z nich trzymało piłkę pod pachą.

Minęło półtorej minuty, zanim drzwi się otworzyły. Stanęła w nich Paula Abercrombie w szarych, bawełnianych szortach i obcisłym T-shircie. Halloran zauważył, że dziewczyna nie ma stanika, i uśmiechnął się do niej szeroko. Długie ciemne włosy były w nieładzie, z makijażu został tylko lekko rozmazany tusz do rzęs. I tak nadawałaby się na okładkę „Playboya", pomyślał.

– Kochana, idź i przyprowadź tu do nas Nicholasa. – Puścił do Pauli oko.

Nick pojawił się za nią w spodniach od dresu i T-shircie.

– O Chryste, znowu wy – jęknął.

– Zgadza się – powiedział Weathers. – Wyniknęło coś, co chcielibyśmy omówić z tobą na posterunku.

Denison patrzył na Nicka, który siedział wyprostowany na krześle w pokoju przesłuchań, z wyzywająco skrzyżowanymi ramionami. Zauważył, że ciemne sińce zniknęły chłopakowi spod oczu. Nick trochę przybrał na wadze, wyrobił sobie mięśnie. Wyglądał na zdrowego i w dobrej formie. Włosy urosły mu kilka centymetrów i zaczynały się kręcić.

Weathers też dostrzegł te zmiany.

– Widać, że chodzenie z Paulą Abercrombie dobrze ci służy – zwrócił się do Nicka.

Chłopak niechętnie skinął głową.

– Chyba tak.

– Domyślam się, że Olivia nie wie? – prowokował Weathers.

– Skąd miałaby wiedzieć? Nie pozwoliliście mi się z nią skontaktować.

– A bardzo by ci zależało, prawda? Mógłbyś uporządkować swoje bajeczki?

Nick z niedowierzaniem pokręcił głową.

– Jezu, a co w tym dziwnego, że chciałbym zobaczyć się ze swoją dziewczyną?

– Nic. Ale ona niewiele mówiła, więc wizyta szybko by cię znudziła. Dopiero po czterech tygodniach Olivia zaczęła dochodzić do siebie. Wcześniej tylko gapiła się w telewizor i śliniła.

Denison spostrzegł, że Nick stara się nie zareagować gwałtownie na zaczepkę.

– Od jakiegoś czasu mieliśmy problemy z Olivią – przyznał spokojnym tonem. – Nie podobało się jej nic, co powiedziałem albo zrobiłem. Dawałem jej kwiaty, zapraszałem na kolację, kupowałem prezenty. Ona mówiła dziękuję i tyle. Czasem jej dotykałem, ale odsuwała się jak oparzona. Więc tak szczerze mówiąc, jakiś czas rozłąki pomógł mi zrozumieć, że nie układa nam się i że nie da się tego naprawić.

– A Paula? Czy pomogła ci podjąć tę decyzję?

– Ona jedna ze mną została. Przez was wszyscy koledzy myślą, że jestem winny. Tylko Paula stanęła po mojej stronie. Zbliżyliśmy się do siebie, to wszystko. Przykro mi z powodu Olivii, naprawdę, ale nie jestem święty. – Przejechał ręką po lokach i nachylił się nad stołem, w stronę Weathersa. – Jest coś, co powinienem panu powiedzieć. I to już dawno, ale nie chciałem, żeby Olivia się dowiedziała. Większość facetów, kiedy zdradza dziewczyny, nie kończy w ten sposób, że musi kłamać wobec cholernej policji.

– Mów – powiedział krótko Weathers.

– Zeznałem, że tego wieczoru, kiedy zabito Amandę, spałem na podłodze, a Paula na łóżku. Hm, tak naprawdę oboje byliśmy w łóżku.

– Uprawialiście seks?

Nick uniósł oczy.

– Tak, jeśli to takie ważne. Niech pan posłucha, Paula ma bardzo lekki sen. Obudziłaby się, gdybym w nocy wyszedł z pokoju.

– I to tylko przypadek, że kilka tygodni po tym, jak zbliżyliście się do siebie, ona nagle daje ci alibi – powiedział Weathers.

– Zgadza się – prychnął Nick.

– Jeszcze jej nie uderzyłeś?

– Co?

– To dość proste pytanie: jeszcze jej nie uderzyłeś? Nie rąbnąłeś? Nie dałeś po twarzy? Nie kopnąłeś?

Nick zamrugał.

– Chyba pan sobie kpi. Nie biję kobiet.

– Nie, tylko je torturujesz i zabijasz, co?

– Na litość boską, ile razy mam powtarzać, nie robię tego! Nigdy w życiu nikogo nie skrzywdziłem. Nawet nie wdałem się w bójkę.

– Naprawdę? A mamy zeznania ludzi, którzy twierdzą, że naruszałeś nietykalność osobistą Olivii Croscadden.

– Pieprzone kłamstwo – zawołał Nick. – Nikt nie mógł tak powiedzieć. Olivia na pewno tego nie powiedziała, prawda? Prawda?

– Mówiła nam dużo rzeczy. Na przykład, że to ona zabiła Amandę, Elizę i June.

Nick omal nie parsknął śmiechem.

– Pan bredzi!

– Nie. Nie potrafiła podać faktów, ale się przyznała.

Pokręcił głową.

– Pan sobie żartuje.

– Niestety, nie. Olivia twierdzi, że odcięła głowę Amandzie Montgomery, zmiażdżyła czaszkę Elizie Fitzstanley o drzewo i wypatroszyła June Okeweno.

– Ale…

Denison patrzył, jak zmienia się wyraz twarzy Nicka. Teraz chłopak przypominał gracza, który decyduje się na ruch w rozgrywce szachowej. Po chwili zaczął kiwać głową. Najwyraźniej dokonał wyboru.

– No dobrze, powiem wam coś jeszcze. Chryste, nie wierzę, że to robię.

– Co? – zapytał sceptycznie Weathers.

– Moje odciski palców były na nożu, którym zabito June, bo... bo wyjąłem go z ręki Olivii.

Rozdział 18

Gówniarz – wymamrotał Denison.

Weathers patrzył z pogardą na Nicka.

– Mówisz, że zabrałeś Olivii nóż, zgadza się?

– Tak. Niech pan zrozumie, nie chciałem narobić jej problemów i dlatego nic nie powiedziałem. Nie sądziłem, że to ona zabiła June. Myślałem, że trafiła na zwłoki i w szoku nie wiedziała, co robi. Ale skoro się przyznała... cóż, może się myliłem. – Patrzył na nich oczami jak bławatki.

– Nie wierzę ci – odezwał się po raz pierwszy Halloran. – Właśnie ci powiedzieliśmy, że twoja dziewczyna, z którą byłeś trzy lata, przyznała się do serii morderstw, a ty jeszcze bardziej ją wrabiasz. Nawet nie próbujesz bronić Olivii. Przyjacielu, chyba jesteś najgorszym fiutem, jakiego miałem nieszczęście spotkać.

Nick wyprostował się, oczy mu pociemniały, znów założył ręce.

– Żądam adwokata – powiedział.

Paula zrobiła sobie staranny makijaż – cień do powiek, szminka i puder – zanim przyszła, żeby złożyć zeznania na temat wieczoru, kiedy została zabita Amanda. Skupiła uwagę na przystojnym detektywie Weathersie, ignorując Hallorana, który teraz pod pachami i na plecach miał już plamy od potu.

– Uprawialiśmy seks – przyznała. – Nick nie chciał, żeby Olivia się dowiedziała, więc poprosił, żebym potem skłamała, że spałam na podłodze.

– Jak długo razem byliście, zanim obudziło was zamieszanie za drzwiami?

– Bo ja wiem… siedem, osiem godzin.

– I sądzi pani, że to niemożliwe, żeby w nocy Nick wstał, zabił Amandę i wrócił do łóżka?

– Nie. Mam bardzo lekki sen.

– Nawet jak sporo pani wypije?

Roześmiała się gardłowo.

– Szczególnie wtedy, kiedy sporo wypiję. Co pięć minut biegam do łazienki.

– A Nick, obudził panią tamtej nocy?

– Tak, kiedy poszedł do toalety. Ale nie było go w łóżku tylko przez parę minut. Nie wyszedł z pokoju. Słyszałabym, jak otwiera drzwi.

Halloran pstryknął palcami, żeby przyciągnąć uwagę dziewczyny.

– Słuchaj, kochana, jeśli oboje nie macie nic do ukrycia, pozwolilibyście nam przeszukać wasz dom?

Wzruszyła ramionami.

– Proszę bardzo. Tylko nie ukradnijcie moich majtek.

– Wierzysz jej? – zapytał Denison.

Weathers wzruszył ramionami.

– Nie wiem. Jeśli teraz związała się z Nickiem, to nic dziwnego, że go chroni, zwłaszcza jeśli uważa, że jest niewinny. A ty?

Denison zgasił papierosa.

– Myślę, że skoro wreszcie zdołała złowić Nicka, to na pewno nie będzie jej zależało na oczyszczeniu Olivii z zarzutów. – Spojrzał na Parker's Piece. Ludzie jedli lunch, grali w krykieta, czytali książki i w ogóle cieszyli się słońcem. – To co teraz?

– Nie mogę już dłużej zwlekać. Powinienem oskarżyć tych dwoje o morderstwo już w dniu, kiedy znaleźliśmy ich w pokoju June. Minęły ponad dwa miesiące i nadal nie wiemy z całą pewnością, co stało się tamtego wieczoru.

– Olivię też oskarżysz?

– Oskarżę wyłącznie Olivię. Na Nicka nie mam nic. I jeszcze posiada alibi, jeśli chodzi o pierwsze morderstwo. Poza tym jest gotów zeznać w sądzie, że zastał Olivię z nożem w ręku.

Z początku Denison nie mógł w to uwierzyć, ale w końcu się zgodził.

– Więc mówiąc wprost, chcesz ją zaszantażować, żeby zeznawała przeciwko niemu?

Weathers wziął papierosa z paczki Denisona i zapalił.

– Zgadza się. – Wydmuchnął chmurę dymu. – A jeśli nie chcesz widzieć, jak się pogrąża, to proponuję, żebyś spróbował z nią porozmawiać.

Olivię osadzono w celi, w więzieniu Holloway. Zajmowała dolną pryczę, położoną najbliżej muszli klozetowej i chociaż leżała stopami w tamtą stronę, to i tak czuła odór. Najmłodsze z aresztantek nie zawracały sobie głowy spuszczaniem wody.

Czytała *Drużynę Pierścienia* Tolkiena. Sama nie wybrałaby tej książki. Przyniósł ją doktor Denison razem z ubraniami z Coldhill. Podejrzewała, że wybrał akurat tę lekturę ze względu na objętość. Wiedział, że jego pacjentka szybko czyta.

– Olivio, nie słyszysz? – krzyknęła koleżanka z celi. – Wywołują twoje nazwisko. Masz dzisiaj gościa, ty szczęśliwa dziwko.

Tylko Laticia ośmielała się nazywać ją szczęśliwą dziwką. Wszystkie wiedziały, za co Olivia siedzi, i trzymały się od niej z daleka. Przez pierwszych parę dni Laticia też jej unikała, podchodziła tylko wtedy, kiedy musiała. Teraz, kiedy się poznały, trochę wyluzowała.

Olivia włożyła zakładkę do książki i zeszła po metalowych stopniach na niższy poziom. Dołączyła do grupy kobiet czekających, aż je zabiorą do sali widzeń. Zgrzytnęła zębami, kiedy strażniczka dokonywała rewizji – nie znosiła, kiedy się jej dotyka bez zezwolenia. Próbowała domyślić się, kogo spotka po drugiej stronie drzwi. Godfrey złożył jej kilka razy wizytę, podobnie Leo. Miała nadzieję, że to Nick. Ale pomyślała, że pewnie jednak doktor Denison.

Żaden z nich. To była mama, z półtorarocznym Barrym juniorem, którego podrzucała na biodrze. Olivia zwolniła kroku. Strażniczka popchnęła ją naprzód.

– Idź, Croscadden, przywitaj się z matką.

Olivia podeszła powoli i usiadła na krześle. Popatrzyła na mamę. Shelley nosiła skąpą kamizelkę, odsłaniającą tatuaże i szarawe ramiączka stanika, sprane niebieskie dżinsy zwisały jej z chudych bioder. Barry junior był tłusty i niezadowolony. Podrzucanie bardziej go irytowało, niż uspokajało.

– Cześć, mamo.

Shelley usiadła naprzeciwko córki.

– Dobrze wyglądasz, Cleo, kochana. Więzienne jedzenie ci służy. Tata go nie znosił, ale on jest smakoszem, w przeciwieństwie do ciebie, prawda?

Barry junior schwycił garść cienkich tlenionych włosów Shelley i zaczął je ssać.

– Dlaczego przyjechałaś, mamo?

– Hm, to ładnie z mojej strony, co? Wlokłam się tutaj tym cholernym autobusem, a wiesz, jak junior nie znosi takiej podróży.

– Dlaczego tata cię nie podwiózł?

– Nie ufał sobie, kochana. Zrozum, prawie dostaje piany na pysku. Nieźle go wpieprzyłaś, mała dziwko.

– O czym ty mówisz? Nic nie zrobiłam tacie.

Shelley wymierzyła oskarżycielsko palec.

– Nie kłam, głupia cipo. Powiedziałaś im o zdjęciach. Aresztowali go! Jak, do kurwy nędzy, wykarmię troje dzieci, kiedy on będzie za kratkami? To są twoje siostry i mały brat. Spieprzysz im życie, Cleo. – Wykrzywiła z niesmakiem usta, obnażając żółte od nikotyny krzywe zęby. – Powiedz im, że kłamałaś. Mówię poważnie, Cleo. Znamy tutaj ludzi. Wystarczy słowo i tak ci dochrzanią, że nie spojrzysz w lustro do końca życia. – Przez kilka sekund gniewnie wpatrywała się w córkę, żeby się upewnić, czy do niej dotarło. Potem wstała i zawołała do strażniczki: – Nie chcę więcej rozmawiać z tą krową. Otwórz te cholerne drzwi i wypuść mnie.

Kiedy dwa dni później Denison przyszedł do Holloway, był zaskoczony, bo Olivia z początku odmówiła przyjęcia wizyty.

– Proszę jej przekazać, że mam informacje na temat Nicka Hardcastle'a – powiedział.

Zabrali go do pokoju widzeń – małego, bez okien, z solidnymi, metalowymi drzwiami. Przez cały czas stała za nimi strażniczka. Wprowadzono Olivię i przykuto kajdankami do metalowego stołu umocowanego na stałe do podłogi pośrodku pomieszczenia.

– Nie trzeba… – zaprotestował Denison.

– Owszem, trzeba – odparła strażniczka. – Wrzeszcz, gdyby próbowała cię zabić. – Zostawiła ich samych.

Denison usiadł naprzeciwko Olivii.

– Wolno wam tutaj palić?

Wzruszyła ramionami, patrząc na niego poważnie.

– Chcesz jednego?

Kiwnęła głową. Wyjął paczkę marlboro, zapaliła, oparła się wygodnie. Popatrzyła na rękę przykutą do stołu i położyła ją na metalowym blacie wnętrzem dłoni do góry, jakby chciała sobie powróżyć. Nosiła T-shirt z krótkimi rękawami. Denison zobaczył małe, okrągłe blizny po wewnętrznej stronie łokci i ramion. Razem mogło ich być z dziesięć. Olivia dostrzegła jego wzrok i szybko odwróciła ręce.

– Kiedy po raz pierwszy przypalił cię papierosem? – zapytał cicho.

Olivia głęboko się zaciągnęła.

– Podobno ma pan jakieś informacje.

– To może być dla ciebie bolesne, ale Nick powiedział nam, że kłamał na temat tamtej nocy, kiedy została zamordowana Amanda Montgomery. On wtedy uprawiał seks z Paulą.

Olivia zareagowała tak, jakby ktoś uderzył ją w brzuch. Zakrztusiła się dymem.

– Nie. On tak mówi tylko dlatego, że potrzebuje alibi.

– Olivio, kiedy go zatrzymaliśmy, był z Paulą.

– I co?

– Nie rozumiesz. Nocował u niej w domu, w jej łóżku. Mają romans.

Patrzyła na niego uporczywie. Niespodziewanie łzy zaczęły kapać na metalowy stół.

– Nie. Nie zrobiłby tego. On mnie kocha.

Denison położył ręce na jej dłoniach.

– Jeśli tak, to dlaczego powiedział nam, że znalazł cię w pokoju June z nożem w ręce?

Cały czas kręciła głową, jakby nie mogła się powstrzymać.

– Nie. Pan kłamie. Kłamie.

– Olivio, nigdy cię nie okłamałem.

– Zdradził mnie pan! Myślałam, że mogę panu zaufać, a pan wszystko powiedział policji!

– Musiałem. Wiedziałaś, że to, o czym mówimy, nie zostanie tylko między nami dwojgiem. Oceniałem, czy jesteś zdolna stanąć przed sądem.

– A co to ma wspólnego z tym, co zrobił mi ojciec?! – krzyknęła.

– Wygadał pan to policji, prawda? Prawda?! Nie miał pan prawa bez mojego zezwolenia.

– Oczywiście – przyznał, próbując ją uspokoić. – Przepraszam. Nie wiedziałem, że osoba, której to powiem, zamierza go aresztować. Liv, słuchaj, skąd wiesz, że policja podejrzewa ojca o pedofilię? Zapewniono mnie, że on się nie orientuje, że ty masz z tym coś wspólnego. Nawet nie za to został aresztowany. Gliniarze udawali, że chodzi im o handel kradzionymi rzeczami.

– No to ich pieprzona zasłona dymna najwyraźniej nie zadziałała! – parsknęła. – Dwa dni temu przyszła tu moja matka i ostrzegła, żebym lepiej trzymała mordę na kłódkę.

– Liv, jeśli ci groziła, popełniła przestępstwo. Nie możesz pozwolić, żeby to uszło jej na sucho.

Olivia otarła łzy, zgasiła papierosa i rozgniotła żarzące się okruchy tytoniu na metalowym stole.

– Nie rozumie pan. Moja rodzina ma w tym kiciu kumpli. Wystarczy kilkaset funtów…

– Więc tu nie zostaniesz. Proszę, złóż zeznanie. Opowiedz nam, co się stało. Jeśli tego nie zrobisz, będą musieli cię oskarżyć i spędzisz za kratkami całe życie.

– Mam powiedzieć, że to Nick, prawda? Obarczę winą jedynego człowieka, który kiedykolwiek mnie kochał.

– Tak? To dlaczego zrzuca na ciebie całą odpowiedzialność, skoro cię kocha? Żeby go chronić, bardzo się starałaś przekonać nas, że wyłącznie ty zabijałaś. A on przez cały czas był na wolności i coraz bardziej zbliżał się do Pauli.

Przyniósł z sobą zdjęcia z miejsca zbrodni, schowane przed strażnikami w egzemplarzu „British Journal of Psychiatry". Wiedział, że teraz będzie musiał ją zranić i zachować się okrutnie. Zebrał siły, aby podołać temu zadaniu. Popchnął przed nią pierwsze zdjęcie.

– Spójrz na twarz Elizy, Olivio. Zobacz, co z niej zostało. Dziewczyna, przerażona, gwałtownie wciągnęła powietrze. Zakryła usta dłonią i szybko odwróciła wzrok.

– Rozpoznałabyś ją? – spytał Denison. – Spojrzałabyś na tę krwawą miazgę i powiedziała: „To Eliza, nie ma wątpliwości"? Nie. Jej rodzice też nie. Rozpoznali córkę po pieprzyku na brzuchu i bliźnie na kolanie. Ale i tak musieli patrzeć na tę strzaskaną twarz. Musieli to zobaczyć. Powiedz, co tobą tak wstrząsnęło? To ty zrobiłaś, prawda?

Olivia wbiła wzrok w sufit, w oczach zbierały się jej łzy.

Denison trzasnął o stół kolejną fotografią.

– A teraz to zdjęcie. – Złapał ją za brodę i pociągnął głowę ku stołowi. – Patrz, Olivio.

Posłuchała. Ścisnęła dłońmi stół, próbując odsunąć się od tego, co zobaczyła.

– To zostało z Amandy Montgomery. Może niezbyt ją lubiłaś, ale czy zasługiwała aż na taką karę? Policja musiała dokonać identyfikacji na podstawie DNA, bo morderca odciął głowę i okaleczył ciało tak potwornie, że nawet matka nie mogła rozpoznać własnego dziecka.

– Nie... – jęknęła Olivia.

Kolejne zdjęcie rzucił obok fotografii przedstawiającej zwłoki Amandy.

– Spójrz. Przynajmniej tyle jesteś im winna.

– Niech mnie pan nie zmusza, błagam – wyszeptała. – Przepraszam, przepraszam.

– June Okeweno. Chciała, żebyś nie cierpiała. Wiedziała, że Nick cię krzywdzi. On to właśnie robi ludziom, którzy się o ciebie troszczą, starają się ochronić cię przed nim. Dźgał ją wszędzie, siedemnaście razy.

Podniosła zdjęcie i, płacząc, przycisnęła je do piersi.

– Musisz mi coś wyjaśnić. – Denison wypluwał słowa jak kamyki. – Wytłumacz, dlaczego oglądanie tych zwłok sprawia ci ból, skoro prawdopodobnie ty je okaleczyłaś. Dlaczego jesteś taka przerażona, Olivio? Czy powiedział ci, że zrobił to szybko i bezboleśnie? Że nie cierpiały? Zdajesz sobie sprawę, ile przyjemności z tego czerpał?

– O Boże – zaszlochała. – O Boże... Nie wiedziałam. Przysięgam. Przepraszam, nie miałam pojęcia, że tak bardzo je skrzywdził.

Denison z ulgą zamknął oczy.

– Och, Olivio – powiedział wreszcie. – Dlaczego go chroniłaś? Dlaczego mówiłaś, że ty to zrobiłaś?

Próbowała opanować płacz, ale była zbyt roztrzęsiona.

– To moja wina! On to robił dla mnie. Próbowały nas rozłączyć. Amanda chciała, żeby wrócił do Pauli. Eliza uważała, że nie jestem dość dobra dla niego. A June, że jestem za dobra dla niego. To moja wina. On po prostu bardzo się bał, że mnie od niego odciągną. To była moja wina. On to zrobił dla mnie. To moja wina.

Denison położył przed nią czwartą i ostatnią fotografię. Olivia w noc morderstwa June. Siedzi w bieliźnie czerwonej od krwi. Jest cała posiniaczona, na ramionach, na piersiach; pod prawym okiem ślad po uderzeniu. Wargę ma rozciętą. Patrzy prosto w obiektyw, ale niczego nie widzi. Wielkie i czarne źrenice, wzrok zupełnie pusty. Prawie też wygląda jak martwa.

– To nie była twoja wina – podjął łagodnie Denison. – Popatrz, co on tobie zrobił. Ten człowiek cię nie kochał. Nie zabijał z troski o wasz związek, chociaż mógł tak mówić. Olivio, to sadystyczne morderstwa. Niektórzy mężczyźni znajdują przyjemność w zadawaniu bólu. Nicholas jest jednym z nich. Zabiłby bez względu na to, czy bylibyście ze sobą, czy nie.

– Chciałabym w to uwierzyć.

Aż bał się zapytać.

– Kazał ci w tym uczestniczyć?

Pokręciła głową.

– Nie. Nawet o tym nie wiedziałam, dopóki nie zastałam go przy zwłokach June.

– To znaczy, że nie zabierał cię ze sobą?

– Nie, oczywiście, że nie! – powiedziała zaskoczona. – Gdybym widziała, co robi, próbowałabym go powstrzymać.

Miał ochotę ją ucałować. Nie była wspólniczką, chętnym partnerem. Nie pomagała w dokonywaniu zbrodni. Niesłusznie dręczyły ją wyrzuty sumienia.

Podekscytowany, chciał wyciągnąć z niej więcej informacji.

– Ale byłaś świadkiem morderstwa June?

– Myłam się w swojej łazience – powiedziała. – Nickowi nie podobało się, że pokłóciłam się z nim przy ludziach. Myślałam, że jest w sypialni. Ale kiedy wyszłam, nie zastałam go tam i usłyszałam krzyki. A raczej głośne jęki. Wyszłam, żeby sprawdzić, co się dzieje, ale drzwi do pokoju June były zamknięte. Słyszałam tylko, jak mówiła: „Nie, nie rób tego, nie". Zaczęłam się dobijać, krzyczałam do niej, wołałam Nicka.

– Myślałaś, że jest z nią w środku?

– Miałam nadzieję, że kręci się gdzieś w pobliżu, usłyszy mnie i przyjdzie z pomocą. – Pół szloch, pół śmiech, zasłoniła usta wolną ręką. – I nagle usłyszałam… jęk. Jakby z June uchodziło życie. A potem zrobiło się cicho. Drzwi się otworzyły i stanął w nich Nick. Miał krew na koszuli i na spodniach, w prawym ręku trzymał nóż. Spojrzałam w dół, na podłodze leżała June – zamilkła, próbowała się uspokoić. – Instynktownie czułam, że ona nie żyje. Ale coś mi podszeptywało, że zrobili mi głupi kawał i polali ją sztuczną krwią albo keczupem. Usiadłam obok June, potrząsnęłam nią i powiedziałam, żeby przestała się wygłupiać i że się przestraszyłam. Ale powoli zaczęło do mnie docierać, że widzę wnętrze jej brzucha. Dosłownie. I że nawet najlepszy specjalista od filmów grozy nie zdołałby zrobić takiej charakteryzacji. I właśnie wtedy straciłam przytomność. Naprawdę, niczego potem nie pamiętam. Ani tego, jak pojawiła się policja, ani tego, jak mnie zabierali do Coldhill. – Pokręciła głową. – Nie, nie byłam w stanie zaakceptować faktu, że ona nie żyje, uwierzyć, że to prawda. Bo skoro nie żyła, to Nick musiał być zabójcą.

– Co robił Nick, kiedy potrząsałaś ciałem June? Coś mówił?

Pokiwała głową, z trudem przełknęła.

– Powiedział: „Co ci tak smutno? Próbowała odciągnąć cię ode mnie. Słuchaj, wiem, że okropnie wygląda, ale jeśli ci bardzo zależy, możemy doprowadzić ją do jakiego takiego stanu. – Podniósł część wnętrzności i próbował włożyć z powrotem. – Olivia zakryła twarz dłońmi i zaczęła szlochać.

– Już dobrze. – Denison pogłaskał ją po włosach. – Spokojnie. Już po wszystkim. Ale Liv, musisz zeznać przed sądem, co widziałaś i dlaczego próbowałaś wziąć winę na siebie.

– Będą pytali, dlaczego skłamałam?

– Obrońcy Nicka na pewno wskażą, że to ty jesteś winna, do czego zresztą wcześniej się przyznałaś. Wtedy trzeba powiedzieć, co Nick ci robił i dlaczego poddałaś się jego dominacji.

– Uważa pan, że mu się podobałam, bo mógł nade mną panować – powiedziała ochrypłym głosem.

– Obawiam się, że tak. Przykro mi, Olivio. Wszystkie badania wskazują, że molestowane dziewczynki później są znacznie bardziej narażone na to, że trafią na partnera, który też będzie je molestował.

Wstała.

– Przepraszam. Nie mogę panu pomóc. Gdybym nawet zmusiła się do oskarżenia Nicka, nie pozwolę, żeby pan, czy kto inny, powiedział w sądzie, co rodzice mi zrobili. Zabiliby mnie, zanim zdążyłabym wrócić do celi.

Pauli nie podobała się nowa kawalerka Nicka. Ciasne lokum znajdowało się na drugim piętrze, nad barem z pizzą na wynos w Elephant and Castle. Gdziekolwiek by się położyła, nie mogła zasnąć do drugiej nad ranem. Budziły ją nocne marki śliniące się na myśl o dodatkowych anchois albo o chlebku czosnkowym.

– Kurek z zimną wodą nadal nie chce się odkręcać – poskarżyła się, wychodząc z łazienki. – A na ścianie, pod umywalką, jest pleśń.

Nick przewrócił oczami.

– Mówiłem ci, Paulo, nie mogę sobie pozwolić na coś porządniejszego.

– To po co tu zamieszkałeś? Dlaczego nie zostałeś z rodzicami albo nie przyjechałeś do mnie, do Cambridge? Przecież ci proponowałam.

– Za wcześnie, Paulo. Chodzimy ze sobą dopiero od kilku miesięcy.

– Ale znamy się od lat. To się nie liczy?

– Nie chcę mieszkać w Cambridge. – Zaczynał się denerwować. – Zbyt wielu ludzi mnie tam zna, a przynajmniej rozpoznaje. Tutaj, w Londynie, jestem anonimowy.

Nie chciała, żeby cały wieczór był na nią wściekły. Zły nastrój go nie opuszczał, odkąd parę tygodni wcześniej ponownie został aresztowany, a ona miała już dosyć jego humorów. Kiedy wreszcie to się skończy?

Usiadła obok Nicka na składanym łóżku. Zaczęła go głaskać po włosach opadających na kark, jeden lok zawinął się jej wokół palca.

– Już dobrze, kocie – mruknęła. – To wszystko wkrótce przycichnie. Na pewno. Potem znowu będzie normalnie. – Nie spojrzał na nią; zimnymi jak lód, niebieskimi oczami patrzył w okno, więc po chwili zaproponowała: – A może ugotowałabym dla nas obiad? Nie wiem, jak ty, ale ja umieram z głodu.

Nie zareagował, więc wstała i poszła do maleńkiej kuchni, którą od pokoju oddzielała zasłona z koralików. W szafkach było niewiele, tylko parę puszek z fasolą, kukurydzą i trochę makaronu. Otworzyła na oścież starą lodówkę, w której odrywała się rączka, kiedy ktoś za mocno pociągnął. Znalazła tylko wyschnięty ser i pół litra mleka.

– Zdrowe odżywianie – mruknęła do siebie. Będą musieli zjeść makaron z sosem fasolowym i tartym cheddarem.

Musiała mocno szarpnąć, żeby otworzyć drzwiczki zamrażalnika. Gruba warstwa lodu zajmowała co najmniej jedną czwartą dostępnej przestrzeni. Z przodu stała torebka z surowymi frytkami i krążkami ziemniaczanymi, ale Paula akurat się odchudzała. Wyciągnęła opakowania, żeby zobaczyć, co stoi za nimi i zauważyła reklamówkę wciśniętą w róg zamrażalnika.

Pociągnęła za związane uszy. Torba była bardzo ciężka. Paula miała nadzieję, że to kurczak albo kawałek schabu. Pomacała, próbując odgadnąć, co jest w środku. Ta kość to… część udka kurczaka? A te ciemne smugi na wewnętrznej stronie folii?

Drżącymi rękami napięła plastik i zrobiła w nim dziurę.

Z torby patrzyło na nią oko.

Odskoczyła, zatrzaskując drzwiczki zamrażalnika. Usłyszała grzechot koralików. To Nick odsunął zasłonę i wszedł do kuchni.

Popatrzył na nią z zaciekawieniem.

– Dobrze się czujesz?

Przełknęła z trudem i kiwnęła głową.

– Chyba zobaczyłam karalucha – wyjąkała.

– Gdzie, w lodówce? – Podszedł, żeby otworzyć drzwiczki

– Nie, nie. Na ścianie, za lodówką.

– Świetnie. Kolejny powód, żeby pogadać z tym cholernym kamienicznikiem. – Zerknął na ścianę i odwrócił się do Pauli. – Nic nie widzę. Szukałaś w zamrażalniku czegoś do jedzenia?

Nie była pewna, czy widział, jak zamykała drzwiczki zamrażalnika. Jeśli tak, a ona by zaprzeczyła, zrobiłby się podejrzliwy. Wolała jednak nie przyznawać się, że znalazła zamarzniętą głowę.

– Właściwie to mam ochotę na pizzę na wynos – powiedziała, siląc się na uśmiech.

– Naprawdę? Zaklinałaś się, że już nigdy nie tkniesz pizzy.

– Ale pepperoni tak ładnie pachnie. Co ty na to?

– Okay – zgodził się, chociaż nadal ze zdziwienia marszczył czoło. – Zaraz zamówię. Tylko włożę buty.

– Nie, daj spokój. – Przeszła do pokoju i zarzuciła na ramiona płaszcz. – Ja stawiam. Wrócę za minutkę.

Była już w połowie piętra, kiedy pokazał się w drzwiach i ją zawołał. Pół sekundy zastanawiała się, czy biec dalej, w kolejne pół sekundy dotarło do niej, że Nick może ją bez trudu złapać. Przystanęła, opanowała się trochę i odwróciła do niego z pytającym uśmiechem.

– Zapomniałaś pieniędzy. – Nick pomachał małą różową portmonetką.

– Och… – Powoli wróciła po schodach. Przyglądał się jej, próbując odczytać myśli. Kiedy była o cztery stopnie od niego, wyciągnęła rękę i wzięła portmonetkę. – Zaraz wracam – rzuciła, odwróciła się na pięcie i zbiegła po schodach najszybciej, jak mogła. Kiedy dotarła do drzwi, puściła się pędem przed siebie.

– Sir, telefon do pana. Przepraszam, wiem, że nie jest pan na służbie, ale ona mówi, że to pilne. Niejaka Paula Abercrombie.

– Połącz – powiedział Weathers przez komórkę.

Sally, która siedziała naprzeciwko niego w chińskiej restauracji, uniosła brwi. Machnął ręką, żeby spokojnie dalej jadła krakersy krewetkowe, i pomyślał, jak pięknie jego żona wygląda, skąpana w świetle czerwonej latarni wiszącej nad stołem.

Usłyszał sygnał połączenia.

– Tu Weathers.

– Znalazłam głowę – wydyszała dziewczyna. – W jego zamrażalniku.

– Paula? – zapytał. Wystraszony, roztrzęsiony głos jakby nie należał do Abercrombie.

– Myślę… myślę, że to ona. Amanda.

– Gdzie jesteś?

– Londyn. Południowy Londyn. Elephant and Castle. Niedaleko autostrady.

– Jaki to adres? – zapytał Weathers natarczywie.

– Nie pamiętam. Nie mogę się skupić.

Zapadła cisza. Słyszał ostre, przerywane dźwięki, jakby próbowała zaczerpnąć tchu albo powstrzymywała się od płaczu.

– To jest nad pizzerią – odezwała się po chwili. – Tony's Pizzas. Na drugim piętrze. Poszukajcie Tony's w książce telefonicznej.

– Paulo, jesteś tam? Jesteś u niego w mieszkaniu?

– Nie, ale on wkrótce się zorientuje, że uciekłam. Będzie wiedział dlaczego. Musicie szybko przyjechać. Proszę, przyjedźcie natychmiast.

– Nie, no to już nękanie – powiedział Nick, kiedy stanęli przed jego drzwiami z nakazem rewizji.

– Nicky, powinieneś podać nam swój nowy adres – upomniał go Halloran, trochę zadyszany po wejściu na drugie piętro. – Niegrzeczny chłopiec.

– Zadzwoń po adwokata, jeśli chcesz – powiedział Weathers. – Ale nie dotykaj niczego poza telefonem.

Halloran poszedł prosto do kuchni.

Weathers patrzył, jak Nick dodzwania się do automatycznej sekretarki Bird-Sewellsa, potem próbuje połączyć się z Paulą na komórkę, ale nie odbierała. Na dole też jej nie było, kiedy sprawdzał.

Zobaczył czarno-białe radiowozy na ulicy. Obok jednego z nich stała Paula i rozmawiała z policjantem, patrząc w stronę mieszkania Nicka.

– Rany Julek – usłyszeli głos Hallorana z kuchni. Detektyw ukazał się w drzwiach, jego zazwyczaj rumiana twarz była szara, bezkrwista. – Szefie, lepiej sprowadź tu chłopaków od kryminalistyki.

Weathers spojrzał na umundurowanych policjantów, żeby się upewnić, czy blokują Nickowi wyjście. Przecisnął się obok Hallorana i popatrzył na leżącą w otwartym zamrażalniku torbę pokrytą szronem. Była w niej dziura. Weathers włożył w nią czubek palca w rękawiczce, zajrzał jak przez wziernik.

Zobaczył oko, ciemne rzęsy pod białą warstewką cząstek lodu, nos i fragment piegowatego policzka.

– I co? – W drzwiach stała Sally jak przyrośnięta do podłogi. – Paula mówiła prawdę?

Weathers tylko na nią popatrzył. Odpowiedź miał wypisaną na twarzy.

– Aresztować go – rozkazał.

– Jest w bardzo dobrym stanie – powiedział profesor Trevor Bracknell, dotykając uciętej głowy Amandy Montgomery jakimiś narzędziami, których Weathers nie potrafił nawet nazwać. – Mówisz, że znalazłeś to w zamrażalniku?

Inspektor skinął głową.

– Wetkniętą za surowe frytki. – Nie mógł oderwać wzroku od głowy Amandy. Jej blond włosy, mokre od roztopionego szronu, leżały na blacie stołu prosektoryjnego. Brązowe oczy straciły kolor, nabrały szklistego niebieskawo-białego odcienia. Wiedział, że była piękna, ale teraz nic na to nie wskazywało.

– Mięśnie twarzy obwisły – wyjaśnił Bracknell, jakby czytał mu w myślach. – Powieki opadły po bokach. Usta są zniekształcone. – Nachylił się i dokładniej przyjrzał oczom. – Rozkład niezbyt zaawansowany. Zaryzykowałbym stwierdzenie, że głowa była dość głęboko zamrożona od momentu, kiedy została odcięta. Plus minus dzień, dwa.

– Więc niekoniecznie od razu trafiła do zamrażalnika?

– W dniu śmierci dziewczyny było zimno. Na dworze głowa mogła leżeć kilka dni. Jeśli wylądowała w jednym zamrażalniku, ale ostatnio przeniesiono ją do drugiego, to wystarczył jeden dzień w tym upale, żeby osiągnęła taki sam stopień rozkładu. Badania powiedzą nam, czy głowa odtajała i znów została zamrożona.

– Wiemy z całą pewnością, że przez ostatnie trzy lata nie trzymano jej w jednym miejscu – powiedział Weathers. – Hardcastle wynajmował to mieszkanie dopiero od miesiąca.

– Znaleźliście ją u Hardcastle'a? – zapytał Bracknell, wyjmując skalpel. – Szkoda. Postawiłem dziesiątaka na Godfreya Parrisha.

– Czekają cię co najmniej trzy lata za utrudnianie śledztwa – powiedziała Olivii jej adwokatka, Adina Kennedy. – I chociaż obecny tu doktor Denison jest skłonny cię bronić, z powodzeniem możesz dostać więcej. Zeznawaj przeciwko ojcu, a masz dużą szansę, że sędzia będzie łaskawszy.

Olivia, obejmując się, patrzyła to na adwokatkę, to na Denisona.

– Nie mogę ryzykować. Mówiłam wam, do czego są zdolni moi rodzice. Zresztą sami wiecie.

Kennedy nachyliła się do niej.

– Może nie będziesz musiała mówić o wszystkim. Słuchaj, oni najbardziej boją się ujawnienia seksualnych aspektów molestowania, prawda? – Olivia skinęła głową. – Więc oskarżenie o bicie i znęcanie się psychiczne może jakoś przeżyją. Czy też zależy im, żeby ludzie się o tym nie dowiedzieli?

Olivia roześmiała się szorstko.

– Nie. Wszyscy ich kumple łoją dzieciakom skórę. Boją się, żeby nie wydało się, że mój tata to pedofil, który robi dziecięcą pornografię. Bo wtedy jacyś dobrzy obywatele wkurzą się i spalą im dom, a tatę powieszą za jaja na najbliższej latarni.

Kennedy spojrzała na Denisona.

– Co pan sądzi? – zapytała.

– To ryzykowne. – Skrzywił się. – Jeśli sędzia i przysięgli w pełni nie zrozumieją, na czym polegało to molestowanie, mogą nie kupić wersji, dlaczego Olivia tak chętnie kryła Nicholasa.

– Mniej ryzykowne niż gdyby rodzice otworzyli „Sun" i przeczytali tytuł *Moje dzieciństwo w piekle, mówi dziewczyna Rzeźnika z Cambridge* – powiedziała Olivia.

– Ma rację – stwierdziła Kennedy.

– A areszt ochronny? – zasugerował. – Muszą być jakieś specjalne cele dla osadzonych, którym grozi niebezpieczeństwo ze strony innych więźniów.

– Jasne. – Olivia zmarszczyła brwi. – Nie dalej jak dwa tygodnie temu znaleziono w jednej z nich kobietę; przyżenili jej kosałkę.

– Przyżenili kosałkę? – zapytał zaskoczony Denison.

– Zasztyletowali – wyjaśniła Adina Kennedy.

Podniósł ręce.

– Okay, okay. Więc nie wspomnimy o molestowaniu seksualnym. Przemoc na innym tle prawdopodobnie wystarczy, żeby wyjaśnić, dlaczego Nick zdołał aż tak nią manipulować.

Olivia nadal wydawała się wrażliwa na imię Nicka, chociaż w końcu pogodziła się z tym, że nigdy jej nie kochał i że nie był do tego zdolny. Denison przekonał ją, że Nick mordował z gniewu i nienawiści, a nie z miłości do niej. Jednak czasem widział, jak na twarzy dziewczyny, na ułamek sekundy, pojawia się wyraz bólu, kiedy pada jego imię. Wtedy martwił się, że Olivia się z tym nie upora.

– Czuję się jak Judasz – powiedziała mu podczas jednego z widzeń. – Pocałowałam go, a potem posłałam na śmierć.

– Wierz mi, Nicholas Hardcastle jest tak daleko od Chrystusa, jak to tylko możliwe – odparł.

Rozdział 19

W HOLU OLD BAILEY Denison musiał przejść przez pomieszczenie izolacyjne, gdzie zatrzymywano ludzi i puszczano do sądu pojedynczo. Zapaliło się zielone światło, kazano mu podejść do strażników, którzy go przeszukali, a potem do wykrywacza metalu.

– Proszę położyć klucze i drobne w kontenerze – polecił strażnik.

Wykrywacz milczał, kiedy Denison przechodził. Wreszcie wręczono mu laminowaną przepustkę, którą musiał przypiąć do marynarki.

Zwykle lubił zeznawać przed sądem. Mógł na cały dzień wyrwać się z Coldhill i zaprezentować garnitur od Paula Smitha. Nie peszyło go, że staje wobec przedstawicieli wymiaru sprawiedliwości i pewnie odpowiadał na pytania adwokatów. Nie dawał się zbić z tropu.

Teraz jednak było trochę inaczej. W Sądzie Numer 1 w Old Bailey publiczność zapełniała wszystkie miejsca, a reporterzy odnotowywali każde słowo, każdy gest. Rysownicy sądowi naszkicują jego podobiznę dla gazety, którą wraz z milionami innych ludzi przeczyta rano przy śniadaniu.

Denerwował się, czy nie zawiedzie Olivii. Musiał wszystkich przekonać, że nie była w stanie zapobiec żadnemu z morderstw; że nie wiedziała, jaki potwór kryje się w skórze mężczyzny, którego kochała. Wiedział, że dostawała pełne nienawiści listy, że gardziły nią inne więźniarki w Holloway. W gazetach nigdy nie publikowano zdjęć zrobionych w wieczór, w którym została zamordowana June, kiedy Olivia miała pusty wzrok i całe ciało w siniakach. Zawsze było to zdjęcie jej i Nicka razem, uśmiechniętych, jakby dzielili jakąś tajemnicę.

Jako świadek nie mógł przebywać na widowni podczas poprzednich rozpraw, żeby nie wpłynęło to na jego zeznania. Ale widział schodzących się ludzi.

Nicka doprowadzono z aresztu sądowego. Miał trzy garnitury i nosił je na zmianę. Adwokat bardzo dbał o wygląd swojego klienta. Dobierał mu koszule i krawaty. Najwyraźniej wiedział, że to działa na przysięgłych. Rodzice Nicka codziennie siadywali na galerii, sztywni i bardzo spięci.

Przychodziła Paula, też jako świadek nie mogła wejść na salę rozpraw. Czasem Denison widywał ją w stołówce, jak piła kolejne kubki gorącej czekolady i wpatrywała się nieruchomym wzrokiem w gazetę.

Lavinia Fitzstanley zjawiała się codziennie. Mówiono, że zatrzymała się w Dorchester. Jej mąż Bertram mógł przełożyć tylko co jakąś siódmą rozmowę biznesową, więc rzadko bywał obecny; zazwyczaj pani Fitzstanley towarzyszył elegancki, siwowłosy mężczyzna o lasce z gałką w kształcie lwiej głowy. Lucinda Franz-Hurst, najlepsza szkolna przyjaciółka Elizy, przyjeżdżała codziennie i po wyjściu z taksówki wyglądała tak, jakby szła po czerwonym dywanie na galę, a nie na proces. Denison dziwił się, że do tej pory nie zrobiła piruetu przed którąś z kamer telewizyjnych.

Matka June, Claudette, dostała urlop okolicznościowy w pracy, więc mogła przychodzić. Codziennie podczas rozprawy trzymała w ręku zdjęcie June. Uważała, że bez względu na przerażającą treść zeznań, ma obowiązek dać świadectwo bólu i cierpienia córki.

Rodzice Amandy, Julia i David Montgomery, ubierali się na czarno; każdego dnia mieli w klapie świeże białe róże. David Montgomery nie golił się od początku procesu, co rano jego garnitur był coraz bardziej pomięty. Julia Montgomery wyglądała na niezwykle opanowaną, nawet kiedy dziennikarze podstawiali jej mikrofony pod nos. Wyraz twarzy Julii nie zmieniał się podczas zeznań; nie uroniła ani jednej łzy, słysząc opowieść Tracey Webb o tym, jak znalazła ciało Amandy, ani kiedy Weathers mówił sądowi o znalezieniu głowy w zamrażalniku, w kawalerce Nicholasa Hardcastle'a. Jednak pewnego dnia matka June poszła do toalet na dole i zastała tam Julię, która wypłakiwała z siebie duszę. Claudette objęła ją i pocieszała, że już wkrótce zobaczą, jak Nicka Hardcastle'a zamykają na całe życie w więzieniu. Delikatnie starła z jej policzków spływający makijaż.

Zeznania Denisona poszły dobrze. Domyślił się, że przysięgli, z początku wrogo nastawieni do jego opinii, że Nick manipulował Olivią i maltretował ją, poczuli teraz do dziewczyny sympatię. Adwokat Nicka polemizował ze słowami Dennisona, ale ten miał nadzieję, że kiedy Olivia będzie zeznawać, przysięgłym zostaną przedstawione zdjęcia rentgenowskie i fotografie śladów po oparzeniach na jej ramionach. Że zobaczą to, co Nick zrobił swojej dziewczynie w wieczór, w którym June została zamordowana. Wszystko zależało oczywiście, od tego, czy Olivia zajmie miejsce dla świadków i będzie zeznawać przeciwko chłopakowi – miłości swojego życia.

Denison denerwowałby się jeszcze bardziej, gdyby zobaczył, jak w celi wieczorem, przed dniem wyznaczonym na zeznania, Olivia czyta raz po raz list, który Nick wysłał do niej pierwszego lata ich wakacyjnej rozłąki.

„Chciałbym pewnego dnia zabrać Cię do szkoły, do której chodziłem, przedstawić Cię swoim nauczycielom. Szczególnie spodobałby ci się pan Jenkins. To zupełnie zwariowany człowiek. Ale najchętniej pokazałbym Ci tereny szkolne – ogrody są wspaniałe, jest tam nawet mała grota. A w lesie, między drzewami stoją posągi. W cudownej altanie siadywaliśmy latem, obijaliśmy się, czytaliśmy książki i paliliśmy fajki. Są tam też korty tenisowe – opiekunowie na pewno pozwolą nam zagrać, jeśli ładnie poprosimy".

A kilka akapitów niżej:
„Nie mogę wytrzymać bez Ciebie. Ciągle o Tobie marzę. Wyobrażam sobie Twoje ciemne włosy na mojej poduszce, Twoje wargi na mojej skórze. Szaleję w samotności. Pozwól, że przyjadę do Londynu. Martwię się o Ciebie, trudno mi myśleć, że tam utknęłaś. Nikt nie odbiera, kiedy dzwonię. Dlaczego nie chcesz, żebym się z Tobą spotkał? Zdenerwowałaś się na moich cholernych, głupich rodziców? Nie

musisz słuchać tego, co mówią, Liv – jesteśmy sobie przeznaczeni. Ty i ja, na zawsze. Przysięgam, nie pozwolę Ci odejść".

Godfrey, odbywający staż w City, wziął dzień wolny, żeby posłuchać zeznań Olivii. Sinead przenocowała na jego kanapie i razem wcześnie wstali. Godfrey zmełł trochę kawy i zrobił po espresso, które wypili do obwarzanków. Nie chciało im się jeść, niewiele mówili.

Później, kiedy Godfrey mył zęby, spojrzał na odbicie w łazienkowym lustrze i pomyślał o Elizie. O tym, jak odrzucała włosy za ramię. O tym, że jej polakierowane paznokcie u nóg miały zazwyczaj piękny odcień różu. O jej opalonym ciele. O sposobie, w jaki zakrywała usta, chichocząc. Albo jak kiedyś źle wymówiła „bourgeois", tak że rymowało się z hamburger, i rąbnęła go, kiedy się roześmiał.

Oszczędzono mu identyfikacji zwłok, ale często miewał sny, w których był znowu na brzegu rzeki w listopadowe święto i szukał Elizy bez końca, a fajerwerki wybuchały mu nad głową. W jednym ze snów odnajdywał jej ciało, ale nie roztrzaskane, tylko utopione. Pływało, brzuchem do góry po rzece Cam, a kolorowe światła fajerwerków odbijały się w pustych oczach. Pamiętał, że ją samą nawiedzały koszmarne sny – była w nich ścigana przez zabójcę Amandy. A on się śmiał, mówił, żeby dała sobie spokój z tymi melodramatami. To on namówił Elizę, żeby została w Cambridge.

Sinead nie wspominała zmarłych koleżanek. Mieszkanie Godfreya wychodziło na Tamizę. Patrzyła, jak łodzie z turystami niemrawo płyną po szarej wodzie, myślała o e-mailu, który otrzymała poprzedniego dnia. Przesłał go Leo. Sam dostał go od pewnej koleżanki z wydziału, która właśnie urodziła dziecko – poczęte, jak się domyślali, podczas końcowej sesji. „Pomyślałam, że może chcielibyście zobaczyć najnowsze zdjęcia mojej córeczki. Rośnie naprawdę szybko i wkrótce Paul zacznie ją uczyć tablicy Mendelejewa. Już teraz uważa, że mała zna alfabet dzięki rysunkom zwierząt w jej pokoju (s jak słoń)". Załączone zdjęcie przedstawiało dziecko – June Charlotte Zarach. Na jednym gapiło się w osłupieniu, na drugim coś gaworzyło. Oczka miało ciemnoniebieskie, a włoski jak pomarańczowa marmolada. Nosiło żółte śpiochy wyszywane w kaczuszki. Sinead myślała, czy kiedyś sama będzie miała dzieci, a jeśli tak, to czy da im na imię Amanda albo Eliza.

Wcześnie przybyli do Centralnego Sądu Karnego – tak brzmiała oficjalna nazwa Old Bailey. Proces miał być wznowiony dopiero o dziesiątej. Godfrey wyszedł na dwór na papierosa, zignorował paru dziennikarzy, którzy go rozpoznali i próbowali nagrać z nim wywiad. Sinead trąciła go łokciem. Godfrey odwrócił się i zobaczył, że w ich stronę idzie Paula Abercrombie.

Ona też ich zauważyła. Widział, jak zmieniła krok. Pochyliła głowę i poszła dalej.

– Będziesz udawać, że nas nie znasz? – zawołała Sinead, kiedy Paula podeszła bliżej. – Za bardzo się wstydzisz, żeby powiedzieć cześć?

Paula nagle zatrzymała się, odetchnęła gwałtownie i zaatakowała Sinead.

– Nie mam się czego wstydzić! – parsknęła.

– Nie licząc tego, że pieprzyłaś się z mordercą! – stwierdziła Sinead.

Paula pokręciła głową.

– Więc nabrał mnie. Okay? To chciałaś usłyszeć? Wcale nie wiedziałam, że to morderca.

– Och, nie bądź taka naiwna. – Godfrey zgasił papierosa o ścianę gmachu. – Jak sądzisz, co robił tamtego wieczoru w pokoju June? Czytał jej do łóżka?

Paula omal nie dała mu w twarz – tylko obecność fotoreporterów ją pohamowała. Odeszła zła, powstrzymując łzy.

O wpół do szóstej rano Olivię obudziła pielęgniarka z nocnego dyżuru, zabrała ją do dyżurki na śniadanie: jajko na miękko, dwa kawałki przypieczonej grzanki, miska płatków owsianych z mlekiem i kubek słabej herbaty. Olivia jadła powoli, potem usiadła z rękami na kolanach, czekając na eskortę policyjną.

Ścisnęli ją między sobą i zawieźli na posterunek Newington Place. Przekazali do aresztu policyjnego. Została zabrana do tej samej celi, w której siedziała w noc po aresztowaniu. Usiadła na twardej ławie, wygładziła spódnicę. Aresztantom pozwalano w Holloway zachować trzy komplety ubrań, ale adwokatka chciała, żeby Olivia przyszła na proces w garsonce. Kupiła jej w Jigsaw beżowy żakiet i spódnicę. Do tego biała koszula i brązowe szpilki. Włosy spięte klamrą.

List od Nicka Olivia trzymała w wewnętrznej kieszeni żakietu, na sercu. Przekręcała obrączkę na prawej ręce, ze srebra i bursztynu. Kupił ją Nick w prezencie na drugą rocznicę; powiedział, że blady odcień żywicy przypomina mu jej oczy.

Olivia nie była w stanie opanować drżenia rąk. Zaczynała żałować, że nie posłuchała współtowarzyszek z celi i przy śniadaniu nie poprosiła pielęgniarki o środek uspokajający. Pragnęła tylko jednego: znów zobaczyć Nicka. Już prawie od roku nie widziała jego twarzy, nie patrzyła mu w oczy.

Drzwi do celi otworzyły się ze szczękiem i weszła adwokatka. Adina Kennedy uśmiechnęła się szeroko, uściskała Olivię.

– Wyglądasz bardzo elegancko – powiedziała. – Denerwujesz się? Przewraca ci się w żołądku?

– Przewraca się? – Olivia położyła rękę na brzuchu. – Aż się kotłuje.

Adina się roześmiała.

– Słuchaj, idzie dobrze. Doktor Denison przedstawił cię wczoraj wspaniale. Założę się, że połowa przysięgłych poszła prosto do domu, i wpłaciła na fundusz Towarzystwa Przyjaciół Dzieci.

Uśmiech znikł z twarzy Olivii.

– To znaczy? Bardzo oczerniał moich rodziców? Wspomniał o molestowaniu?

Adina położyła dłoń na ramieniu Olivii.

– Przepraszam, nie chciałam cię denerwować. Nie martw się, Matthew nie wspomniał o seksualnym aspekcie molestowania. Powiedział przysięgłym o znęcaniu się fizycznym i psychicznym. Przekonywał, że właśnie dlatego stałaś się doskonałym łupem dla kogoś takiego jak Hardcastle. Ale większa część jego zeznań dotyczyła syndromu bitej żony. Mówił, dlaczego nie rzuciłaś Nicka, dlaczego przez cały czas go kochałaś, byłaś gotowa do poświęceń.

Olivia wyprostowała się na ławie.

– Czy coś z tego było w porannych gazetach?

Adina kiwnęła głową.

– Oczywiście, zamieszczono relacje z procesu. Psychiatra tłumaczy przysięgłym, dlaczego dziewczyna chroniła Hardcastle'a, takie rzeczy.

– Czy podawał szczegóły moich zeznań? – Olivia nerwowo obracała pierścionek na palcu.

– Powiedział, że przyznałaś się do trzech morderstw, ale fakty z nimi związane nie potwierdzały twoich zeznań. Słuchaj, Olivio, niechętnie o tym mówię, ale coś czuję, że adwokat Nicka spróbuje poprowadzić linię obrony, zrzucając winę za te morderstwa na ciebie.

Tego ranka wokół Old Bailey pojawiły się wzmocnione patrole policji, ale wściekli demonstranci i tak zdołali obrzucić furgonetkę wiozącą Olivię jajkami, a nawet kamieniami.

– Jak zwykle, wynajęty motłoch. – Adina się skrzywiła. – Szkoda że nie można im dać dożywocia.

Furgonetka policyjna zatrzymała się na tyłach gmachu sądu. Jeden z funkcjonariuszy zaproponował, żeby Olivia zasłoniła się kocem. Popatrzyła na niego ponuro i pokręciła głową.

Odsunięto drzwi, uderzyła w nią fala szyderstw i obelg. Starając się nie patrzeć nikomu w oczy, szła pod eskortą policjantów do sądu. Pomyślała, że ma szczęście: żadne jajko nie trafiło w garsonkę.

Przeszukano ją i zabrano na dół, do piwnicy, gdzie znajdowały się cele dla aresztantów. Były ciemne i ponure, ale przynajmniej siedziała sama. Chyba tego najbardziej jej brakowało wcześniej – czasu i przestrzeni tylko dla siebie. Prywatności, spokoju. W Holloway cisza nie istniała. Nawet w nocy więźniarki przekrzykiwały się, rozmawiając między celami. Psychicznie chore kobiety, którym na razie udało się uniknąć zainteresowania ze strony więziennych lekarzy i jeszcze nie zostały odesłane do skrzydła dla „muppetów", ryczały, wrzeszczały, waliły łóżkami, kubkami i głowami o drzwi celi. Od miesięcy Olivia nie przespała więcej niż dwóch godzin z rzędu.

O jedenastej przyszli po nią i zaprowadzili na górę. Po drodze funkcjonariusze gawędzili o barbecue i planach na wakacje. Adina Kennedy czekała w małym pokoju, z którego wchodziło się na miejsce dla świadków.

– Nie wiem, czy dam radę – wyrzuciła z siebie Olivia.

Adina z wyrazem paniki na twarzy chwyciła ją za rękę i odprowadziła na bok.

– Musisz – powiedziała. – Trzy dziewczyny nie żyją przez tego człowieka, a ty jesteś najlepszym świadkiem, jakim dysponuje oskarżenie. Jeśli wyjdzie wolny ze względu na twoją fałszywą lojalność, cała wina spadnie na ciebie. – Adina zobaczyła, że Olivia się trzęsie, więc złagodziła ton. – Słuchaj, masz tylko powiedzieć prawdę, nic więcej. Pomyśl, co zrobił twoim koleżankom. Pomyśl o ich rodzicach, braciach i siostrach.

– Pani Olivia Croscadden – zawołał strażnik.

Adina szybko ją uściskała. Olivię przeprowadzono przez drzwi.

Nagle znalazła się na sali sądowej – wielkiej, starej, wykładanej drewnianą boazerią. I pełnej ludzi. A wszyscy na nią patrzyli. Był tam też Nick. Siedział na ławie oskarżonych, między dwoma policjantami. Wyglądał na umęczonego, ale jego niebieskie oczy nadal emanowały ciepłem i energią. Oboje przyglądali się sobie w milczeniu. Ta chwila ciągnęła się w nieskończoność. W końcu się uśmiechnął. Musiała walczyć ze sobą, żeby nie odpowiedzieć uśmiechem.

– Jak się pani nazywa? – zaczął sędzia.

Nabrała tchu.

– Cleopatra Olivia Croscadden.

Do miejsca dla świadka podszedł urzędnik sądowy.

– Proszę położyć rękę na Biblii i powtarzać za mną: Przysięgam Bogu Wszechmogącemu, że będę zeznawać prawdę, całą prawdę i tylko prawdę.

Powtórzyła.

– Proszę zająć miejsce.

Usiadła na krześle, zerkając z ukosa na sędziego w czerwonej todze i białej peruce. Nosił okulary i wyglądał na surowego człowieka.

Zerwał się oskarżyciel. On też miał białą perukę, ale togę czarną. Najpierw zapytał Olivię o samopoczucie. Potem poprosił, żeby przedstawiła swoje relacje z Nickiem.

Denison przyglądał się z głębi sali sądowej. Olivia, początkowo z wahaniem, opisała, jak Nick uderzył ją po raz pierwszy, drugi, trzeci, aż do chwili, kiedy bił regularnie. Mówiła, jak stopniowo separował ją od jej koleżanek. W końcu utrzymywała stosunki towarzyskie tylko z nim i jego przyjaciółmi. Wszystkie jej plany na przyszłość były związane z Nickiem. Ważne było tylko to, gdzie on chciał się przeprowadzić, co robić.

Wreszcie oskarżenie zakończyło tę część przesłuchania i przeszło do kolejnego etapu. Olivia wystąpiła jako świadek morderstwa dokonanego na June Okeweno.

Danny Armstrong już zeznawał w sprawie kłótni między Olivią a June na balu dla absolwentów i przyznał, że opowiedział o tym ze szczegółami Nickowi, kiedy parę minut później spotkał go w jednym z namiotów z muzyką.

– Nick był zły – powiedziała Olivia. – Denerwował się na June, bo wiedział, że ona próbuje mnie namówić, żebym go rzuciła. Złościł się na mnie za to, że kupiłam drogą suknię, na którą rzeczywiście nie mogłam sobie pozwolić. Pokłóciłam się z nim w obecności innych.

– Co się zdarzyło, kiedy zostaliście sami w pokoju? – zapytał przedstawiciel oskarżenia.

– Hm... zbił mnie.

– Może pani podać więcej szczegółów?

– Dostałam kilka razy w twarz; ciągnął mnie za włosy po pokoju i uderzył w brzuch.

Oskarżenie wniosło, żeby przysięgli zobaczyli zdjęcie, które zrobiono Olivii w wieczór, kiedy zamordowano June. Obrona protestowała, że nie ma dowodów, są tylko słowa Olivii, że to Nick jest sprawcą tych okaleczeń. Sędzia zgodził się przyjąć wniosek, ale nie pozwolił wyciągać z tego konkluzji co do winy.

– Co stało się potem? – kontynuował oskarżyciel.

– Kiedy skończył, poszłam do łazienki. Miałam trochę płynu dezynfekującego i waty, przemyłam zadrapania. Kiedy wyszłam, Nicka już nie było w pokoju. Usłyszałam hałas dochodzący zza drzwi i poszłam zobaczyć, co się dzieje. Odgłosy dochodziły z pokoju June. Słyszałam, jak mówiła: „Nie, nie". Próbowałam otworzyć drzwi, ale były zamknięte.

– Co pani zrobiła?

– Wołałam Nicka.

– Bo myślała pani, że robi krzywdę June?

– Nie. Chciałam, żeby przyszedł na pomoc. Waliłam i waliłam... słyszałam koszmarne jęki. I w końcu drzwi się otworzyły.

– Kto je otworzył?

Olivia otworzyła usta, ale nic nie powiedziała.

Patrzyła na Nicka. W oczach miała łzy, dolna warga jej drżała. Denison wstrzymał oddech, puls nagle mu przyspieszył.

– Olivio? Kto otworzył drzwi?

Zamknęła oczy i dwie ciężkie łzy spłynęły jej po policzkach. Odwróciła się znowu do prokuratora.

– To był Nick. Nicholas Hardcastle.

Denison czekał na nią, kiedy wyszła z gmachu sądu. Podbiegła, rzuciła mu się w ramiona i natychmiast wybuchnęła płaczem.

– Już dobrze, dobrze – powtarzał, głaszcząc ją po włosach. – Już po wszystkim. On nigdy więcej cię nie skrzywdzi, obiecuję.

Denison był w sądzie także podczas ostatnich trzech dni procesu, kiedy Nicholas zeznawał we własnej obronie. Na podstawie obserwacji przysięgłych Denison przypuszczał, że już podjęli decyzję w dniu, kiedy usłyszeli zeznanie Pauli Abercrombie o tym, jak znalazła głowę Amandy Montgomery w zamrażarce Nicka. Analizował ich mowę ciała, kiedy Nick przysięgał na Biblię, że będzie mówił prawdę, i domyślił się, że podeszli do tego sceptycznie, zanim zdążył wypowiedzieć słowo. Kiedy chłopak tłumaczył, że głowę „podłożył" mu hydraulik, którego biuro pośrednictwa wynajmu nieruchomości przysłało, żeby coś naprawił, jeden z przysięgłych nawet się roześmiał. Jak przewidziała Adina Kennedy, obrońcy sugerowali, że prawdziwym sprawcą jest Olivia, chociaż nie mieli na to dowodów.

– Więc niech mi pan powie, panie Hardcastle, jak udało się pani Croscadden przemycić głowę Amandy Montgomery do pańskiej zamrażarki? Czy sugeruje pan, że hydraulik był w rzeczywistości panią Croscadden w przebraniu?

Nikt tak dobrze nie ironizuje jak adwokaci, pomyślał Denison. No, może nie licząc drogówki. Tym razem roześmiała się cała sala.

Weathers i Denison niewiele rozmawiali, odkąd doktorowi udało się szantażem zmusić Olivię, żeby zeznawała przeciwko Nickowi. Wpadli na siebie przed salą sądową w dniu, kiedy przysięgli udali się na naradę.

– Zamierzam skoczyć na szybkie piwko na drugą stronę ulicy, może też miałbyś ochotę – powiedział od niechcenia Weathers.

Denison przemyślał propozycję.

– Okay.

Z piwka zrobiły się cztery piwa, a potem curry w Soho.

– To co, myślisz, że go dopadliśmy? – zapytał Weathers. Odsunął talerz z ryżem i jaskrawoczerwonym kurczakiem i napił się piwa.

Denison pokiwał głową.

– Chyba tak. Przysięgli numer cztery i osiem mogą być trochę łagodniejsi, ale większość jest gotowa uznać go za winnego.

– Myślałem, że serce mi wysiądzie, kiedy Olivia nagle skamieniała na miejscu dla świadka – przyznał Weathers. – Cholerny Hardcastle robił do niej słodkie oczy. Bałem się, że dziewczyna wymięknie. Jeszcze cię o to nie pytałem... jak zdołałeś namówić ją do zeznawania?

Denison niespokojnie poruszył się na krześle, nie mógł przyznać Weathersowi, że pokazał Olivii zdjęcia z miejsca zbrodni. Nie powinien ich nikomu ujawniać, szczególnie osobie oskarżonej.

– Udało mi się przekonać dziewczynę, że Nick mordował nie dlatego, że wpadał w szał – zaczął kluczyć. – I że jego zachowania nie tłumaczą żadne szlachetne pobudki, na przykład miłość.

– To chyba najbardziej romantyczne słowa, jakie od ciebie usłyszałem – powiedział Weathers z uśmiechem.

Denison podniósł szklankę.

– Za powstrzymanie seryjnego mordercy, zanim dotarł do magicznej liczby pięć – wzniósł toast.

– I za twoją książkę: bestseller albo gniot. – Weathers stuknął się szklanką z przyjacielem.

– Nie sądziłem, że coś o tym wiesz – odparł Denison trochę zawstydzony.

– Chyba twój kolega w Coldhill mi powiedział. Jak zamierzasz ominąć kwestię tajemnicy lekarskiej?

– To bardzo proste, nie wolno podawać szczegółów spraw, które są w toku, i trzeba zmieniać nazwiska pacjentów, opisując ich sesje psychiatryczne. – Denison wgryzał się w *peshwari naan*.

– Przedstawisz ten przypadek?

Denison spojrzał na niego znad chleba.

– Szczerze mówiąc, właśnie tym fragmentem zainteresowani są wydawcy. To oni do mnie przyszli, a nie na odwrót. Przypadek Rzeźnika z Cambridge będzie w pierwszym rozdziale.

– Opiszesz sesje z Olivią?

– Nie wszystko. Zawiódłbym jej zaufanie, gdybym wspomniał o molestowaniu seksualnym. W tej materii muszę poruszać się ostrożnie.

– A jeśli Nick nie zostanie uznany za winnego? Też będziesz mógł opublikować książkę?

Denison się zastanowił.

– Paul Britton wydał książkę o Rachel Nickell, a sędzia oddalił oskarżenie, więc myślę, że tak.

– Trzymasz kciuki, co?

Nagle spojrzeli na siebie bardzo poważnie.

– Trzymam kciuki – przyznał Denison.

Przysięgli wrócili z werdyktem po piętnastogodzinnych obradach.

– Proszę przewodniczącego ławy przysięgłych o powstanie – powiedział urzędnik sądowy. – Panie przewodniczący, proszę odpowiedzieć na moje pierwsze pytanie „tak" lub „nie". Czy przysięgli uzgodnili werdykt jednogłośnie we wszystkich punktach?

– Tak.

– Czy odnośnie do punktu pierwszego członkowie ławy przysięgłych uznali, że oskarżony Nicholas Hardcastle jest winny morderstwa czy niewinny?

– Winny – powiedział przewodniczący.

Nick zbladł. Nawet włosy i oczy jakby przybrały kolor popiołu i zmatowiały.

– Czy odnośnie do punktu drugiego członkowie ławy przysięgłych uznali, że Nicholas Hardcastle jest winny morderstwa czy niewinny?

– Winny.

– Tak! – szepnęła najlepsza przyjaciółka Elizy.

Mama Nicka osunęła się na męża. Pan Hardcastle mocno objął żonę, patrząc załzawionymi oczami na syna. Żałował, że nie może obronić Nicka przed ludźmi, którzy zaraz go stąd zabiorą.

– Czy odnośnie do punktu trzeciego członkowie ławy przysięgłych uznali, że Nicholas Hardcastle jest winny morderstwa czy niewinny?

– Winny.

– Werdykt podjęto jednomyślnie?

– Tak.

Claudette Okeweno i Julia Montgomery uśmiechnęły się do siebie i uściskały mocno. Łzy strumieniami spływały po ich twarzach.

Godfrey, który przez Internet sprawdzał uaktualniane co minutę informacje BBC, przejrzał je po raz setny w ciągu godziny i wreszcie zobaczył to, na co czekał.

– Tak! – Walnął pięścią w biurko. Przesłał wiadomość do Sinead; ta puściła ją dalej do Roba McNortona, który już dostał e-mail od Lea.

Denison nie miał wątpliwości, że kiedyś, w latach pięćdziesiątych, sędzia nałożyłby w tym momencie kwadratowy kawałek czarnego materiału na perukę, przygotowując się do wydania wyroku śmierci. Nick kurczył się coraz bardziej pod spojrzeniem starszego mężczyzny.

– Nicholasie Hardcastle, wstań. Uznano cię za winnego zamordowania Amandy Montgomery, Elizy Fitzstanley i June Okeweno. To najbardziej barbarzyńskie zbrodnie, z jakimi kiedykolwiek się zetknąłem jako przewodniczący ławy sędziowskiej. Te trzy osoby były młode, inteligentne i piękne. Na pewno stałyby się szczęśliwymi, dojrzałymi kobietami, gdybyś nie pozbawił ich życia. Nie mam wyboru, muszę ukarać cię z całą surowością prawa: za popełnienie tych trzech zbrodni odbędziesz karę dożywotniego więzienia. Głęboko żałuję, że nie mogę cię ukarać surowiej. Radzę ludziom, którzy w przyszłości będą rozważać twoje zwolnienie warunkowe, żeby przypomnieli sobie twarze Amandy, Elizy i June i zadecydowali w swej mądrości, że nie mogą zaryzykować i wypuścić cię na wolność. – Skinął ręką na strażników. – Zabrać skazanego na dół.

Po dwudziestu minutach informacja już dotarła do więźniarek w Holloway. Laticia pobiegła do sali telewizyjnej, gdzie Olivia oglądała program dla dzieci w poobijanym odbiorniku.

– Winny, Olivio! – krzyczała, potrząsając koleżanką. – Wpadł na jakieś sto lat!

Olivia spojrzała na rozpromienioną twarz Laticii i skinęła głową.

– Ciesz się – powiedziała Laticia. – Już nie zrobi ci krzywdy. Nie musisz być nieszczęśliwa z tego powodu.

– Nie jestem nieszczęśliwa – mruknęła Olivia. – Słowo.

– No to się uśmiechnij.

Olivia się uśmiechnęła.

– Boże, ależ to ponure miejsce – powiedział Denison podczas swojej siódmej wizyty w Holloway.

Olivia wzruszyła ramionami i posłała mu słaby uśmiech.

– Mogło być gorzej.

– Jak to? – zapytał.

– Mogłabym trafić do tajskiego więzienia – odparła. – Albo tureckiego. Oglądałam je w *Midnight Express*. Tu nie jest tak źle.

– Zmieniło się, odkąd przestałaś już być aresztantką?

Pokręciła głową.

– Nie bardzo. Mam mniej przywilejów, ale mogę oglądać telewizję.

– I tak musi ci być ciężko. Siedzisz razem z morderczyniami i handlarkami narkotyków, kiedy cała twoja zbrodnia to próba chronienia mężczyzny, którego kochałaś.

Zmarszczyła brwi.

– Niech pan nie idealizuje. Kiedy na sesjach mówiłam, że jestem winna, Nick mógł jeszcze kogoś zabić. Codziennie dziękuję Bogu, że tego nie zrobił. Zasługuję na to, żeby tu być. Czasem myślę, że powinnam dostać wyższy wyrok. Nie, proszę nie zaprzeczać. Miałam szczęście, oboje o tym wiemy.

Przez dłuższy czas milczeli. Wreszcie Denison zaczął szperać w swojej teczce i wyjął karton papierosów.

– No, to mi pozwoli przetrwać do zwolnienia warunkowego – stwierdziła Olivia z uśmiechem. – Ale musi pan to zostawić w biurze przepustek; oni mi przekażą. Dziękuję.

– Nie wiem, czy nie zaczęłaś więcej palić, ale według moich obliczeń powinny wystarczyć na miesiąc. Nie pozwoliliby mi przynieść więcej.

– Dziękuję – powtórzyła. – Spróbuję się ograniczać. Starczy na dłużej. Przy okazji, co nowego z pana książką?

– Była wojenka na oferty za prawa do opublikowania w odcinkach. Trzy duże gazety walczyły o wyłączność. Moi wydawcy są wniebowzięci.

Skinęła głową.

– Nie dziwię się. Pieniądze i reklama za darmo. Wymyślił pan już tytuł?

Denison się uśmiechnął.

– Tak. *Maska*. Co o tym sądzisz? Chyba oddaje zdolność socjopaty do zręcznego integrowania się z innymi.

Odwzajemniła uśmiech.

– Myślę, że pewien spirytysta niebawem cię oskarży.

Włosy urosły Olivii, odkąd przebywała w więzieniu, zaczęły się lekko kręcić. Zauważyła, że Denison przygląda się jej fryzurze i wstydliwie przejechała po głowie dłonią,

– Muszę pana o coś zapytać – powiedziała.

– Wal śmiało.

– Kiedy stąd wyjdę... nie na warunek, tylko już całkiem na wolność... będę mogła się z panem zobaczyć?

Denison po raz ostatni spojrzał w jej lśniące, złote tęczówki.

– Oczywiście – powiedział.

Rozdział 20

Siedem miesięcy później

MATTHEW DENISON TKWIŁ ZA BIURKIEM W SWOIM GABINECIE. Grało radio, a on patrzył na pusty dokument Worda na ekranie komputera. Ten rozdział książki miał być wyłącznie o pochodzeniu i charakterze Nicholasa Hardcastle'a, o jego dzieciństwie, skłonnościach seksualnych, o tym, jak stał się potworem w ludzkiej skórze. Trudno było wszystko dokładnie opisać, bo rodzice Nicka oczywiście odmówili wszelkich kontaktów z Denisonem. Pojechał do Oksfordu z nadzieją, że osobista wizyta skłoni ich do mówienia, ale na drzwiach wisiała kartka „na sprzedaż", a oni nawet nie otworzyli. Weathers powiedział mu później, że musieli sprzedać dom, żeby zapłacić za adwokata.

Pierwsza książka Denisona miała się ukazać za trzy miesiące, a streszczenia kolejnych rozdziałów już publikowano w „Mail on Sunday". Wojenka na oferty między gazetami sprawiła, że wydawcy poprosili doktora o napisanie książki opartej wyłącznie na przypadku Rzeźnika z Cambridge, zanim jeszcze *Maska* trafi na rynek. Wziął urlop naukowy na pisanie pierwszej książki i nie mógł już wykroić sobie więcej czasu, żeby napisać drugą. Mając więc do wyboru dalszą pracę w Coldhill albo pieniądze i karierę pisarską, wręczył wymówienie, zanim proces Nicka dobiegł końca. Cass kazała mu sprawdzać konto w banku za każdym razem, kiedy zastanawiał się, czy dokonał właściwego wyboru.

252

Niechętnie znów przejrzał zdjęcia zrobione w kawalerce Nicka, w dniu kiedy odnaleziono głowę Amandy Montgomery. Szybko odłożył na bok fotografię z torbą i jej makabryczną zawartością, ale zatrzymał się na zdjęciu pudełka z czekoladkami, które Ames znalazła później, podczas kolejnego przeszukania, w szafce kuchennej Nicka.

Zbiorcze zdjęcie przedstawiało rozmaite baterie; dziesięć monet dwupensowych i piętnaście jednopensowych; złoty sygnet, który wcześniej na pewno należał do kogoś starszego od Nicka, i tarczę od szkolnego mundurka.

Kolejne zdjęcie ukazywało tarczę w zbliżeniu. Łacińskie motto wyszywane złotem, wizerunek ptaka siedzącego na globusie i nazwa „The Rowe School".

Denison zaczął stukać palcem w zdjęcie. Dlaczego ta nazwa z czymś mu się kojarzy?

Z ulgą zamknął Worda, otworzył Google i wpisał „Rowe School". Pierwsze wyniki wyszukiwania dotyczyły samej szkoły. Nacisnął na link i zaczął przeszukiwać strony, ale nie znalazł niczego, co by go oświeciło.

Po piętnastym wyniku wyszukiwania nazwa szkoły została wymieniona w powiązaniu z Nickiem, jako miejsce, gdzie otrzymał średnie wykształcenie. Denison nie zazdrościł szkole tego skojarzenia. Wątpił, żeby pomagało w naborze uczniów.

Stwierdził, że nie znajdzie odpowiedzi w sieci, i wrócił do pustego dokumentu na ekranie. Z entuzjazmem przyjął sygnał telefonu.

– Matthew Denison, słucham.

– No, Bogu dzięki! – powiedział rozgorączkowany, kobiecy głos. – Próbuję się z panem skontaktować od trzech dni.

– Kto mówi? – zapytał.

– Sinead Flynn. Przepraszam, że dzwonię do domu. Próbowałam złapać pana w Coldhill, ale powiedzieli, że już pan tam nie pracuje i nie chcieli podać prywatnego numeru. Musiałam szukać w Internecie.

– Mój numer domowy jest w Internecie? – zapytał spanikowany.

– W Internecie jest wszystko – odparła niecierpliwie. – Muszę porozmawiać z panem o Olivii. Nie wiem, co tu się dzieje, ale na pewno, że coś jest nie w porządku. Mogła symulować, udawać. – Bardzo szybko wyrzucała z siebie słowa.

– Uspokój się – powiedział Denison. – Mówisz trochę bez sensu. Co Olivia miałaby symulować?

– Osobowość wieloraką, różne osobowości. Omawialiśmy to na ćwiczeniach z psychologii. Opowiedziałam jej o tym; była tak zainteresowana tematem, że pożyczyłam jej swoje notatki.

– Sinead, wszystko w porządku. Wiemy, że symulowała dysocjacyjne zaburzenie tożsamości. W ten sposób skłoniliśmy ją do wyznania, że...

– Pan nie rozumie – przerwała mu w pół zdania. – Właśnie skończyłam czytać pana artykuł w „Mail on Sunday". Wiem, że ją pan przyłapał. Ale ona wiedziała o Kennecie Bianchim. Że symulował i wykryli to za pomocą logiki hipnotycznej. Czytała ten cholerny artykuł Martina Orne'a o testach, z których korzystali, żeby udowodnić, że Bianchi symuluje! Doktorze Denison, myśli pan, że ją zdemaskował, ale ona mogła przejść przez testy tak, jak chciała!

– Muszę porozmawiać z Olivią – powiedział Denison, ledwie Weathers odebrał telefon.

– Hejże, przystopuj, Matt. Co jest grane?

– Właśnie dzwoniła do mnie Sinead Flynn. Twierdzi, że Olivia czytała o logice hipnotycznej i wiedziała, jak się zachować podczas testów, żebyśmy myśleli, że ją zdemaskowaliśmy. A dlaczego, do diabła, by to zrobiła? – Po drugiej stronie linii zapanowała cisza. – Steve? Steve, jesteś tam?

– Może po prostu miała dosyć – powiedział Weathers dziwnym głosem, jakby bardzo się starał zachować spokój. – Zabrakło jej sił, żeby dalej udawać. Może już nie chciała brać na siebie winy za Hardcastle'a.

Denison zgrzytnął zębami.

– Ładnie sobie przyswoiłeś tę informację.

– A spodziewałeś się, że powiem coś innego? „No, to wypuszczamy Nicka z więzienia i wracamy do sprawy"? Daj spokój. Matt, do cholery, on miał głowę Amandy Montgomery w lodówce. Olivia była już pod kluczem w Coldhill, kiedy przeprowadził się do tego mieszkania.

– Wiem, wiem. – Denison potarł czoło. – Słuchaj, nie mówię, że to cokolwiek zmienia. Chcę tylko wiedzieć, dlaczego pozwoliła mi się przyłapać. Muszę z nią porozmawiać, potrzebny mi numer.

- Obawiam się, że nie mogę ci pomóc – odparł Weathers. – Jej warunek skończył się w ubiegłym miesiącu. Matt, ona miała koszmarne przejścia. Gazety próbowały ją odnaleźć; kilka razy musieliśmy ją przeprowadzać, bo inaczej każdy dom, gdzie zamieszkała, mógł zostać spalony. Pod koniec warunku już nie dała rady. Poprosiła o nową tożsamość i wyjechała. Mam numer, który mogę ci podać, jeśli chcesz jej zostawić wiadomość, ale nie powiem ci, gdzie ona jest. Sam nie wiem.

- To znaczy, że podlega programowi ochrony świadka? – zapytał zaskoczony Denison.

- Już nie. Stwierdziła, że partaczymy robotę i że sama lepiej się ochroni. Więc dostała nowy dokument tożsamości, nowy numer ubezpieczenia, nowy akt urodzenia i cześć.

- Nikt nie ma na nią oka? Nie śledzi jej ruchów?

- Spłaciła dług wobec społeczeństwa – powiedział ironicznie Weathers. – To wszystko. Załatwione. Brak powodów, żeby nadal ją śledzić.

- To śmieszne – prychnął Denison. – Może leży gdzieś martwa w rowie, zabita przez jakiegoś świra, a wam, chłopaki, jest obojętne czy żyje, czy nie!

- To był jej wybór, Matt. Mogła dostać ochronę od państwa, ale odmówiła.

- A przyjaciele, rodzina? Czy któreś z nich wie, gdzie ona się podziewa?

- Jej tatuś też dał nogę. Ale możliwe, że nadal jest w kontakcie z córką.

- Co to znaczy, że tatuś dał nogę?

- Wyparował. Wydano na niego nakaz, bo został mu jeszcze jakiś miesiąc warunku, ale jak do tej pory go nie złapaliśmy.

Denison poczuł chłód, mimo że centralne grzało na cały regulator. Włożył marynarkę.

- Nie sądzisz, że te dwa zniknięcia mogą być powiązane?

Śmiech Weathersa odbił się dziwnym pogłosem na linii.

- Co, tych dwoje razem nawiewa? Nie wydaje mi się, kolego.

- Nie... – Denison podniósł zdjęcie tarczy z mundurka. – Hej, Steve, słyszałeś o Rowe School?

- Tak, to liceum Nicka. A co?

- Nic takiego. Daj, proszę, mi ten numer kontaktowy.

Wsłuchiwał się w sygnał. Nikt nie odbierał. Potem rozległ się trzask i elegancki głos poinformował, żeby po sygnale zostawić wiadomość.

– Mówi Matthew Denison. Chciałbym się skontaktować z Olivią Croscadden. To bardzo ważne. Hm, pozwolę sobie zostawić swój numer telefonu. – Na wszelki wypadek podał go dwukrotnie. – Dziękuję. Do widzenia.

Odłożył słuchawkę i znowu spojrzał na jej zdjęcie. Popukał się w ciemię.

– Myśl, Matt, ty dupku. Rowe School... Rowe School...

Coś czuł, że dręczący go niepokój wiąże się ze sprawą Rzeźnika z Cambridge. Wstał nagle, podszedł do ogniotrwałej szafki na akta i wyciągnął sześć grubych teczek z notatkami, dyskami i taśmami. Wyłączył radio i włożył CD z sesji z Olivią.

– Pan mi czegoś nie mówi – usłyszał jej głos. Ten dźwięk wywołał dziwne, nieprzyjemne wrażenie.

Usiadł na krześle i otworzył pierwszą z teczek.

Zawierała akta szkolne Olivii. Dziewczyna poszła do dość słabego ogólniaka w Dalston; wątpił, żeby szkoła miała łacińskie motto, a choćby mundurki. I wtedy, w jej papierach, trafił na to, czego szukał.

Kiedy Olivia miała czternaście lat, ubiegała się o stypendium. W Rowe School.

Przejrzał dokumenty Nicka i znalazł datę, kiedy chłopaka przyjęto na stypendium do Rowe – to był ten sam rok.

Więc Nick zajął miejsce Olivii. Rozpaczliwie chciała uciec od rodziny, a przyjęcie do szkoły z internatem dawało jej tę możliwość. Ale motyw morderstwa? Czy nie powinna raczej winić ludzi, którzy przyznali stypendium Nickowi, a nie jej?

Przekopywał się przez dokumenty, ale nie znalazł nic, co powiedziałoby mu, kto podjął decyzję. Przypomniał sobie słowa Sinead, że „w Internecie jest wszystko", i wrócił do strony Rowe School. Stare biuletyny szkoły zostały zarchiwizowane jako pliki pdf. Znalazł biuletyn z września, z rozpoczęcia roku ze zdjęciami uczniów. Nick – trochę głupkowaty czternastolatek – uśmiecha się, podając rękę wysokiemu mężczyźnie w prążkowanym garniturze.

„Pan George Spakes wita Nicholasa Hardcastle'a, tegorocznego ucznia korzystającego ze stypendium Rees-Hamera. Pan Spakes zarządzający stypendiami razem z żoną Dolores i panem Henrym Wilcocksem, bratankiem Petera Rees-Hamera, który wspaniałomyślnie funduje stypendia, powiedział:»Tego roku mieliśmy wielu ciekawych kandydatów, ale to Nicholas naprawdę się wyróżnił. Ten młody człowiek będzie dumą naszej szkoły«".

Denison wpisał w wyszukiwarkę „George Spakes". Było kilka trafień, więc dodał do hasła „Dolores". Tym razem pojawiły się tylko trzy, z których jedno stanowiło link do kolejnej edycji biuletynu Rowe, opublikowanego jakiś rok po tym wrześniowym.

„Wszyscy jesteśmy głęboko zasmuceni wiadomością, że w ubiegłym miesiącu zmarli George i Dolores Spakesowie, szanowani członkowie rady zarządzającej Rowe School. Oboje zginęli w wypadku drogowym na Rampton Road. Msza żałobna odbędzie się w kaplicy szkolnej, 18 września, o godzinie 16.00; osoby, które chciałaby w niej uczestniczyć proszone są o powiadomienie sekretarza szkoły".

Denison z trudem poruszał myszką, tak mocno trzęsły mu się ręce. Wrócił do strony z wynikami wyszukiwania i nacisnął kolejny link, tym razem do lokalnej gazety.

„Odkryto ślady lakieru innego samochodu na karoserii nissana Spakesów, a analizy kryminalistyczne pozwoliły ustalić, że pasują one do niebieskiego forda focusa, którego znaleziono dwa dni temu, porzuconego w parku. Policja potwierdza, że wypadek mógł być zabójstwem".

Kliknął na „powrót" i zaczął szukać hasła „Henry Wilcocks". Znów było kilka trafień. Dodał słowo „śmierć".

„Tożsamość mężczyzny zasztyletowanego w czwartek w Huntsford Park została ustalona dziś rano. Jest to Henry Allan Wilcocks z Huntsford Drive w Caversham, notariusz z kancelarii adwokackiej Danby i Synowie. Policja szuka świadków, którzy przebywali w tej okolicy w czasie, kiedy popełniono morderstwo".

Denison przejrzał szkolną dokumentację Olivii i wyjął podanie na studia. Dziewczyna wymieniła dwa uniwersytety, do których chciała się dostać: w Cambridge i Anglia Ruskin. Ten ostatni, drugi na liście, też znajdował się w Cambridge, zaledwie kilkaset metrów od komisariatu w Parkside.

Denison wrócił do pierwszej strony internetowej i spojrzał na fotografię młodego, uśmiechniętego Nicka Hardcastle'a z biuletynu Rowe School. Patrzył w szczęśliwe oczy chłopaka, zbierało mu się na wymioty.

– Och, Nick – wymamrotał. – Tak mi przykro.

Zadzwonił telefon. Denison mało nie wyskoczył ze skóry. Podniósł słuchawkę z nadzieją, że to Weathers.

– Matthew Denison, słucham.

– Dzień dobry, doktorze – powiedziała Olivia.

Jakby ktoś wylał mu na plecy kubek wody z lodem. Poczuł ostry skurcz żołądka.

– Cześć, Olivio – wychrypiał. Nie mógł jasno myśleć, a musiał znaleźć sposób, żeby namówić ją na spotkanie i żeby w jego mieszkaniu było wtedy pięćdziesięciu uzbrojonych policjantów. Gorączkowo układał plan.

– Informacje są mi przekazywane automatycznie – wyjaśniła. – Najczęściej pochodzą od ludzi, do których nie mam ochoty oddzwaniać, ale z pana telefonu bardzo się ucieszyłam. Jak się pan miewa?

– Dobrze, dziękuję. A co u ciebie?

– Do dupy. Ale dzięki, że pan pyta. Na pewno pan słyszał, że się ukrywam. Mnóstwo popieprzonych ludzi uważa, że ich zadaniem jest oczyścić ten świat. Myślałby kto, że zjadam niemowlęta na śniadanie, tak mnie nienawidzą.

– Olivio... – W ustach miał bardzo sucho. – Wiesz, że twój tata uciekł?

– Uciekł? – zapytała.

– Zniknął parę dni po tym, jak go wypuścili za kaucją.

– Och! – Nie było w tym zaskoczenia. – Halo, doktorku? – W jej głosie zabrzmiał śmiech. – Mówiłam ci, że mam oczy ojca?

– Naprawdę?

– Tak. Trzymam je w słoiku pod łóżkiem. – Zachichotała, a on poczuł, jakby uszy zaczęły mu krwawić.

Odniósł przerażające wrażenie, że ona nie żartuje.

– Mniejsza, o czym chciałeś ze mną porozmawiać? – zapytała. – Mówiłeś, że to coś ważnego.

– Hm, po prostu byłem ciekaw, jak sobie dajesz radę. Ostatnim razem, kiedy się widzieliśmy w więzieniu, wspomniałaś, że chętnie byś się ze mną spotkała, jak tylko skończy ci się warunek.

– Zgadza się. Niestety, jak ma się za plecami ludzi żądnych linczu, spotkania towarzyskie nie bardzo wchodzą w grę. Ale co się odwlecze, to nie uciecze. Może w ciągu najbliższych dziesięciu lat.

Milczał, wiedział już, że nie uda mu się zapędzić Olivii w pułapkę. Co zrobić? – myślał. Czy skłoni ją, żeby przyznała się do winy?

– No to kiedy zadasz mi pytanie, doktorku?

– Jakie pytanie?

– O test na logikę hipnotyczną. Żółty ametyst, drętwe punkty… Mało nie wypuścił słuchawki. Czy miała jego telefon na podsłuchu?

– Domyślam się, że dlatego zadzwoniłeś – powiedziała. – Tak mi ulżyło, kiedy to nie wyszło podczas rozprawy. Niewiele brakowało. Ale czytałam twoją książkę. Kupiłam ją w dniu wydania. I wiedziałam, że Sinead, ta wścibska krowa, też ją przeczyta i skontaktuje się z tobą. Czekałam na twój telefon – przerwała, a po chwili odezwała się głosem małej dziewczynki: – Zawiodłeś się na mnie? – Zaśmiała się.

– Ale, ale… dlaczego? – Tylko tyle zdołał z siebie wydusić.

– Co dlaczego? Dlaczego udawałam, że nie jestem w stanie przejść przez testy na logikę? Hm, to oczywiste, chciałam, żebyś mnie przyłapał. Jezu, ile ci to zajęło, zanim zacząłeś coś podejrzewać. Już myślałam, że będę musiała napisać sobie czarnym mazakiem na czole: „symuluję".

– Więc wszystko udawałaś? – zapytał. – Nawet katatonię?

– Nawet to.

– Ale byłaś w tym stanie przez cztery tygodnie!

Niemal słyszał, jak wzruszyła ramionami.

– Przyznaję, to było bardzo nudne. Ale nieźle się śliniłam, prawda? Cóż, może nie mam osobowości wielorakiej, ale jestem dobra w odłączaniu się od rzeczywistości. Nabyłam tę umiejętność w dzieciństwie. Nic tak nie uczy ucieczki w głąb siebie jak stary facet, który pieprzy cię w dupę. Sporo przemyślałam przez te cztery tygodnie. W trzecim tygodniu mogłabym pewnie rozwiązać ostatni teoremat Fermata, gdzieś na etapie między ślinieniem się do telewizora a zsiorbywaniem soku jabłkowego z plastikowej łyżki.

– Czy nie byłoby łatwiej po prostu powiedzieć policji na miejscu zbrodni, że widziałaś, jak Nick zabija June?

– Oczywiście, ale łatwiej nie zawsze znaczy lepiej. Zresztą lubię stawiać sobie wyzwania. Stwierdziłam, że będzie ciekawiej, jeśli pomysł, że składam się w ofierze na ołtarzu Nicka, wyjdzie od pana. Zajęło to sporo czasu. Ale podobała mi się myśl, że Nick zadynda na moich sznurkach, będzie się szarpał i dziwił, co się dzieje.

W jednej z otwartych teczek Dennison zobaczył zdjęcie Amandy Montgomery, to które najbardziej mu się podobało – dziewczyna w poplamionych farbą dżinsach bawi się z kilkumiesięcznym bratem.

– Zabiłaś je – powiedział. – Prawda?

– Myślę, że teraz już mogę się przyznać. Tak.

– Ale dlaczego?

– Hm, z początku planowałam zabić tylko Nicka. Ale potem zrozumiałam, jak fajnie będzie, jeśli zrobi się z niego mordercę. Słodki, dobrze ułożony, przyjacielski Nick. Wzgardzony przez przyjaciół. Opluwany przez obcych. I Bóg wie, co wyprawiają w więzieniu z takim ślicznym chłopcem. Pomyślałam, że to odpowiednia kara. Teraz to jego pieprzą w dupę.

– Odpowiednia kara? Za co? Że dostał stypendium, o które ty też się ubiegałaś!

– Miało być dla mnie – odparła głosem twardym i ostrym jak potłuczony porcelanowy talerz. – Tak mi powiedziała moja nauczycielka. Usłyszała to od jednego z członków komisji stypendialnej. A potem cholerny Nicholas Hardcastle składa podanie w ostatniej chwili i nagle nauczycielka przeprasza mnie, że za wcześnie się wygadała. I życzy mi szczęścia w kolejnym roku, ta cholerna kretynka.

– Ale jednego nie rozumiem. Skoro tak bardzo go nienawidziłaś, jak mogłaś z nim żyć prawie trzy lata? Jak mogłaś znieść, że z nim sypiasz?

Aż roześmiała się na głos.

– Dobre sobie! A jak pan myśli, co robiłam przez całe dzieciństwo? Mam ogromną wprawę w uprawianiu seksu z mężczyznami, którymi gardzę. Dopiero kiedy zrówna się seks z miłością, trudno jest pieprzyć kogoś, kogo się nienawidzi.

– Ale po co wrabiać go w trzy morderstwa? Jedno by nie wystarczyło?

– Za wielokrotne zabójstwa na tle seksualnym albo sadystycznym popełnione przez sprawców poniżej dwudziestego pierwszego roku życia grozi trzydzieści lat albo więcej – wyrecytowała. – To wielka różnica, odsiedzieć połowę dożywocia, a wiedzieć, że nigdy się nie wyjdzie z więzienia.

– Prawda – przyznał. – Ale oszukujesz sama siebie, jeśli naprawdę myślisz, że to jest powód.

Wyczuwał uśmiech w jej głosie.

– Mów dalej, doktorku.

– Zabiłaś je, bo to lubisz. Bo taka jesteś. Zamordowałabyś swoje koleżanki, bez względu na to, czy chciałaś wrobić Nicka, czy nie.

Roześmiała się.

– Ktoś odrobił pracę domową. No to dalej, jak pan myśli, ile osób już stuknęłam? Wystarczy, żeby zakwalifikować mnie jako seryjnego zabójcę?

– Wiem o sześciu – odparł. – Ale dopiero zacząłem szukać.

– Wszystkich i tak pan nie znajdzie – oznajmiła niemal smutnym głosem. – Niektórych nie da się ze mną powiązać. Po prostu przypadkowe sprawy. A innych nie znajdziecie i kropka. Nie zawsze zostawiam je na widoku publicznym.

– Czy ofiary z Ariel były przypadkowe?

– Nieeee. One wszystkie mnie wkurzały. Paula zajmowała pierwsze miejsce na mojej liście, ale wiedziałam, że jak tę dziwkę zabiję, to prawdopodobnie natychmiast stanę się główną podejrzaną, że niby to moja „rywalka w miłości" czy jak by to nazwały cholerne tabloidy. Amanda była celem numer dwa; ciągle mieszała między mną a Nickiem. Chciała, żeby jej ukochana Paula z nim chodziła, ale na szczęście on nie był fanem tej plastikowej lalki. Mimo wszystko postanowiłam poczekać, powstrzymać się do drugiego roku, ale wtedy podsłuchałam, jak Amanda wygłasza do Sinead tyrady, że jestem za mało inteligentna na Cambridge, że kompromituję studentki. Po prostu puściłam pawia. Dostałam się do jej pokoju i czekałam, aż wróci z imprezy.

Nie chciał, żeby opisywała, co stało się potem.

– A Eliza?

– Ta mała, bogata, zaćpana dziwka kręciła nosem na moje ubranie. I powiedziała, że nie jestem dość dobra dla Nicka. Szczerze mówiąc, Elizę zabiłam pod wpływem impulsu. Ale June z premedytacją. Nick jej nie lubił, więc byłoby prawdopodobne, że została jedną z jego ofiar. I obmawiała moją rodzinę. Okay, może nawet miała rację. Ale nie mogłam pozwolić, żeby ludzie patrzyli na mnie z góry… tacy, co powymiękaliby i umarli, gdyby musieli przejść przez to co ja.

– Przez nie czułaś się gorsza.

– Chyba tak. Ale to nie trwało długo. Tylko do chwili, kiedy wbijałam nóż. Wtedy dowiadywały się, która z nas jest lepsza.

Oddychała ciężko. Denison nasłuchiwał, jak Olivia się uspokaja.

– Doktorze, niech mi pan wyjaśni – powiedziała. – Czytałam literaturę fachową. Ludzie z osobowością wielokrotną miewają naprawdę koszmarne dzieciństwo. Ale to dotyczy też seryjnych zabójców. Więc dlaczego stałam się jednym, a nie drugim?

– Niektórzy… głównie kobiety… internalizują ból. Osoby molestowanie w dzieciństwie w dorosłym życiu popadają w depresję – wyrecytował tę papkę ze wszystkich teorii wyczytanych przez lata w czasopismach naukowych, potwierdzoną obserwacjami pacjentów z Coldhill. – Niewielka mniejszość, raczej mężczyźni, eksternalizują ból. Są żądni władzy nad innymi ludźmi, żeby zwiększyć poczucie własnej wartości. Traktują innych jak przedmioty, a nie odrębne jednostki z własnymi nadziejami, marzeniami i z prawem do przyszłości. Istnieją po prostu po to, żeby zaspokoić potrzeby socjopaty.

– Zrobiłeś się znacznie bardziej elokwentny niż na początku rozmowy, doktorku – zauważyła Olivia. – Zdecydowanie wolę Matthew Denisona, dzielnego psychiatrę niż jąkającego się tchórza, który odebrał telefon.

– Nie sądzę. Myślę, że chcesz, żebym się ciebie bał.

– Boisz się mnie.

– Czy niczego innego nie oczekujesz od ludzi? Tylko strachu?

– Strach ma najjaskrawszy kolor – powiedziała chłodno. – Mój świat składa się z wyblakłych odcieni szarości. Jest dla mnie monochromatyczny. Nie wyróżnia się nic, poza bólem, złością i strachem. Mogę słuchać muzyki, która innym wyciska łzy, a dla mnie to tylko sekwencja dźwięków. Muszę obserwować reakcje otoczenia, żeby wiedzieć, jak się zachować. Powtarzać opinie na temat filmów i książek. Bo mnie nic z tego nie rusza. W zabijaniu jest przynajmniej energia, adrenalina. Coś czuję.

– Może zdołalibyśmy jakoś temu zaradzić – zasugerował Denison. – Znaleźlibyśmy jakiś sposób, żeby wyrwać cię z drętwoty bez konieczności zabijania.

– Chce pan, żebym się poddała?

– Tak. Wróć do domu. Pozwól, żebym się tobą zajął.

– Pieprz się, doktorku – powiedziała. – Naprawdę myślisz, że kiedy przyznam się do morderstw, pozwolą mi z tobą zostać, a ty wykręcisz numer jak z Pigmaliona, zostaniesz profesorem Henrym Higginsem i nauczysz mnie, jak być normalnym człowiekiem? Nie bądź śmieszny. Trafię z powrotem do Holloway na całe życie. Chrzanię to. Tutaj jestem szczęśliwa.

– To znaczy gdzie?

– Bliżej niż myślisz.

Poczuł, jak coś wbija mu się między łopatki i krzyknął ze strachu, ale nikogo nie było, to tylko adrenalina drażniła jego nerwy.

– Dobrze się pan czuje? – zapytała Olivia z rozbawieniem.

Zakrył mikrofon słuchawki i wyrównał oddech.

– Świetnie.

– Nie chciałam pana nastraszyć. Nie zostanę tutaj długo; cholernie tu zimno. Myślę o jakimś ciepłym kraju z palmami, ładną, piaszczystą plażą.

– Zwariowałaś. – Nie mógł się powstrzymać.

Wybuchła śmiechem.

– Czyżby pan nie udowodnił, że wcale nie?

– Olivio, lepiej się poddaj. To oczywiste, że kiedy policja zacznie cię szukać, szybko wpadnie na twój trop.

– Ale dlaczego miałaby szukać?

Nie wiedział, czy jej zakłopotanie było prawdziwe.

– Hm, kiedy ich zawiadomię o tym, co mi powiedziałaś…

– Nie strasz, doktorku. Nie zamierzasz o niczym im mówić – oznajmiła lekkim tonem. – Przez jakiś czas będziesz się sam oszukiwał, że to zrobisz, że spełnisz swój obowiązek, ale oboje wiemy, że stawka jest dla ciebie za wysoka. Możesz napisać, co chcesz o kryminalnej przeszłości Nicka. On jest skazańcem, nie zacznie polemizować. Ale prawnicy wydawców nie puszczą ci płazem, jeśli oskarżysz o te zbrodnie wykorzystywaną, molestowaną młodą kobietę. I cała twoja kariera pisarska, książka zaczytywana w kraju i za granicą, występy w programach telewizyjnych, wywiady dla gazet, wszystko to pójdzie do kosza. Ale, jak sądzę, możesz próbować odzyskać dawną pracę, wrócić do Coldhill. Och, nie, chwileczkę. Powiedziałeś przed sądem, że cierpię na zespół bitej żony, jestem tylko ofiarą. Zeznałeś też, że biedny, kochany, niewinny Nick ma takie socjopatyczne zaburzenie charakteru, które czyni go zdolnym do najpotworniejszych morderstw. Coś mi mówi, że nikt nie będzie pod wrażeniem twoich umiejętności diagnostycznych, doktorku. Kariera psychiatryczna więc też legnie w gruzach.

Wydawało mu się, że pokój się kurczy, napierają na niego ściany. Nie widział drogi ucieczki.

– Nie sądzisz chyba, że pozwolę mu zgnić w więzieniu – powiedział słabym, nieprzekonującym głosem. Zbierało mu się na płacz; miał ściśnięte gardło. – Nie chcesz, żeby twoja historia została opowiedziana? – spróbował.

– Nie potrzebuję zrozumienia.

– To dlaczego? – zapytał, energicznie mrugając. – Dlaczego mi to mówisz?

– Tęsknię za naszymi rozmowami – odparła słodkim tonem. – Zawsze chciałam, żeby pan poznał prawdę. To żadna frajda, kiedy się wygrywa, a nikt nie wie, że się brało udział w grze.

Epilog

JEST MI TAK PRZYKRO, OLIVIO – powiedziała pani Martens. – Naprawdę nie mówiłabym ci o tym, gdyby Henry nie twierdził, że to pewne. Chętnie bym go zabiła, naprawdę.

Olivia tylko na nią patrzyła. Pani Martens było żal dziewczyny, ale ta czasem potrafiła naprawdę ją wystraszyć, spoglądając tymi sowimi oczami.

– W przyszłym roku znów złożymy podanie – mówiła dalej. – Będziemy to robić, dopóki uczęszczasz do tej szkoły. To jest najważniejsze.

Olivia szła do domu Dalston High Street. Przez ostatni tydzień w duszy jej grało: „Jestem wolna! Jestem wolna!". Teraz był tam tylko szum.

Weszła do sklepu.

– Gdzie ty, do diabła, się włóczyłaś? – warknęła matka. Stała za kontuarem i robiła remanent. – Pofatyguj swoje dupsko na górę. Ojciec czeka na ciebie już ponad godzinę.

Pokój na tyłach mieszkania na piętrze przypominał małe studio filmowe. Rzuciła plecak na łóżko w swojej sypialni i weszła. W środku tata majstrował coś przy jednej z kamer wideo. Był z nim mężczyzna około czterdziestki, któremu przydałoby się golenie i kubek mocnej, czarnej kawy. Koszulka lacoste opinała mu piwny brzuch. Kucał na końcu materaca leżącego na podłodze. Uśmiechnął się do Olivii. Miał żółte zęby.

– To Derek – powiedział tata. – Rozbieraj się.

Wszystkie telefony były zajęte, Olivia czekała na końcu kolejki. Unikała wzroku innych ludzi. Kryminalistkom odbija szajba, kiedy myślą, że się podsłuchuje. Olivia bez trudu dałaby sobie z nimi radę, ale nie chciała, żeby cokolwiek zagroziło jej przedterminowemu zwolnieniu. Wreszcie kobieta na końcu rzędu płatnych telefonów skończyła rozmowę i wyjęła kartę. Olivia podeszła, złapała słuchawkę i odwróciła się plecami do sąsiedniej osoby. Chciała mieć tyle prywatności, na ile można było sobie tu pozwolić.

Wykręciła numer. Odebrała młoda dziewczyna.

– Jodie, tu Cleo. Dawaj tatę, szybko.

Minęły dwie minuty, zanim się odezwał.

– Czego, kurwa, chcesz?

– Mnie też miło cię słyszeć. Potrzebuję przysługi.

– Jaja sobie robisz?

– Nie, nie robię. I jeśli nie chcesz skończyć w pudle za gwałty na nieletnich, to proponuję, żebyś mnie wysłuchał. Okay?

Po drugiej stronie linii zaległa ponura cisza.

– Okay – odparł wreszcie.

– Idź do samoobsługowej przechowalni Kensalla. To jest w Southwark. Otwórz skrytkę 217. Kod 678901. W środku znajdziesz zamrażarkę. W niej jest coś, co należało do mojej przyjaciółki. Masz to zabrać i podrzucić w mieszkaniu Nicka Hardcastle'a.

Ojciec zakaszlał się ze śmiechu.

– Zajebiste. Czy to jest to, o czym myślę?

– Być może.

Cicho gwizdnął.

– Hm, mówią, że niedaleko pada jabłko od jabłoni. Co ta rzecz robi w samoobsługowej przechowalni Kensalla? Nie boisz się, że kwity doprowadzą do ciebie?

– Z nikim nie kontaktowałam się osobiście. A skrytka jest na nazwisko Nicka Hardcastle'a.

– Mądra dziewczynka.

– Nie za bardzo. Myślałam, że ktoś z obsługi znajdzie do tej pory jego nazwisko i zadzwoni na policję, ale wygląda na to, że będę musiała przyspieszyć sprawy, jeśli nie chcę zostać w pierdlu przez najbliższe dziesięć lat.

Ojciec zaśmiał się chrapliwie.

– Wiesz, słoneczko, przejęłaś po mnie więcej, niż ci się wydaje.

– Więc zrobisz to?

– Cholera, trochę ryzykowne. A co, jeśli mnie złapią?

– Udawaj, że nie wiedziałeś, co jest w torbie. Inna opcja, to że wylądujesz w pudle z napisem pedofil na czole. Rozważę też, czy powiedzieć policji o mojej kumpelce z dzieciństwa, Christie, i o tym, jak podczas jednej z twoich paskudniejszych sesji filmowych przypadkiem została uduszona. Mam nawet kopię taśmy. Więc niech ci nawet nie przychodzi do głowy, żeby mnie wykiwać, stary.

Po drugiej stronie linii panowała cisza, nie licząc ciężkiego oddechu ojca. Dyszał przez nos, próbując opanować nerwy.

– Podaj mi adres swojego chłopaka – powiedział.

– Powtórzył coś, o czym powiedziała mu June na miesiąc czy dwa przed śmiercią. Najwyraźniej June mieszkała po sąsiedzku z Olivią i najwyraźniej podsłuchała jej kłótnię z Nickiem. Tyle że według June ryczał tylko Nick. Olivia próbowała go uspokoić. Potem krótka cisza i trzaśnięcie drzwiami. June wyszła, żeby zobaczyć, czy z Olivią wszystko w porządku. Zobaczyła, jak tamta biegnie po schodach w dół, pod prysznice, ściskając się za ramię, a potem trzyma rękę pod kranem z zimną wodą. Na wewnętrznej stronie ramienia widać było świeże oparzenie. Podobno takie, jak od papierosa.

– Na litość boską, czy tak trudno przyjść na czas? – ryczał Nick.

Olivia wyjęła papierosa z paczki i z trzaśnięciem otworzyła zapalniczkę.

– Przepraszam! – powiedziała. – Nie zrobiłam tego specjalnie! Naprawdę, kochanie, proszę, nie wściekaj się. Byłam taka zapracowana, zapomniałam, która godzina, zorientowałam się dopiero, kiedy zadzwoniłeś. – Zapaliła papierosa i spojrzała na niego, starając się ukryć, jak bardzo lubi, kiedy on się denerwuje.

– To po prostu niewiarygodne. Znowu mnie wystawiłaś. Cholera, dość tego. Następnym razem to ja każę ci czekać jak idiotce i wcale się nie pojawię! – Wszedł do łazienki i trzasnął za sobą drzwiami.

Olivia podwinęła rękaw, zaciągnęła się mocno papierosem, aż czubek rozżarzył się na czerwono, i przycisnęła go do ramienia po wewnętrznej stronie. Rozległo się ciche skwierczenie. Nawet nie mrugnęła. Zgasiła papierosa i zaczęła się szczypać w policzki, aż łzy popłynęły jej z oczu.

Potem chwyciła się za ramię i robiąc dużo hałasu, wybiegła z pokoju do łazienki na parterze, gdzie nasłuchiwała kroków June na schodach.

– Pojechaliśmy tam samochodem. Zobaczyliśmy, jak pali na placu zabaw i poczekaliśmy na klatce, aż będzie wracać do domu. Kiedy nas zobaczyła, próbowała uciekać. Tata złapał ją i uderzył w nos. – Olivia skrzywiła się, jakby chciała warknąć; głos stał się nagle głębszy i twardszy. – Żaden pieprzony bachor nie będzie znęcać się nad moją córeczką. – Wykręcił Tabhicie rękę. Usłyszałam trzaśnięcie, jakby złamała się gałąź. Kazał jej przeprosić mnie. Kiedy to zrobiła, powiedział: „Dalej, Olivio, daj jej nauczkę". I popchnął ją w moją stronę. Ona upadła i leżała na ziemi, pochlipując. Krzyknął, żebym ją ukarała. Ale ja nie chciałam.

Olivia obijała się po północno-wschodniej klatce schodowej bloku czynszowego w Amhurst Park. Ściany przyozdobione były mnóstwem graffiti i sprośnych rysunków. Śmierdziało moczem. Z puszki sączyło się niedopite piwo i skapywało z betonowych schodów. Olivia paliła papierosa i czekała na Tabhitę Newland.

Rozpoznała jej głos. Dziewczyna, wchodząc na piętro, śpiewała piosenkę Kylie Minogue. Głos zamarł jej w gardle, kiedy wyszła zza rogu i zobaczyła Olivię stojącą w gotowości bojowej.

– Czego chcesz, ty… – zaczęła, ale nie dokończyła, zaatakowana przez Olivię.

Mistrz tatuażu uśmiechnął się do Olivii, kiedy Sinead, kulejąc, szła w stronę kanapy.

– Następna ofiara – powiedział.

Usiadła w specjalnym krześle. On tymczasem podszedł do recepcjonistki i wręczył jej ulotkę z menu.

– Zadzwoń do Jade of the Orient, zamów 21, 17, 8 i co tam jeszcze chcesz. – Wrócił do Olivii. – W porządku, co szanowna pani sobie życzy? Podała mu kartkę.

– Chciałabym to mieć na lewym ramieniu. Tej samej wielkości jak tutaj.

Jedzenie dotarło zaledwie dwadzieścia minut później, przywiózł je młody Chińczyk na mopedzie. Mistrz tatuażu podniósł wzrok i odłożył igłę.

– Cześć, Wei – powiedział. – Świetnie zmieściłeś się w czasie, właśnie skończyłem tatuować tę młodą damę. Daj mi sekundę, zabandażuję ją i potem dam ci kasę.

– Nie ma problemu – powiedział Wei. Postawił torbę z kartonami na stole i podszedł bliżej, żeby przypatrzeć się tatuażowi Olivii. Kiedy zobaczył symbole na jej łopatce, zmarszczył brwi i cofnął się, udając, że niczego nie widział.

Mistrz tatuażu przykrył tatuaż kwadratowym opatrunkiem i wręczył Olivii instrukcję pooperacyjną, taką samą jak Leowi i Sinead. Pomachała ręką i wyszła z przyjaciółmi na zalaną słońcem ulicę.

– Czy dziewczyna powiedziała ci, co znaczy ten symbol? – Wei zapytał mistrza tatuażu, kiedy upewnił się, że Olivia już sobie poszła.

– Tak: wieczność, na wieki, ciągle te same głupoty.

Wei pokręcił głową.

– Nie – powiedział. Wyglądał na zakłopotanego. – To znaczy „strepsiptera", wachlarzoskrzydłe. Czy to jakiś zespół, czy co?

– Myłam się w swojej łazience – powiedziała. – Nickowi nie podobało się, że pokłóciłam się z nim przy ludziach. Myślałam, że jest w sypialni. Ale kiedy wyszłam, nie zastałam go tam i usłyszałam krzyki. A raczej głośne jęki. Wyszłam, żeby sprawdzić, co się dzieje, ale drzwi do pokoju June były zamknięte. Słyszałam tylko, jak mówiła: „Nie, nie rób tego, nie". Zaczęłam się dobijać, krzyczałam do niej, wołałam Nicka.

– Myślałaś, że jest z nią w środku?

– Miałam nadzieję, że kręci się gdzieś w pobliżu, usłyszy mnie i przyjdzie z pomocą.

Nick poszedł do łazienki, żeby się odświeżyć. Olivia odczekała, aż zamknął zasuwkę. Wtedy szybko zdjęła suknię balową i wzięła nóż do krojenia warzyw.

Adrenalina krążyła jej w arteriach z szybkością błyskawicy. Olivia czuła, jakby w żyłach żarzył się neon. Oczy miała błyszczące, źrenice powiększone. Zamieniła się w dzikie zwierzę.

Zakradła się korytarzem do pokoju June, po cichu pchnęła drzwi. June rozbierała się, była tylko w majtkach. Stała tyłem, nie widziała, że ktoś wchodzi. Kiedy usłyszała trzaśnięcie drzwi, błyskawicznie się odwróciła.

Przed nią stała Olivia, tylko w majtkach i staniku. Biała bielizna mocno odcinała się od jej opalonej skóry. June zobaczyła mocno naprężone mięśnie i zrozumiała, co to znaczy, zanim spostrzegła nóż.

– O mój Boże – powiedziała.

Olivia rzuciła się na nią. Wymierzyła w tułów; June udało się odepchnąć jej rękę, nóż przejechał po udzie. Zaczęła krzyczeć, ale Olivia zatkała jej usta lewą dłonią. June trzasnęła napastniczkę mocno w twarz i rozcięła jej wargę. Popłynęła krew. Olivia znów dźgnęła, tym razem trafiła w żebra. Lewą ręką huknęła dziewczynę w brzuch. June odebrało dech, już nie krzyczała.

Olivia zadawała pchnięcie za pchnięciem. June próbowała się osłonić, ale ostrze zagłębiało się w ciało albo cięło skórę. Z całej siły kopnęła Olivię w brzuch, ta poturlała się po drewnianej podłodze. Nie wypuściła noża z ręki.

Błyskawicznie podniosła się i uśmiechnęła do June, ukazując zakrwawione zęby. Przykucnęła, szykowała się do skoku.

– Nie! – June uniosła dłonie. – Nie, Olivio, nie, proszę. – Krwawiła z kilkunastu ran. Kremowe ściany były obryzgane czerwienią.

Olivia skoczyła. June udało się uderzyć ją łokciem w twarz. Olivia jakby nie poczuła bólu, popchnęła dziewczynę na ścianę, przedramię podłożyła jej pod brodę i nacisnęła na gardło. June nie mogła oddychać, jej ręce trzepotały przy twarzy Olivii. Pierścionkiem trafiła w łuk brwiowy. Kopała po nogach. Olivia stała twardo jak wmurowana w podłogę.

Chwyciła mocniej nóż i wbiła ostrze w podbrzusze ofiary, tuż nad kością łonową. Weszło tak głęboko, że rączka dotykała skóry. June przestała się ruszać i tylko patrzyła morderczyni w oczy. Olivia poprawiła chwyt i stękając z wysiłku, pociągnęła ostrze do góry, aż pod klatkę piersiową. Rozległo się plaśnięcie, gorące wnętrzności wypłynęły na podłogę.

Olivia zrobiła krok do tyłu i patrzyła, jak June, z niewidzącymi już oczami, powoli osuwa się po ścianie i zatrzymuje na podłodze.

Stała przez chwilę, dostrajała się, znów zakładała maskę. Potem uklękła przy ciele June i wyciągnęła nóż. Zmusiła się, żeby oddychać szybciej i szybciej, aż do zawrotów głowy. Wtedy zaczęła krzyczeć.

Podziękowania

Autorka chciałaby podziękować za pomoc, wsparcie i radę przy pisaniu Balu absolwentów: Mike'owi Aitkenowi Deakinowi, Johnowi Aspdenowi, Gai Banks, Julii Deakin Adinie Ezekiel, Vivien Green, Sharon Hicks, Susan Hill, Tracey Horn, Sophie Janson, Grantowi Jerkinsowi, Jane Kennerley, Linden Lawson, Sophie Legrand, Timowi Loynesowi, Unie McCormack, Charliemu Middletonowi, Paulowi Millerowi, Davidowi Newmanowi, Vanesther Rees, Susannie Sabbagh, Philipowi Stilesowi, Paulowi Taylorowi, Brettowi Van Toenowi, Sylvii Van Toen, Steve'owi Woolfriesowi, Vashti Zarach i wszystkim Gurneysom.*